DE VROUW VAN DE SENATOR

Sue Miller

De vrouw van de senator

Vertaling Guus Houtzager

2008
DE BEZIGE BIJ
AMSTERDAM

Cargo is een imprint van uitgeverij De Bezige Bij, Amsterdam

Oorspronkelijke titel *The Senator's Wife*
Oorspronkelijke uitgever Alfred A. Knopf, New York
Omslagontwerp Marry van Baar
Omslagillustratie Workbook / Imagestore
Foto auteur Elena Seibert
Vormgeving binnenwerk Peter Verwey, Heemstede
Druk Wöhrmann, Zutphen
ISBN 978 90 234 2956 2
NUR 302

www.uitgeverijcargo.nl

Voor Jordan en Maxine

HOOFDSTUK EEN

Meri, juni 1993

Vanaf haar plekje midden op de achterbank observeert Meri de twee mensen voorin: haar man Nathan en Sheila, de makelaar. Ze bedenkt dat het achterhoofd en de nek over het algemeen iets kwetsbaars over zich hebben. Nathan ziet er bijvoorbeeld van achteren een beetje schooljongensachtig en treurig uit, vooral zijn oren – waarschijnlijk omdat hij naar de kapper is geweest voordat ze aan deze huizenjacht zijn begonnen.

Ze zijn er nu twee dagen mee bezig. Meri heeft voortdurend op de achterbank gezeten – aanvankelijk omdat het toevallig zo uitkwam toen ze met zijn allen in de auto stapten, en vervolgens uit eigen keuze. Ze merkt dat ze het gevoel van afstand prettig vindt. Ze houdt van het beeld dat ze van hun gezichten krijgt wanneer ze zich in het gesprek naar elkaar of naar haar toe wenden – de profielen, de schuine invalshoeken. Ze heeft het idee dat ze iets nieuws over Nathan leert door hem op deze manier te bekijken en aan te horen hoe hij zijn vragen over huizen stelt. Hij heeft er zoveel! Vragen over verwarmingskosten, over belastingen, over de ouderdom van installaties, over isolatie en schooldistricten.

Waarom heeft zij daar nooit aan gedacht?

Daarom. Omdat ze ook op de achterbank zit aangezien ze er niet in slaagt zich heel erg om het huis te bekommeren, ongeacht welk huis het wordt. Het hele idee is van Nathan afkomstig. Meri heeft het tegenover hem soms schertsend 'jouw grootse, geweldige idee' genoemd, en zoals zal blijken is dat de spijker op de kop: het huis zal veel meer kosten dan ze hadden begroot.

Maar zelfs daar zal ze bijna buiten staan. Nathan is degene die geld heeft. Niet dat hij veel heeft. Maar wel wat. Toen ze hem in hun universiteitsstad in het midden-westen leerde kennen, leefde hij erg zuinig en legde alles opzij wat hij kon missen. Eerder had hij een zuinig bestaan geleid in een andere universiteitsstad en ook daar gespaard. Uiteindelijk heeft hij zo wat achter de hand gekregen. Maar belangrijker is dat hij een moeder heeft die bereid is hem nog voor haar dood zijn 'legaat' te geven, zoals zij het noemt. Zij heeft het niet nodig, heeft ze herhaaldelijk gezegd, en hij wel.

Dat een ouder niet alleen bereid maar ook in staat is je voor of na haar overlijden financiële hulp te bieden, is voor Meri iets ongekends. Een legaat? Zij zal niets aan de aankoop van het huis bijdragen – zij heeft niets, en er zal haar niets toevallen.

Dat betekent in geen enkel opzicht dat ze niet met Nathan meeleeft. Ze houdt van hem. Ze begrijpt zijn opwellingen en verlangens. Toen ze elkaar leerden kennen was hij er beroerd aan toe; hij zat gevangen in een bijzonder lastig academisch milieu, waar men met een mengeling van minachting en jaloezie tegen zijn specifieke eruditie en zijn populariteit bij de studenten aankeek. Een baan aangeboden krijgen bij een goede universiteit in het oosten, een baan aan een faculteit waar het werk dat hij doet wordt gewaardeerd, een baan met een vaste aanstelling, een baan met het vooruitzicht op wat in deze kringen 'echt geld' wordt genoemd, is een grote slag, een prestatie. Een ontsnapping. Ze vierden het nieuws met een etentje in het beste restaurant van Coleman – de Italiaan – en door een groot deel van het daaropvolgende weekend in bed door te brengen.

Het huis dat ze van plan zijn te kopen, welk huis het ook zal worden, moet de viering van dit alles voortzetten – van Nathans recente geluk, van zijn nieuwe positie in de wereld. Het moet in elk geval voor hem een grote verandering, een begin markeren.

Voor Meri is de betekenis minder duidelijk. Het stemt haar treurig om haar leven en haar appartement in Coleman te moeten opgeven. Ze zal haar baan en haar collega's bij het tijdschrift voor oud-studenten missen. Ze zal het missen hoe ze elkaar de loef probeerden af te steken met moppen tappen. Ze zal hun lange vergaderingen missen, hun oeverloze gesprekken die uiteindelijk onontkoombaar, op een mysterieuze manier die hen allemaal altijd weer verbaasde, uitkwamen bij onderwerpen voor artikelen die ze voor het tijdschrift konden schrijven.

Ook maakt ze zich een beetje bezorgd over haar huwelijk. Ze weet dat Nathan een leven plant waarvan het huis deel uitmaakt en waarvan zij niet zeker weet of zij het wel wil. Ze weet niet of ze zich wel thuis kan voelen op de plek die hij in gedachten heeft, in het bestaan dat hij voor haar in gedachten heeft. Maar ze heeft het idee dat ze, als ze de soepele kameraadschap en de seksuele opwinding van hun begintijd weten vast te houden, wel een manier kunnen vinden om over al deze kwesties in gesprek te blijven, om hun huwelijk een vorm te geven die hun allebei past.

Hun eerste dag met Sheila was verspilde tijd. Daarover waren ze het gisteravond op hun hotelkamer eens geweest, toen ze uitgeput en nog helemaal aangekleed op de beddensprei hadden gelegen, zonder elkaar aan te raken. Nathans handen lagen gevouwen op zijn borst, alsof hij in een rouwkamer voor het bezoek was opgebaard. Ze waren het erover eens dat ze hun uiterste limiet moesten verhogen om iets te kunnen krijgen wat ze echt wilden – of liever gezegd: Nathan stelde dat voor en Meri stemde ermee in. In haar ogen leek alles wat ze hadden gezien een mogelijkheid. Terwijl Nathan in elk benauwd bungalowtje en elk sjofel rijtjeshuis zichtbaar gedeprimeerd raakte, bedacht zij hoe het huis leefbaar kon worden als je de grenen lambrisering wit schilderde, het oranje tapijt weghaalde, de zware gordijnen verwijderde en het licht binnenliet. Maar omdat ze zag dat Nathan het moeilijk had, probeerde ze in geen enkel opzicht optimistisch of opgewekt te klinken. Dat waren toch al geen eigenschappen die hij in haar op prijs leek te stellen. Terug in het hotel bracht ze niets van dat alles zelfs maar ter sprake. Ze was het met hem eens, ze steunde hem. Uiteindelijk stond zij op en belde Sheila; ze vertelde haar dat ze de volgende dag met nieuwe uitgangspunten moesten beginnen.

Sheila heeft voor de bezichtigingen van vandaag haastig een herziene lijst opgesteld. Tot dusver hebben ze drie huizen bekeken. Het eerste lag te ver buiten de stad – ze wilden allebei lopend of op de fiets naar hun werk kunnen gaan. Het tweede huis was ronduit lelijk, besloten ze samen bij de lunch. Imitatiebakstenen gevelbeplating, een kleine, donkere keuken. Het derde huis, waar ze net vandaan kwamen, was prachtig; het was in victoriaanse stijl gebouwd, maar het was veel te groot en moest nodig worden opgeknapt. De veranda bewoog zelfs een beetje op en neer toen ze eroverheen liepen, en binnen wees Nathan op de verrotte raamkozijnen en de vochtplekken tegen de plafonds en de muren.

Sheila vertelt nu dat het volgende huis, waar ze nu met hen naar onderweg is, enigszins buiten hun bereik ligt, maar naar haar idee is het zo geschikt voor hen dat ze hen toch een kijkje wil laten nemen. Ze noemt een prijs waarvan Meri op de achterbank verstijft. Ze werpt een snelle blik op Nathan.

Ze ziet zijn gezicht en profil terwijl hij Sheila aankijkt. Meri ziet dat er een bitter lachje over zijn gezicht trekt. Een waarschuwingssignaal, maar dat weet Sheila niet. Meri voelt echter wat er komen gaat. Hij gaat Sheila vertellen dat het vér buiten hun bereik ligt. Hij gaat haar vragen hun tijd niet te verdoen. Misschien gaat hij zelfs zeggen dat ze moe zijn, dat ze genoeg hebben gezien voor vandaag.

Maar Sheila kijkt hem niet aan. Haar zachte, kinderlijke stem gaat verder, in een argeloze, onstuitbare woordenstroom. Meri moet aan helder, ondiep water denken. 'Het is eigenlijk een twee-onder-een-kaphuis,' zegt ze. 'Je weet wel, aan elkaar vastgebouwd. Het andere huis is van een oude senator die nu met pensioen is gegaan. Ach, ik wed dat jullie hem wel kennen: hoe heet hij ook alweer? Beroemd, zo'n beetje uit de Kennedy-tijd. Hij leek zelfs nogal op een Kennedy. Hoe heet hij nou toch!' Ze slaat op het stuur.

Meri ziet hoe Nathans gezicht verandert, hoe het lachje verdwijnt. 'Tom Naughton?' zegt hij.

'Dat is hem!' zegt Sheila. Ze draait haar hoofd en lacht naar hem. 'Het is al heel lang van hen. Ik heb geen idee hoe lang. Sinds ver voor mijn tijd.'

Er valt een stilte. Nathan kijkt Meri aan. Ze bewondert zijn als gebeeldhouwde wang- en kaaklijn. 'Kijken kan geen kwaad, lijkt mij,' zegt hij.

'Je kent me,' antwoordt Meri. 'Een echte huizenvoyeur.' Ze probeert belachelijk sexy te klinken en draait met haar schouders. Nathan lacht. Dat is goed. Ze heeft het idee dat hij al een paar dagen niet gelachen heeft.

Maar wie is Tom Naughton?

Dat zal ze moeten opzoeken.

Toen Meri Nathan leerde kennen, woonde ze op zichzelf in een woning waar ze dol op was – in één heel grote kamer in een oud bakstenen pand dat met zijn hoge, kale ramen uitzag over de meestal stille hoofdstraat van wat eufemistisch het centrum van Coleman genoemd werd. Het gebouw was ooit een fabriek geweest – er werden harmoniums gemaakt – en als zodanig had het zinloos hoge, met metalen platen beklede plafonds. 's Winters steeg de warme lucht op en bleef vlak onder die plafonds hangen, hoog boven Meri's hoofd. Ze veronderstelde in elk geval dat de warme lucht daar bleef. Op haar hoogte was hij zeker niet. Daar trokken koude tochtstromen door de kamer, die op een stormachtige winterdag daadwerkelijk de overal gedeponeerde stapels papier tot leven brachten. Meri droeg in de koudste maanden van het jaar thuis verschillende lagen kleding over elkaar en had de hele dag en een deel van de nacht enorme groene, met dons gevoerde pantoffels aan. Ze droeg ze ook in bed. Ze deed ze pas uit als ze een poos onder de dekens had gelegen en haar lichaamswarmte haar knus omhulde.

Onder meer daarom was ze dankbaar dat ze Nathan aan het begin van de zomer had leren kennen, toen ondanks het ontbreken van een gestage doorstroming van frisse lucht het appartement koel en fris bleef wanneer de enorme ramen openstonden. Toen ze thuis op blote voeten liep en hield van het gevoel van het geverfde hout onder haar voeten. Toen ze luchtige jurkjes droeg waarin haar lengte en haar krachtige bouw goed uitkwamen. Toen je comfortabel naakt op bed kon liggen.

Toen ze elkaar pas een maand kenden en een groot deel van die tijd comfortabel naakt op bed hadden doorgebracht, was hij bij haar ingetrokken. Een maand later waren ze getrouwd. Toen ze tien maanden getrouwd waren, namen ze het vliegtuig naar Wiliston om in dit lange weekend op zoek te gaan naar een huis waar ze konden wonen.

Wanneer Sheila de auto bij de stoeprand tot stilstand brengt, stapt Nathan niet uit, maar kijkt nog even rustig over de promenade uit. Eerbiedig, denkt Meri. Ze volgt zijn blik. Op het brede gazon staat een bord met de tekst ‘Te koop’. Erachter rijzen twee waarschijnlijk rond het begin van de twintigste eeuw gebouwde bakstenen twee-onder-een-kapwoningen op, met veel sieromlijstingen van wit steen rond de ramen en deuren – tierelantijnen en dierlijke vormen. Boven aan de stenen trap naar de veranda prijkt zelfs een kleine liggende leeuw.

Ze stappen uit en lopen onder een omvangrijke eik de lange promenade op. Tussen het plaveisel onder hun voeten groeit mos. Sheila vertelt Nathan hoeveel badkamers er zijn en dat er een keuken is die ze uiteindelijk waarschijnlijk zullen willen renoveren. Meri loopt achter hen aan en vist een sigaret uit haar tasje – een van de vier sigaretten die ze zichzelf elke dag toestaat. ‘Ik kom zo,’ zegt ze terwijl Sheila met haar sleutel aan de voordeur morrelt.

Ze geven geen antwoord. Nathan vindt het verkeerd dat ze rookt. Nou ja, wie zou er anders over denken? Maar hiermee doet hij alsof hij het niet opmerkt, alsof hij haar niet alleen negeert wanneer ze rookt, maar zelfs elke verwijzing ernaar ontkent. Het is alsof ze zich met de sigaret onzichtbaar kan maken, bedenkt ze. Hocus-pocus, pilatus pas!

Meri ziet hen het huis binnengaan. Ze hoort Nathan ‘tsjongejonge’ zeggen. Ze vindt haar lucifers. Ze luistert naar hun korte gesprek – hij vraagt Sheila hoe oud het huis is, en iets over de verdiepingen – en hoort vervolgens hun voetstappen weergalmen en hun stemmen de diepte van het huis in gaan.

Ze gaat op de stenen balustrade zitten die de grote, rechthoekige veranda omgeeft. Onder haar billen is het koel en vochtig. De veranda is in tweeën gedeeld – het gedeelte van senator Naughton en hun gedeelte – door een kortere balustrade die uit de muur tussen de twee zware houten voordeuren ontspringt. Daarbovenop ligt de leeuw, die zijn bek iets geopend heeft, alsof hij zojuist iets heeft gezien waarover hij zich verbaast. Ze inhaleert diep.

Ze inhaleert diep en denkt aan seks met Nathan. De afgelopen week hebben ze drooggestaan, en ze mist de seks. Ze denkt dat ze hem mist. Hij heeft zich van haar verwijderd om over zijn toekomst na te denken.

Hún toekomst, verbetert ze zichzelf.

Vanaf haar plekje kan ze de lange, brede straat overzien waar niets gebeurt, al schreeuwen er kinderen. Van beide kanten van de straat strekken zich boomtakken uit die elkaar in het midden vinden. De huizen liggen allemaal achter een imposante voortuin. Het huis van senator Naughton staat in een reeks dichter op elkaar liggende vrijstaande huizen en twee-onder-een-kapwoningen in wat eens als het minder chique deel van de straat moet hebben gegolden. Ze draait zich om en kijkt weer door de openstaande deur. Ze kan helemaal naar binnen kijken, tot in een kamer vol licht achter in het huis. Ongetwijfeld de keuken. De keuken die ze zullen willen renoveren.

Meri denkt na over het woord 'renoveren'. Ze weet niet zo zeker of ze wel iemand wil zijn die iets renoveert. Renoveren is iets anders dan de lambrisering schilderen of het kamerbrede oranje tapijt weghalen.

Op wat voor manier is het dan anders?

Het is anders omdat het geld kost. Daar zit 'm immers het probleem. Ze begint aan een burgerlijk bestaan en daar is ze een beetje korzelig over. Omdat het geld niet van haar is? Niet van haar kon zijn?

Ze weet het niet. Ze inhaleert weer en geniet van de scherpe smaak.

De seks deed het 'm, natuurlijk. Een minder voor de hand liggend, sterker van elkaar verschillend stel dan zij is niet denkbaar. Nathan heeft wat Meri als referenties is gaan beschouwen: als vader een – lang geleden overleden – vooraanstaand academicus, of in elk geval een man met een degelijke reputatie, en een moeder die een zilveren theeservies bezit, een erfstuk van haar ouders. Die dat theeservies gebruikte bij de eerste kennismaking met Meri. Een moeder die, toen Meri het bewonderde, kon zeggen: 'O, het is maar verzilverd', alsof het daardoor minder buitengewoon was.

Ondanks zichzelf en de keuzes die ze in haar eigen leven heeft gemaakt, heeft Meri voor dit alles een bijna aangeboren respect, waarschijnlijk als gevolg van te veel tv-kijken in de jaren zeventig. Als haar zus en zij met hun Barbies speelden, was Meri's Ken altijd dokter of advocaat. Zelfs toen al, toen ze pas acht of negen was, had ze aan de televisie een uitgesproken idee van maatschappelijke zekerheid overgehouden. Lou, Meri's zus, minachtte dat. Haar Ken was filmster, cowboy of motorcoureur. Ze vond Meri's Ken een neer. Dat woord hadden ze allebei tot ver in hun tienerjaren gebruikt. Het was ontstaan doordat Meri als kind het woord 'meneer' niet goed had begrepen; ze had de samenstelling 'mijnheer' niet goed doorzien. Lou had het overgenomen om tegelijkertijd te verwijzen naar en een oordeel uit te spreken over de wereld van de volwassenen. Bijna allemaal waren het neren.

Meri's vader kwam uit een heel ander deel van de wereld van de volwassenen dan Nathans vader. Hij leek meer op de Ken van Lou dan op die van Meri – hij was vrachtwagenchauffeur op lange trajecten, zat soms weken achtereen op de weg en dronk stevig in de rusteloze dagen die hij thuis doorbracht. Het leven van haar moeder had niets te maken met een leven waarin Meri en haar zus geïnteresseerd waren. Ze vermaakte en maakte kleren voor de dames in het kleine stadje in Illinois waar het gezin woonde. Ze maakte alle kleren van Meri en Lou voordat de meisjes oud genoeg waren om te babysitten en wat te verdienen. Daarna kochten ze zelf hun kleren, voornamelijk spijkerbroeken en zo uitdagend mogelijke topjes. Ze waren op de high school wilde meiden, meiden die niet wilden deugen, en Meri beschouwt het als een enorme bof dat ze niet zwanger is geworden, niet van school heeft hoeven gaan, niet twee keer is gescheiden en van een uitkering leeft – wat Lou allemaal is overkomen. In plaats daarvan werkte Meri zich langzamerhand steeds hoger op – via een *community junior college*, de universiteit van Illinois en een postdoctorale opleiding journalistiek. Daardoor belandde ze op het punt waar ze was toen ze Nathan leerde kennen: in een scharrelbestaan, waarin ze hoofdzakelijk de kost verdiende als redacteur van het tijdschrift voor oud-studenten waarvoor ze ook schreef: artikelen over congressen aan de universiteit, projecten en publicaties van de faculteiten en gastdocenten. Soms publiceerde ze een gespecialiseerd stuk in de *Des Moines Register*, en zelfs verscheen er een paar keer iets van haar in de *Chicago Tribune*.

Meri is een verkorte vorm van Meribeth, Lou van Louisa. Wat ging er in hun moeders hoofd om toen ze hun zulke vrouwelijke, zachte, schattige namen gaf? 'Ik dacht dat jullie mij zo nu en dan weleens in de keuken zouden helpen, in plaats van te doen waar jullie nu de hele tijd mee bezig zijn. Met je nagels en je haar.'

Maar dat wilde ze niet echt. In de verste verte niet. Als ze haar probeerden te helpen met koken of met de afwas, kwam ze woedend tussenbeide, sloeg erop met alles wat voorhanden was en voer tegen hen uit omdat ze er zo'n bende van maakten of omdat de vaat niet schoon genoeg was. Nee, ze wilde dat ze zouden vertrekken en haar met rust zouden laten. Prima, wat hen betrof. Ze stond graag bij de gootsteen – zo leek het in elk geval – met een sigaret in haar mond, terwijl de rook rond haar samengeknepen ogen kringelde, met haar handen in het afwaswater, de radio aan en in gedachten ver weg van hen, van de patroonvellen die op de eettafel op haar lagen te wachten, van de vrouwen die kwamen en gingen en intimiteiten over hun leven vertelden terwijl zij geknield voor hen zat en hun kleding op maat afspeldde.

Ze was drie jaar geleden aan borstkanker overleden, en Meri had vreemd en sterk op haar dood gereageerd, die met vier of vijf maanden uitstel was gekomen en haar toen door zijn intensiteit had verward. 'We waren toch bepaald niet erg dik met elkaar,' zei ze niet-begrijpend tegen Lou aan de telefoon. Ze had haar in tranen gebeld.

'Hoe had dat ook gekund?' zei Lou. 'Ze praatte nooit.'

Was dat het, vroeg Meri zich af. Hunkerde ze alleen naar iets wat er niet was geweest?

Een van de aardigste dingen die haar moeder ooit tegen haar had gezegd, was dat ze een mooi gebit had. 'Lach eens,' had ze op een ochtend bij de koffie bevolen, en Meri gehoorzaamde. 'Recht,' zei haar moeder, terwijl ze zich alweer van haar afwendde. 'Niet zoals Lou met haar vooruitstekende tanden.' Dat was het.

Vier jaar nadat ze de volwassen leeftijd had bereikt voelde Meri zich nu eens aangetrokken tot mannen die leken op de Ken van haar zus en dan weer tot mannen die leken op haar eigen Ken. Nu eens trok het gevaar haar, dan weer de veiligheid. Toen ze Nathan – veiligheid – leerde kennen, voelde ze zich vanwege al haar eigen treurige motieven tot hem aangetrokken.

Ze zaten allebei in de zaal bij een lezing van een voormalige presidentiële perschef over de politiek na Reagan. Meri woonde de lezing bij omdat ze er een stuk over moest schrijven. Nathan kwam na afloop tijdens de borrel naar haar toe en zei: 'Waarom maak je eigenlijk al die aantekeningen? Je bent te oud om nog te studeren.'

Van de andere kant van de zaal had Meri hem met de perschef zien praten en hem zorgvuldig opgenomen: zijn wilde haardos, zijn lange, goed gebouwde lijf, het snelle, een tikje sluwe lachje dat zijn knappe gezicht opeens interessant maakte.

'Ik ben negentien,' zei ze op gekrenkte toon. 'Ik heb een moeilijk leven achter me, als je het per se weten wilt.'

Het lachje was op zijn gezicht verschenen. Hij was minstens tien centimeter langer dan zij, en zij was een meter tachtig. 'Wil je misschien iets drinken?' vroeg hij. 'Ik vind niks zo leuk als een verhaal over tegenslagen.'

Hoewel Meri door hem geïmponeerd was, stemde ze er bijna met tegenzin mee in om met hem uit te gaan, in de wetenschap dat ze zich zou gaan vervelen – of dat ze snel verveeld zou raken; dat overkwam haar altijd met de veilige mannen –, en dan met het probleem zou zitten hoe ze zich van hem moest bevrijden, iets waarin ze helemaal niet goed was. De dingen sleepten zich in haar leven altijd veel te lang voort. Ze verspilde steeds kostbaarder wordende tijd. Ze was in werkelijkheid zesendertig.

Maar zo was het niet gegaan nadat hij haar had aangeraakt, nadat hij haar had gekust en nadat ze de liefde hadden bedreven – wat die eerste keer in haar appartement was gebeurd, in de late namiddag, terwijl het zonlicht in banen over de geverfde vloer viel en er zo nu en dan geluiden van de straat tot de kamer doordrongen.

Terwijl ze hierover nadenkt, wat onregelmatig ademend en haar kostbare tweede sigaret van de dag verwaarlozend, die tussen haar vingers verandert in as, gaat de deur aan de andere kant van de veranda open en komt er een vrouw naar buiten. Bij het zien van Meri schrikt ze en zegt vervolgens gedag. Meri zegt: 'Hai', en de vrouw wendt zich af en draait de deur achter zich in het slot. Ze moet rond de zeventig zijn, denkt Meri. Ze is lang en statig en op een bepaalde manier fascinerend.

Meri zelf is naar haar eigen idee een *bijna knappe* vrouw. Een minnaar heeft haar eens verteld dat ze eruitzag als een aantrekkelijke versie van de honkballer Pete Rose. Ze denkt niet dat het zó erg is, al zijn haar gelaatstrekken een beetje onduidelijk. Ze heeft ze meer dan eens 'vaag' genoemd. Daarom heeft ze geleerd methoden te ontwikkelen om opgemerkt te worden, om – ook al wordt ze nooit voor een mooie vrouw gehouden – toch aantrekkelijk te worden gevonden, en zodoende is ze een kenner van andere vrouwen en hun schoonheid geworden. Deze oude vrouw – ze heeft zich weer naar Meri toe gewend – is iemand die ooit een schoonheid is geweest, daar durft Meri heel wat om te verwedden. Een schoonheid van het pronte, imponerende type. Misschien zelfs een tikje intimiderend. Waarschijnlijk trekt ze op straat nog steeds de aandacht. Haar gezicht is sterk gerimpeld, maar ze heeft krachtige, regelmatige en bekoorlijke trekken. Ze heeft felrode lippenstift op. Ze heeft vol wit krulhaar, en van haar uitdrukking en houding gaan energie, nieuwsgierigheid en erotische kracht uit. Voor iemand van haar leeftijd is ze ongewoon gekleed: een vrij nauwsluitende blouse met opdruk en een klokkende rok. Platte schoenen met touwzolen, die er Frans uitzien.

'Bekijkt u het huis?' vraagt ze. Haar accent is enigszins voornaam.

'Ja,' zegt Meri.

'Maar toch' – ze houdt haar hoofd schuin – 'kijkt u níet.'

Meri lacht haar toe, door haar bekoord. 'We hebben een lange dag achter de rug. Ik moest even uitrusten.' Ze beweegt het restant van haar sigaret heen en weer. 'Ik moest even een minuutje zondigen, ik heb me de hele dag zo verdomd netjes gedragen.'

De vrouw lacht een snel lachje. 'Ach ja, netheid is moeilijk vol te houden,' zegt ze. 'Maar toch, als u er uiteindelijk aan toekomt om het huis te bekijken, zal het u bevallen, denk ik.' Ze glimlacht. 'Maar het spreekt vanzelf dat ik dat zeg, hè? Het is het spiegelbeeld van mijn huis, en ik hou van mijn huis. Ik hou er al bijna dertig jaar van.'

'Dertig jaar!' zegt Meri. 'Wauw. Ik kan me niet voorstellen dat je dertig jaar lang op dezelfde plek woont.'

'Ik betwijfel of u zich een voorstelling van dertig jaar leven kunt maken?'

'Tel er nog maar wat bij,' zegt Meri op gemaakt stoere toon.

'Daar geloof ik nu helemaal niets van,' zegt de oudere vrouw.

'Doet u dat toch maar wel. Ik ben zevenendertig.'

'Ah, zevenendertig.' Ze knikt. 'Dat is een prachtige leeftijd, hè?'

'Denkt u?' Meri tikt de laatste as van de sigaret.

'Jazeker. Nu ik er zo over nadenk, is het een leeftijd van volmaakt evenwicht. Als het een beetje meezit heb je de dwaasheden van de jeugd en je ijdele verwachtingen van het leven achter je gelaten. Al die ellende heb je gehad. Maar daar staat tegenover dat je nog jong en sterk bent.' Ze zwijgt even, kijkt uit over de voortuin en kijkt dan Meri weer aan. 'Je bent klaar voor het echte leven.'

Het echte leven? Wat houdt dat in?

'Ik ben Delia Naughton,' zegt de vrouw opeens. Ze loopt naar de leeuw toe die haar van Meri scheidt, en Meri loopt naar haar toe. Boven zijn kop schudden ze elkaar de hand, en Meri zegt Delia hoe zij heet. Ze spelt haar naam ook. Dat doet ze altijd.

'Gaat u iets doen aan de universiteit?' vraagt Delia. Haar ogen zijn doordringend, hardblauw.

'Ik weet nog niet precies wat ik ga doen,' antwoordt Meri. 'Ik zal nog op jacht moeten naar een baan. Maar mijn man wel, ja. Hij wordt docent. In de politieke wetenschappen en de politieke geschiedenis.' Ze is daar trots op, en blij dat ze het kan vertellen.

'Ah!' zegt Delia. Ze knikt verschillende keren. 'Nou,' zegt ze, 'ik hoop dat u interesse hebt.' Ze loopt naar achteren en gebaart naar het huis. 'Het zou heerlijk zijn om jonge mensen aan die kant van de muur te hebben. En als u het huis koopt, zal ik u met alle genoegen helpen om gesetteld te raken. Het allerminste wat ik kan doen is u vertellen waar de supermarkt en de stomerij zitten, dat soort stomvervelende maar onontbeerlijke zaken.'

'Dank u,' zegt Meri. 'Dat is erg aardig van u.'

'Het stelt niets voor,' antwoordt Delia. Ze komt de trap af, tamelijk traag, en pakt de ijzeren sierleuning vast. Ze loopt op het geplaveide pad af. Meri merkt dat ze haar wil tegenhouden nu ze zich verwijdert, dat ze haar iets wil aanbieden. 'Mevrouw Naughton!' roept ze.

De oudere vrouw draait zich om. Ze zet een stap terug in Meri's richting. 'Zeg maar Delia, als je wilt.'

'Delia,' zegt Meri. 'Ik wou nog zeggen dat mijn man' – ze maakt een hoofdbeweging in de richting van het huis achter haar – 'duidelijk een groot bewonderaar van jouw man is.'

Er verandert iets op het gezicht van Delia Naughton. Een paar seconden ziet ze er een beetje wezenloos uit, alsof ze is vergeten dat ze een man heeft, een man van wie Nathan kan hebben gehoord. Meri ziet in elk geval dat dit niet het cadeau is dat ze haar had willen geven.

Maar nu glimlacht ze. 'Ach, welja,' zegt ze en ze wendt haar blik af naar de straat. 'Dan is hij niet de enige, ben ik bang. Bewonderaars zijn de specialiteit van mijn man.' Ze wuift met haar hand en loopt verder over het pad. Aan het einde gaat ze rechtsaf, naar de drukkere straat, die, naar Meri weet, naar de universiteit en het stadscentrum loopt.

Meri kijkt haar na totdat ze is verdwenen. Vervolgens doet ze het filter, het enige wat van haar sigaret is overgebleven, in het peukendoosje dat ze in haar tas bij zich heeft. Ze staat op en gaat naar binnen.

Ze heeft nu meer interesse. Ze voelt zich opeens energiek; dat gevoel is ongetwijfeld aan Delia Naughton te danken. Ze houdt zichzelf voor dat Delia goed beschouwd alleen maar beleefd was, maar onwillekeurig vertoont ze toch deze reactie. De aandacht van oudere vrouwen heeft altijd dit effect op haar; die geeft haar op de een of andere manier een geluksgevoel. Dat krijg je nu van een gebrek aan moederlijke zorg, denkt ze.

Ze staat in de woonkamer. Ze hoort boven voetstappen en het openen en sluiten van deuren, gevolgd door het zachte gemompel van afwisselend Sheila's stem en die van Nathan. Ze kijkt om zich heen. De kamer is groot, maar op een bepaalde manier onhandig ingedeeld. Aan de kant van de voordeur is hij open – er is geen hal – en onder de zes ramen aan de voorkant bevindt zich een lange, ronde vensterbank. De vensterbank is van hetzelfde gelige hout gemaakt als de brede, barokke schoorsteenmantel. Dat hout is overal. Het beschot naast de schoorsteenmantel is ervan gemaakt, evenals de lambrisering naast het tussenbordes van de trap, dat in de huiskamer uitsteekt. Het vertrek achter de woonkamer, dat naar Meri aanneemt de eetkamer is, heeft drie ramen die een erker vormen. Ze loopt erdoorheen, haar voetstappen weergalmen luid op het kale hout. Er direct achter bevindt zich een kast, daarachter een toilet en daartegenover een donkere voorraadkast met kasten met glazen deuren. Met de ouderwetse sluiting opent ze een van de kastdeuren. Als hij openslaat snuift ze een bedompte maar niet onaangename geur op. De planken zijn bekleed met papier met verschoten motieven, dat hier en daar besmeurd en bevlekt is. In de voorraadkast staat ook een grote koelkast met verchroomde randen, waarvan de deur iets op een kier staat. Ergens boven hoort Meri Nathan lachen.

Meri gaat de eigenlijke keuken in, een lange ruimte vol licht. De achterkant ziet er bijna uit als een broeikas, zoveel ramen zijn er. De tuin achter deze muur van ramen is stralend groen

– hij wordt overkoepeld door een plataan met een prachtige lichte, schubbige bast die met zijn gebladerte het zonlicht filtert. Meri loopt naar het glas toe en kijkt naar buiten. De tuin is overwoekerd met onkruid. Een verweerde palissade scheidt hem van de aangrenzende tuin van de Naughtons. Hun keuken steekt niet zo ver naar achteren uit als deze, en recht onder de plek waar Meri staat hebben ze een breed terras van veldsteen; het is nogal strak en wordt omgeven door een vierkante heg. Er staan twee zilvergrijs verbleekte houten stoelen, en Meri stelt zich voor hoe Delia Naughton daar iets zit te drinken met een voorname man op leeftijd, een man als Ted Kennedy, maar dan stukken slanker.

Ze loopt bij de ramen vandaan om te kijken hoe het kookgedeelte eraan toe is. Tegen de gemeenschappelijke muur aan staat een wit geëmailleerd fornuis met vier pitten en een smalle ovendeur; ernaast staat een brede, lage porseleinen gootsteen op poten, die duidelijk uit een vervlogen tijdperk stamt. Dat is alles. Er is geen noemenswaardig aanrecht. Het geheel doet Meri denken aan het keukenhoekje tegen de achterwand van haar appartement in Coleman. Daar heeft ze een aanrecht met bergruimte gemaakt van een massief houten deur die ze over twee bureaus heeft gelegd die ze in het nostalgische antiekzaakje in de stad heeft gekocht. Hier zal Nathan uiteraard een inbreng in de hele inrichting hebben, en ze beseft dat ze er geen idee van heeft waar zijn voorkeuren naar uitgaan, wat voor smaak hij heeft. Zullen ze haar bureaus naar het grofvuil brengen? Ze hoopt van niet. Ze is eraan verknocht.

En wat misschien nog belangrijker is: ze zijn van haar.

Er zit een deur in de muur achter de voorraadkast. Hij is dicht, en Meri opent hem. Een smalle, steile trap draait naar links omhoog. Ze gaat hem op en houdt zich aan de leuning vast. Op de eerste verdieping werpt ze een snelle blik op de vier slaapkamers en de twee badkamers waarvan de open deuren op de lange overloop uitkomen. Het zijn leuke kamers, mooi van vorm, vooral de grote slaapkamer aan de voorkant, die dezelfde ronde rij vensters heeft als de woonkamer. Alle kamers kunnen echter wel nieuw behang en een verfje gebruiken. De omtrekken van oude schilderijen zijn als lichtere vierkanten of rechthoeken op de verschoten muren zichtbaar, en hier en daar is een rand van het behang opgekruld, zodat eronder een andere kleur of een ander motief zichtbaar is.

De badkamers zijn ouderwets, met linoleum vloeren en badkuipen met klauwpoten. Meri houdt van klauwpoten. Een van de kranen druppelt langzaam maar gestaag, zodat zich een brede roestkleurige plek op het porselein heeft gevormd.

Ze treft Sheila en Nathan aan op de tweede verdieping, in een goed afgewerkte, open kamer waarvan de muren achter boekenkasten schuilgaan. Nathan keert zich naar haar toe. Hij ziet er gelukkig uit. Afgezien van zijn lach is dat te zien aan het feit dat zijn haar in de war zit. Als hij opgewonden is woelt hij altijd wild met zijn handen door zijn haar. Soms ziet hij er, als ze hem na een goed verlopen college treft, even onverzorgd uit als wanneer hij 's ochtends wakker wordt.

'Dat zou toch een mooie studeerkamer zijn, hè?' vraagt hij haar, en hij maakt een weids armgebaar.

Sheila en hij hebben het hier duidelijk al over gehad. Zij is geïnstrueerd. Ze springt in en wijst op de dakramen, het uitzicht op de bomen die de straat omzomen. Ze speculeert over de vraag wat de voor de hand liggende plaatsen voor een bank en een bureau zijn.

'Vertel Meri ook eens over de eigenaars,' zegt Nathan tegen haar.

Gehoorzaam begint Sheila met haar kinderlijke, tuttige stemmetje te vertellen. De man was architect. 'Een bekende architect,' zegt ze. De vrouw was musicienne. Ze hadden geen kinderen. Ze hebben hier vanaf hun huwelijk altijd gewoond. Hij is in de jaren zestig overleden en zij heeft hier vervolgens alleen gewoond tot haar dood, een jaar geleden. Hij heeft het huis veranderd, vertelt Sheila. Deze kamer was bijvoorbeeld een zolderruimte voordat hij hem tot zijn werkkamer verbouwde. Hij heeft de muren op de begane grond laten slopen en de keuken laten uitbouwen; dat is allemaal eind jaren vijftig gebeurd. 'Daarna is er niets meer aan gedaan. Ik denk dat het sindsdien zelfs niet meer geschilderd is.'

'Daarom is het zo goedkoop,' zegt Nathan, en hij lacht haar toe.

Ze staart hem een ogenblik aan. Goedkoop?

Het is duidelijk dat de beslissing al is genomen. Ze haalt een mintsnoepje uit haar tas en lacht naar Sheila en Nathan terwijl zij het gesprek voortzetten.

Als ze terug in het hotel de trap op gaan en achter elkaar aan door de lange, smalle gang naar hun kamer lopen, is Nathan opgewonden en stelt hij haar enthousiast op de hoogte van zijn observaties van de bijzondere kwaliteiten van het huis. Bijna meteen nadat ze op hun kamer zijn aangekomen excuseert hij zich en belt zijn moeder – hij moet haar vragen of de prijs wel kan, die hoger is dan waarop zij had gerekend. Meri zet een stoel bij het raam en pelt terwijl hij praat een sinaasappel. Hij beschrijft het huis liefdevol: de kroonlijsten, de glas-in-lood-ramen in de keuken, de hoge plafonds. 'Het is prachtig, het zit degelijk in elkaar, maar het is ook zo'n huis waar de verlichting in de badkamer van die fluorescerende cirkels op het plafond vormt. Dat maakt het zo geweldig,' zegt hij. 'Het heeft alleen een opknapbeurt nodig, maar in feite is het een heel solide en heel voornaam huis.'

Hun kamer ligt op de eerste verdieping van het hotelletje. De vloer is van kaal hout. Hij kraakt terwijl Nathan heen en weer loopt omdat hij zich moet bewegen, zoals altijd wanneer hij gelukkig is. Ze heeft hem college zien geven, en ook dan is hij altijd in beweging.

Het raam voor Meri staat open. Ze legt haar blote voeten op de vensterbank. Rondom haar gaan de gordijnen op en neer; terwijl ze naar haar man luistert strijken ze af en toe langs haar benen. Van de schil van de sinaasappel die ze afpelt spat olie, die in de lucht verdwijnt terwijl de geur blijft hangen. Er zit wit onder haar nagel. Ze eet de partjes langzaam op en trekt voorzichtig alle vezels eraf. Nathan en zijn moeder hebben het nu over geld, over rentetarieven en maandelijkse afbetalingen. Buiten komt iemand fluitend voorbij, en aan de overkant van de straat beweegt de koepel van bladeren in het stadsplantsoen traag in de wind, als één groene massa. Toen ze binnenkwamen waren er op het gazon onder deze bomen vier of vijf studenten aan het frisbeeën.

Het lijkt erop dat Nathan en zijn moeder het over alles eens zijn geworden. Nathan maakt in elk geval instemmende geluiden, geluiden die het einde van het gesprek aankondigen. Hij hangt op, en afgezien van de van buiten komende zwakke kreten van de studenten is het geruime tijd stil in de kamer.

Dan voelt ze zijn hand op haar schouder. 'Hé,' zegt hij zacht. Ze steekt haar handen uit en raakt hem aan met haar naar sinaasappel geurende vingers.

'Draai je eens om,' zegt hij.

Meri doet wat hij vraagt; ze pakt de armleuningen van de stoel vast en draait zich met stoel en al om. Ze leunt achterover en kijkt hem aan. Nathan is knap. Je zou niet van iemand moeten houden omdat hij toevallig knap is. Meri weet dat, maar door zijn schoonheid werd ze tot hem aangetrokken. Het had toch ook niet anders gekund? Zijn ogen zijn zo lichtbruin dat ze bijna goudkleurig lijken. Hij zit op de rand van het tweepersoonsbed, naar haar toe gekeerd. Hun knieën raken elkaar bijna. Ze zouden elkaar raken als het bed niet zo hoog was. Het is een hemelbed en heeft een sprei van wit chenille.

'Wat mijn moeder betreft is het allemaal in orde,' zegt hij.

'Dat begreep ik al.'

'Ben je eraan toe om een eigen huis te hebben?' Hij steekt zijn hand uit en streelt haar been, haar spijkerbroek. 'Dit wil je toch, hè?'

Meri knikt.

Hij laat haar been een beetje heen en weer schommelen. 'Ja toch?' vraagt hij opnieuw. Hij wil meer van haar.

'Ach, je kent me, Nate.' Meri trekt een grimas. 'Ik word altijd zenuwachtig van verandering. Als het aan mij lag zouden we tot we oud zijn in mijn appartement blijven zitten.'

'Ik zou dan moeten forenzen. Lastig voor mij.'

'Ja. Dat zou een probleem zijn.' Ze voelt de gordijnen als een vluchtige streling om zich heen, waarna hun beweging weer verflauwt.

'Maak je niet druk,' zegt hij zacht.

'Nee hoor,' zegt ze opgewekt. 'Oké.'

Hij lacht. Dan trekt hij een ernstig gezicht en zegt: 'Het is ons huis, Meri. Ik zou geen huis hebben willen kopen als we niet samen waren. Het is voor ons.'

Ze biedt hem een partje van de sinaasappel aan en hij neemt het. Een ogenblik eten ze zwijgend.

'Laten we het vieren,' zegt hij opeens. 'Ik bel Sheila en doe een bod. Laten we dan naar beneden gaan en champagne bestellen.'

'Denk je dat ze beneden champagne hebben?' De bar van het hotelletje is donker en heeft alleen het hoogstnoodzakelijke. Tussen de middag zat de zaak vol mensen die misschien docenten waren. Ze aten hamburgers en dronken ijsthee en bier uit stevige mokken.

'We kunnen het proberen. Trek iets moois aan. Laten we een feestje bouwen.'

Terwijl ze haar spijkerbroek uittrekt roept ze naar Nathan, die zijn kleverige handen wast: 'Misschien komt het doordat ik nog geen baan heb. Misschien voelt het daardoor voor mij... minder écht om hier te gaan wonen.'

Hij is met een handdoek in de deuropening van de badkamer verschenen. 'Je vindt wel een baan.'

Ze opent de kast om haar jurk eruit te halen en lacht naar hem. 'Ik ben zo blij dat het voor elkaar is.'

'Nou, dat is het.'

Beneden is de bar halfvol. Ze nemen plaats aan een vierkante tafel met een blad uit één massief stuk hout. Het glanzend gelakte oppervlak zit vol barsten en krassen. Nathan gaat naar de tapkast en buigt zich eroverheen. Ze kijkt naar zijn rug en zijn sterke, ronde billen terwijl hij zijn gewicht verplaatst en één voet op de stang zet. Naast haar staat een raam open. In de verte weerklinkt het geluid van een bladblazer waarmee gevallen bladeren worden opgeruimd.

Nathan komt terug met twee champagneglazen. In beide glazen stijgen de belletjes heel snel naar boven. Hij overhandigt haar een van de glazen en gaat zitten. Hoewel Meri's flûte zwaar is als glas voelt hij aan als plastic, en wanneer ze met Nathan klinkt op de toekomst, is het geluid dof en niet muzikaal.

Maar het is goede champagne, droog en met veel smaak. 'Lekker,' zegt ze.

'Jíj bent lekker,' antwoordt hij, en hij heft nogmaals het glas. 'Mijn huisbewaarster.'

'Waarom klinkt dat nu zoveel interessanter dan echtgenote?' vraagt ze.

'Dat doet het niet,' zegt hij.

Ze snuift en neemt nog een slokje champagne. Wanneer ze haar glas weer neerzet, zegt ze: 'Ik heb nog een vraag. Wie is Tom Naughton? Los van het feit dat hij oud-senator is.'

'Weet je dat niet?'

'Waarom vraag ik het anders?'

'Hij is echt een hele goeie. Dat was hij. Hij heeft geloof ik twee, maar misschien wel drie ambtstermijnen in de Senaat gezeten ten tijde van het Great Society-plan in de jaren zestig en zeventig. Hij was betrokken bij het armoededebat, over de vraag hoe die kwestie moest worden aangepakt. Dáárover ging het in de korte tijd dat ze er al dat geld aan konden spenderen. Hij stond altijd bekend als rechtdoorzee. Zelfs de mensen die het met hem oneens waren respecteerden hem.'

'En toen?'

'Nou, ik denk dat hij eigenlijk gewoon met pensioen is gegaan. Misschien besefte hij dat zijn tijd gekomen was.' Hij fronst zijn wenkbrauwen. 'Of misschien hebben er persoonlijke zaken gespeeld, bedenk ik nu. Ik weet het niet precies meer. Hoe dan ook, in de jaren zeventig was die hele kwestie niet meer aan de orde, en toen waren zijn hoogtijdagen voorbij.' Nathan laat zijn glas langzaam ronddraaien. Hij haalt zijn schouders op. 'Hij doet nog wel wat, hij zit bij een chic advocatenkantoor in Washington en is lid van allerlei commissies. Zo nu en dan hoor je van hem, dat hij als adviseur optreedt of een beleidsnota heeft geschreven. Net als Hart. Of Rudman.' Hij kijkt Meri aan en grijnst. 'Te gek om hem te leren kennen.'

Ze beginnen nu weer over het huis, over bepaalde kamers en hoe die zouden kunnen worden gebruikt. Wanneer Meri de massieve deur en de bureaus ter sprake brengt, slaat ze een nonchalante toon aan. Als Nathan zegt: 'Ja, die zullen we zeker nodig hebben', voelt ze een golf van iets wat lijkt op dankbaarheid. Ze brengt zijn hand naar haar mond en kust zijn vingertoppen.

Maar als ze zijn hand loslaat, als ze de laatste champagne opdrinken en als ze de bar uit lopen en naar boven gaan, bedenkt ze, zoals ze op bepaalde ogenblikken sinds haar huwelijk met Nathan al eerder heeft bedacht, hoe ver ze van elkaar af staan. Ze bedenkt dat ze hem niet dankbaar wil zijn om wat hij haar toestaat. Het bevalt haar niet dat hij haar mening over het huis niet heeft gevraagd.

Maar zij heeft het immers zelf zover laten komen – de situatie dat zij niets meer over deze zaken te zeggen heeft. Als ze tegenover Nathan echt eerlijk over al haar gevoelens zou willen zijn, zou ze de bereidheid moeten hebben om alles uit te vechten, om over elke kleinigheid ruzie te maken. En voordat ze met hem trouwde heeft ze niet beseft hoeveel van die kleinigheden er waren. Ze wordt al moe als ze eraan denkt.

Boven gaan ze ieder aan een andere kant van het bed staan en ontdoen zich snel van hun kleren. Meri kruipt over de sprei naar Nathan toe. Ze gaat op haar zij liggen, kijkt naar hem op en doet haar knieën van elkaar terwijl hij zijn hand naar haar uitsteekt.

De lucht uit het open raam is koel, maar Nathans lijf is warm, de warmte straalt van hem af. Hij heeft een stijve, en zij brengt haar hand omlaag om hem te helpen, om hem naar het goede plekje te brengen. Ze voelt een zekere opluchting als hij bij haar naar binnen gaat. Dit is wat ze wil. Zo voelt ze zich bij hem oprecht en veilig. Hier, denkt ze. Ja. Ze fluistert het als hij in haar begint te bewegen: 'Ja. Ja!'

Door het vuur van zijn verlangen vrijen ze snel en wanneer Nathan klaarkomt schreeuwt hij het uit, zo hard dat Meri zich kan voorstellen dat op het trottoir beneden iemand in de schemering onder de bomen blijft staan luisteren.

Na afloop liggen ze roerloos naast elkaar. Meri kijkt naar het plafond, dat laag is en vol zit met opgevulde scheuren. Ze denkt aan het plafond in haar appartement, met de vierkante metalen platen. Nathans maag rommelt. In Meri's hoofd beginnen de grillige sprongen door haar levensgeschiedenis die bij haar altijd na de seks komen. Ze herinnert zich hoe het was om te vrijen met de man met wie ze omging voordat ze Nathan leerde kennen. Hij heette Rick. Ze denkt aan zijn pik en vergelijkt hem met die van Nathan: hij was korter en dikker. Ze denkt aan de opmerking die hij over de gebrekkige luidsprekers van haar stereo heeft gemaakt, een opmerking die haar diep heeft gekrenkt en die de directe aanleiding tot hun breuk is geweest. Vervolgens – hoe? bestaat er enig verband? – denkt ze aan het artikel waaraan ze nu bezig is en dat gaat over het onderzoek van een jonge archeoloog die aan de universiteit verbonden is. Ze moet dat artikel nog afmaken en dan nog een stuk schrijven, een overzicht van recente publicaties van de faculteit, en dan is ze klaar en loopt haar baan af.

Nathan zegt: 'Het bevalt je wel, hè?'

Ze kijkt naar hem. 'Het huis?' vraagt ze. Ze klinkt hees.

'God! Wat anders?'

Ze schraapt haar keel. 'Ik zou het niet weten.' Hij zwijgt. 'Seks?' Ze glimlacht, maar hij kijkt haar niet aan. 'Deze kamer?' Ze keert zich op haar zij, naar hem toe. 'Niet boos zijn, Nate. Misschien spreekt die... kant van het leven me gewoon nog niet zo aan als jou.' Opeens denkt ze aan Elias, een homoseksuele collega bij het tijdschrift. Als hij discreet wil informeren of iemand anders ook homoseksueel is, zegt hij: 'Welke kant spreekt hem het meest aan?'

Ze staat op het punt dat aan Nathan te vertellen, maar hij is alweer verdergegaan, hij is weer over het huis begonnen. Dit keer is zijn uitgangspunt de verbazing – 'Ik bedoel maar, hoe groot is die kans nu?' – over het feit dat ze de buren van Tom Naughton worden.

'Ja,' antwoordt ze. Ze denkt aan het gezicht van Delia Naughton, dat betrok toen de naam van haar man viel. Ze laat haar hand over Nathans gladde, witte, haarloze buik gaan. Zijn hele lange, mooie lijf ziet er zo uit. Hij doet haar denken aan een heilige van El Greco. Zijn hoofd steunt op haar andere hand. 'Ja, ik mag háár in elk geval graag.'

'Hoe bedoel je, dat je háár graag mag?'

'O.' Ze tilt haar hand op en haar vingers vormen aanhalingstekens. 'De vróuw. Ik heb vandaag eventjes met haar gepraat. Toen Sheila en jij binnen waren. Ze was... hartelijk is denk ik het beste woord. Heel aardig.'

Nathan zwijgt even. Plotseling staat hij op. Hij loopt de badkamer in. Ze hoort hem met water spetteren. Nu staat hij in de deuropening, die hij met zijn lange lijf volledig opvult, en droogt met een handdoek zijn gezicht af.

Hij kijkt haar aan.

'Wat is er?' vraagt ze.

'Waarom heb je me dat niet eerder verteld?'

Hij is beledigd. Meri wist dat dat zo zou zijn. Ze beseft dat het ook haar bedoeling was. Bijna vanaf het moment dat ze Delia Naughton – 'de vrouw' – ter sprake bracht en zeker toen hij daarna stilviel, wist ze dat ze dit moment had gewild, dit moment van een soort wraak. Wraak op Nathan. Van wie ze houdt. Ze kan er niets aan doen; zelfs nu voelt ze een zeker plezier.

Waarom? Omdat ze iets wist wat hij niet wist? Tut-tut. Is het zoiets kleinzieligs? Is zij zo kleinzielig?

'Ik heb er niet aan gedacht, tot zonet,' zegt Meri. Dat is niet waar, en dat weet ze. Er hebben zich verschillende momenten voorgedaan waarop ze het aan Nathan had kunnen vertellen, maar het niet heeft gedaan. Ze heeft het niet gedaan omdat hij haar het gevoel had gegeven dat ze buitengesloten was.

Nathan staat haar nog even te bekijken. Vervolgens gaat hij op het voeteneind van het bed zitten. 'Waar heb je het met haar over gehad?' Er komt een flauw lachje om zijn lippen. 'Met de vróuw?' Zijn toon is schamper, maar hij probeert het haar te vergeven en terug te gaan naar het punt waar ze voor haar opmerking waren.

'O, eigenlijk nergens over. Het duurde maar heel even. "Hallo, hoe gaat het met u? Als ik u ergens mee kan helpen enzovoort, enzovoort." Ze ging alleen net iets verder. Ze is echt heel innemend.'

Hij geeft geen antwoord.

'Nathan, het spijt me. Het spijt me dat ik het je niet heb verteld. Ik had het je eerder moeten zeggen. Maar het maakt toch niet uit? We hebben een huis gekocht. We hebben net gevreeën. Ik zou dit foutje in de rubriek "onbeduidend" willen onderbrengen. Niet zo heel erg, toch?'

Hij pakt haar voeten vast en beweegt ze voorzichtig heen en weer. Hij heeft warme handen. 'Een beetje maar,' zegt hij. 'Maar een beetje erg.' In de schemerige kamer lacht hij haar toe. Ze houdt van hem. Alleen dat telt. Ze houdt van hem.

HOOFDSTUK TWEE

Delia, augustus 1993

De hele nacht regent het gestaag door, en Delia wordt van tijd tot tijd wakker van het geluid van de hevige regenval op de bomen naast het open raam van haar slaapkamer. Op een gegeven moment staat ze op en legt een extra deken op het bed.

Als ze rond vijven definitief wakker wordt, baadt de kamer echter in het licht. Een frisse wind waait door de takken van de boom, maar ze beeldt zich in dat ze kan voelen hoe de hitte van de dag het huis binnenkomt en opstijgt.

Ze loopt haar lichaam na – waar doet het vandaag pijn, en waar niet? – en slaat dan de dekens terug, vol ergernis over zichzelf. Hoe vervelend kan een mens worden? Ze is op, ze gaat over de overloop naar de badkamer om een plas te doen, haar tanden te poetsen, haar medicijnen klaar te leggen en haar ochtenddosis te nemen.

Wanneer ze langs de kleine trap naar beneden gaat, blijkt het in de keuken achter in huis koud en donker te zijn, en ze is blij dat ze een trui over haar peignoir heeft aangetrokken. Ze maakt een ontbijt voor zichzelf klaar en luistert naar het nieuws op de zender van de lokale publieke omroep. Na een jaar is er nog veel te doen over de herstelwerkzaamheden in het door de orkaan Andrew getroffen Florida. En in de omgeving is iemand gearresteerd die vanaf een viaduct over de snelweg auto's met stenen heeft bekogeld.

Om zeven uur gaat ze naar boven en schrijft een lange brief

aan Evan, haar oudste zoon. Daarna neemt ze een douche en steekt zich in wat ze als haar werkkleding beschouwt – vandaag een katoenen jurk en sandalen met lage hakken. Ze brengt de make-up aan die ze meestal op heeft – mascara, lipstick en een beetje kleur op haar wangen – en werpt een kritische blik op zichzelf in de spiegel. Ze heeft gedaan wat ze kan, meer zit er niet in.

Rond halfnegen gaat ze weer naar beneden om met het espressoapparaat haar tweede kop koffie te zetten – zwarte koffie dit keer. Vlak nadat ze aan tafel is gaan zitten om de koffie te drinken, hoort ze dat er buiten een vrachtwagen tot stilstand komt; even later hoort ze de stemmen van mannen die elkaar dingen toeroepen. Met de koffie in haar hand loopt ze naar de woonkamer, naar de ramen aan de voorkant. De verhuiswagen op de oprijlaan aan de andere kant van het twee-onder-een-kaphuis is een enorm, rood-wit gevaarte, en de mannen zijn druk bezig met het openen van deuren en het luidruchtig uittrekken van metalen laadkleppen. Ze zijn jong en hebben allemaal eenzelfde T-shirt aan, maar ze kan niet lezen wat erop staat. Delia hoort hoe iemand bij de buren, in wat zij nog altijd als het huis van Ilona beschouwt, met veel gebons de trap op loopt.

Terwijl ze met haar koffie naar buiten zit te kijken, neemt het gebons gestage vormen aan. Ze zijn begonnen meubels naar binnen te brengen. Ze schreeuwen naar elkaar, ze roepen elkaar vanaf de oprijlaan dingen toe, en van onder aan de trap naar boven. De nieuwe eigenaars zijn ook aangekomen, en in het lawaai zijn ook hun stemmen hoorbaar. Delia hoort de jonge vrouw – Mary, heet ze. Nee, *Meri.* Ze heeft het voor haar gespeld, herinnert Delia zich nu weer. Ze had iets vrijpostigs over zich, iets van een wildebras, eigenschappen die Delia graag in een meisje ziet. In een vrouw.

Dit zal dus het einde betekenen van de grote stilte aan de andere kant van de muur. Het zal Delia niet spijten, al is ze er intussen aan gewend geraakt – het buurhuis heeft sinds de dood van Ilona Carter, zo'n acht maanden geleden, leeggestaan. Maar ook eerder al veroorzaakten de vaste gewoontes van haar bejaarde buurvrouw niet veel geluid. Zeker geen geluid van een volume dat gemakkelijk door de verschillende lagen tussen Delia's huis en het hare heen kon dringen – door de massieve, brandvrije bakstenen muur, door de planken en het latwerk die aan beide kanten zijn aangebracht, door de twee lagen oud pleisterwerk met crin erin en door alles wat daar in de loop der jaren nog overheen is aangebracht: verf, behang, en opnieuw behang en verf.

De enige vaste uitzonderingen op de stilte waren de late namiddagen geweest: Ilona luisterde dan op hoog volume naar klassieke muziek onder het genot van één heel sterke dubbele martini, die ze langzaam tot zich nam gedurende een urenlange luistersessie. Telkens kwam ze weer overeind om een nieuwe plaat op te zetten: Ilona schakelde nooit over op bandjes of cd's. En hoewel de muziek aan Delia's kant van het huis soms een hinderlijk licht getril van het vensterglas teweegbracht, vond Delia het vooral prettig; ze hield ervan hoe de muziek murmelend door de muren heen lekte. Ze rekende er zelfs op. Het was alsof je naar stromend water luisterde, dacht ze. Naar iets heel elementairs.

Het was moeilijker bij de gelegenheden dat Ilona Delia uitnodigde om ook wat te komen drinken en dan een bepaald stuk muziek van een bepaalde door haar bewonderde artiest opzette. Ze zaten dan samen in het overdonderende lawaai. Ilona had een glimlach op haar gezicht, hield haar bejaarde hoofd achterover, had haar ogen achter haar brillenglazen als schoteltjes extatisch gesloten en ontblootte haar grote paardengebit. Delia zat met het ongeduld van iemand die door de tandarts wordt geboord te wachten tot het afgelopen zou zijn met de pijn en de herrie.

Ilona was geen klein beetje doof. Vandaar het volume. Ze leed ook aan artritis en staar. 'Maar ik mag niet klagen,' zei ze nadat ze was uitgeklaagd. En inderdaad was ze van nature een opgewekt mens. Ze bevestigde Delia's opvatting dat musici meestal de gelukkigste mensen zijn – Ilona had in een vroegere fase van haar leven tweede viool gespeeld in een klein symfonieorkest in het midden-westen. Delia had haar dertig jaar gekend en meestal een kritiekloze bewondering voor haar gevoeld.

Ilona was plotseling overleden. Delia had haar gevonden; omdat het op een late winternamiddag stil bleef, had ze besloten haar te bellen. Toen er vervolgens op het aanhoudende overgaan van de telefoon niet werd gereageerd, had ze in de la in de hal naar Ilona's sleutels gezocht. Vervolgens was ze de met ijskorsten bedekte veranda over gelopen en naar binnen gegaan, en toen Ilona niet op haar geroep had gereageerd en beneden nergens te bekennen was, was ze naar boven gegaan.

Ze was klaarblijkelijk in haar slaap overleden. In elk geval lag ze in bed, met de dekens bijna tot haar kin opgetrokken. Haar huid had een alarmerende geelgrijze kleur gekregen. Delia was door haar dood geschokt, maar dat was eigenlijk onzinnig. De oude vrouw was tweeënnegentig.

Toen Ilona stierf, was Delia zelf vierenzeventig. Inderdaad: ook oud. Maar door de aanwezigheid en het bestaan van Ilona had Delia zich altijd jong en vitaal gevoeld – meisjesachtig soms zelfs. O, natuurlijk besefte ze dat Ilona en zij in de ogen van de voornamelijk echt jonge gezinnen die nu haar buren waren vooral op elkaar leken. Ze behoorden tot de categorie 'oude vrouw'. Die buren begrepen misschien wel dat de een een heel stuk ouder was dan de ander, maar wat voor verschil maakte dat nu eigenlijk? Ze zouden vooral aandacht hebben voor het absurde feit dat ze allebei alleen in die twee enorme huizen woonden. En nu is Ilona niet meer en wordt haar kant van het huis opgeëist en volkomen veranderd.

Maar in werkelijkheid is Delia er dolgelukkig mee dat jonge mensen het huis betrekken. Het zal levendiger worden, er zullen meer kinderen komen. Er was op straat een soort pauze ingetreden nadat de laatste kinderen uit de vorige generatie naar de middelbare school, de universiteit of de wijde wereld in waren vertrokken. Een paar jaar had er bijna niemand op straat gespeeld, waren er met Halloween nauwelijks kinderen om snoep aan de deur gekomen en weerklonk er in de ochtendschemering geen geschreeuw meer van kinderen die door elkaars tuin heen renden.

Delia heeft dat gemist. Het is goed dat de stilte voorbij is. De kinderloze oudere echtparen zijn verhuisd. De huizen zijn verkocht. Sommige zijn zo groot dat ze tot appartementsgebouw zijn verbouwd, zodat een pand dat vroeger door één gezin werd bewoond nu aan twee of drie gezinnen onderdak biedt. Opnieuw zag je kinderen en hoorde je ze: hun hoge, lichte stemmen, hun spelletjes en hun soms buitensporige gehuil op straat. Ze is er blij om. Ze is blij dat dit jonge paar het huis naast haar betrekt. Misschien hebben ze al kinderen, of zullen ze die nog krijgen. Ze heeft er toen ze de vrouw ontmoette niet naar gevraagd.

Er is niemand buiten wanneer Delia naar haar werk gaat. Ilona's voordeur staat echter open, en in huis hoort ze stemmen.

Ze neemt de auto. Meestal gaat ze te voet, maar ze heeft besloten vandaag na afloop van haar werkdag wat boodschappen te doen – ze wil een paar cadeautjes voor haar nieuwe buren kopen, iets om hun het gevoel te geven dat ze welkom zijn.

Het is zacht en helder, de wegen zien nog donker van de nattigheid na de hevige regen die ze vannacht heeft horen vallen.

In de hoofdstraten rond het stadsplantsoen krioelt het al van de mensen die vast hun inkopen voor het weekend doen. Delia houdt van die dagen aan het begin en het einde van de zomer, als de studenten weg zijn en de stad opeens door volwassenen wordt teruggevorderd. Als je van het ene verkeerslicht naar het andere kunt rijden zonder de voortdurend onverwachts overstekende jongeren te hoeven ontwijken die nauwelijks kijken of er een auto aankomt voordat ze zich op de rijbaan wagen.

Delia rijdt een paar straten voorbij de campus en parkeert voor een oud wit huis in koloniale stijl. Het staat dicht aan de straat, en de smalle voortuin is omheind met een versleten houten hek. Dit is het Apthorp-huis, waar Delia werkt.

Dat werk – ze beschouwt het als haar baan – is onbetaald. Ze geeft als vrijwilliger rondleidingen in een pand dat in de eerste vijf decennia van de negentiende eeuw door een rondreizende prediker en zijn vrouw werd bewoond. Dankzij de vrouw is het honderd jaar na haar dood beroemd geworden. Eind jaren vijftig werden op de zolder een onvoltooide roman en een aantal niet-gepubliceerde verhalen van haar hand aangetroffen.

Vier maanden in het jaar – in juni, juli, augustus en september – leidt Delia vier dagen per week mensen in het huis rond, waarbij ze hun vragen over de Apthorps beantwoordt. En al was Anne Apthorp in de intellectuele kringen van New England geen figuur van bijzonder belang, er worden wel veel vragen gesteld. Over haar huwelijk, haar meubels, haar porseleinen servies, haar keukengerei, haar schrijfgerei en haar kinderen. Men wil weten hoe ze heeft geleefd en hoe ze is gestorven.

Delia heeft haar liefde voor alles wat met de Apthorps te maken heeft zo'n twintig jaar geleden opgevat, kort nadat ze met Tom en de kinderen naar Williston was verhuisd. Ze was toen als echtgenote van het Congreslid gevraagd om zitting te nemen in een comité dat geld bijeen moest brengen om het kort daarvoor door de universiteit aangekochte pand tot museum te laten verbouwen. Het was een van de vele officiële verplichtingen die ze als onderdeel van haar publieke bestaan beschouwde. Ze reageerde positief op het verzoek en deed wat van haar werd verlangd: ze bezocht inzamelingsbijeenkomsten, ze bewerkte commissies en hield de vereiste toespraken.

Toen werd haar gevraagd of ze op een benefietbijeenkomst brieven van Anne Apthorp wilde voorlezen – misschien passages uit drie of vier brieven. Ze mocht zelf kiezen uit welke.

Ze voelde de verleiding om het verzoek af te wijzen. Ze maakte in haar persoonlijk leven met Tom een moeilijke periode door en reageerde vaak afwijzend wanneer haar iets werd gevraagd.

Maar de jonge vrouw die het verzoek deed had overredingskracht, en ten slotte bedacht Delia dat het misschien goed voor haar was om de deur uit te gaan en onder de mensen te komen. En dus trok ze op een wintermiddag, toen de egaal lichtgrijze lucht aangaf dat er sneeuw op komst was, haar laarzen aan en maakte de wandeling naar de universiteitsbibliotheek om Anne Apthorps brieven door te nemen en er een keuze uit te maken.

De brieven zaten toen nog in dozen, en de bibliothecaris liet haar plaatsnemen in een gelambriseerde vergaderzaal waar verschillende archiefdozen op de reusachtige tafel waren gezet. Delia ging in een gerieflijke stoel naast een oude staande schemerlamp zitten en begon te lezen.

Uiteraard had ze de onvoltooide roman al veel eerder gelezen; hij ging over de vrouw van een scheepskapitein die haar herhaaldelijk in de steek liet ten gunste van een wereld die hem meer boeide, van een leven waaraan hij de voorkeur gaf. Maar van het bestaan van de brieven was Delia tot dan toe niet op de hoogte geweest, en ze las ze met toenemende interesse.

Een klein aantal was gericht aan Annes ouders – voornamelijk aan haar moeder. Zij woonden nog in het noorden van Massachusetts, waar Anne was opgegroeid. De meeste waren echter gericht aan haar man, en toen Delia ze las werd haar duidelijk dat deze man, Joshua, er andere vrouwen op na hield, of – en dat lag meer voor de hand – één andere vrouw, die deel uitmaakte van zijn bestaan als prediker en vurig pleitbezorger van de afschaffing van de slavernij, waarvoor hij regelmatig van huis was. 'Ik ben blij voor je,' schreef Anne Apthorp aan hem, 'omdat je zo'n aangename verblijfplaats in Chesterville hebt gevonden, want het lijkt ideaal te zijn gelegen wanneer je naar de dorpen en kerken overal in de omtrek wilt reizen. Ik zou je echter willen waarschuwen om niet te lang of te vaak bij mevrouw Harding te verblijven wanneer meneer Harding afwezig is. Dat zal beslist aanleiding geven tot onnodig commentaar en misschien zelfs het werk bemoeilijken waarvoor je ver van huis en haard verwijderd bent.'

Over een periode van enkele jaren werd mevrouw Harding drie of vier keer genoemd: 'Wil je die fortuinlijke vrouw mijn groeten doen, die degene die mijzelf het dierbaarst is dagelijks als kameraad heeft?'

Wat niet in de brieven stond vulde Delia in haar fantasie aan, en toen ze aan het einde van de middag in het donker in de verwachte lichte sneeuwval naar huis liep, had ze het merkwaardige gevoel dat het verhaal van Anne Apthorp haar had getroost. Op de een of andere manier voelde ze zich met haar verbonden.

's Zomers is het in het huis het drukst. Uiteraard komen er uit het hele land toeristen, die door New England reizen en op historische plaatsen en literaire monumenten af komen. Maar ook zijn er in deze maanden de gezinnen van de jongeren die aan de universiteit willen studeren en die de tijd proberen op te vullen waarin hun kinderen voorlichtingsbijeenkomsten en gesprekken hebben. En in de vroege herfst komen er ouders langs, die hun kinderen voor het begin van het studiejaar naar Williston brengen of bij ze op bezoek gaan. De rest van het jaar is het pand alleen op afspraak toegankelijk; Delia brengt het voor- en najaar in haar appartement in Parijs door en wordt in december en januari door familiebezoek in beslag genomen.

Maar in de zomermaanden is ze een bron van informatie over de Apthorps. Ze zit aan een bureau in de hal, waar ze onder een komen en gaan van bezoekers vragen beantwoordt. Driemaal daags, om elf uur, om halftwee en om vier uur, geeft ze groepsrondleidingen door het huis. Het is Delia's taak om ongeacht het kennisniveau van de bezoekers en ongeacht hun specifieke interesse hun vragen grondig en beleefd te beantwoorden, en ze is daar bedreven in. Kortgeleden vroeg een jongeman met een camcorder om zijn nek en een omgekeerd honkbalpetje op zijn hoofd haar wat ze over de seksuele verhouding van de Apthorps wist. Misschien was hij nieuwsgierig geworden door de – geringe – omvang van het echtelijk bed en de twee kinderbedjes die in een hoek van de ouderslaapkamer tegen de muur stonden.

Delia hoorde echter iets plagerigs in zijn toon. Nadat hij zijn vraag had gesteld keek hij lachend langs het groepje dat samen met hem door het huis werd rondgeleid, alsof hij de anderen wilde betrekken in wat hij naar Delia's idee als een grap beschouwde, een grap die hij misschien ten koste van haar dacht te moeten maken – doordat de bejaarde gids die waarschijnlijk niet eens meer wist wat seks wás erover moest praten met een sexy jongeman zoals hij.

Delia ging even hoffelijk op zijn vraag in als op elke andere vraag. Ze vertelde dat Anne Apthorp bijna elk jaar zwanger was en dat veel van die zwangerschappen op een miskraam waren uitgelopen. Ze verwees naar de brieven die Anne aan haar man had geschreven. En ze deed de jongeman de suggestie om de passages in de roman *Hamilton Harbor* te herlezen – ze gaf bezoekers altijd het voordeel van de twijfel –, waarin werd beschreven hoe het romanpersonage Julia hunkerend wachtte op haar zeevarende man en hoe heftig haar verdriet was toen ze dacht dat ze hem kwijt was.

Delia stapt uit haar auto en loopt naar de zij-ingang van het huis. Ze doet de deur van het slot en schakelt het alarmsysteem uit. Ze loopt het huis door en opent de voordeur van binnenuit.

Hoewel het een warme nazomerdag is, is het in het Apthorphuis koel. Het is er bijna altijd koel. Het is er ook donker – de muren zijn opnieuw behangen met historisch correcte motieven, met een voorkeur voor diepe tinten groen, rood en bruin. Overal ruikt het naar vocht en gedoofde haardvuren. Delia houdt daarvan: dat de lucht zelf uit een andere tijd lijkt te stammen.

Adele DiRosa komt binnen, de vrouw die de kaartjes voor de rondleidingen verkoopt en het souvenirwinkeltje drijft. Delia groet haar terwijl ze naar de voorraadkast loopt om er extra boekjes te halen en de kleine buttons die de bezoekers moeten opspelden.

Dit is een kalme week, de laatste week van augustus. 's Ochtends komt er alleen één stel langs, dat Delia's aanbod voor een rondleiding afslaat. Ze willen in hun eigen tempo rondkijken, zeggen ze – al stellen ze haar voor hun vertrek nog enkele vragen.

Nadat ze zijn vertrokken, gaat Delia naar het souvenirwinkeltje en maakt een praatje met Adele. Het winkeltje is een lichte, luchtige ruimte met grote moderne ramen – het is volkomen anders dan de rest van het huis. Het werd veel later als nieuwe keuken aan het pand aangebouwd, in de jaren voordat de universiteit het huis aankocht om het voor het nageslacht te behouden. Nu liggen de kasten vol met extra exemplaren van de boeken die in het winkeltje worden verkocht en worden het fornuis en de gootsteen gebruikt om koffie en thee te zetten.

Adele is minstens dertig jaar jonger dan Delia, maar ze kennen elkaar al lang en kunnen goed met elkaar opschieten. Vandaag hebben ze het over de plaatselijke politiek – over de sluiting van een legerbasis in de buurt, waar mogelijk een gevangenis met een minimum aan bewaking zal worden gevestigd. Er is in de plaatselijke krant veel over geschreven en gedebatteerd. Adele is er een grotere voorstander van dan Delia, maar allebei maken ze zich er zorgen over dat het gevangeniswezen in Amerika een groeiende bedrijfstak is.

In de middag komt er wat leven in de brouwerij. Voor de rondleiding van halftwee verschijnen twee oudere echtparen en een jonge vrouw die werkt aan een dissertatie over de positie van de vrouw in het negentiende-eeuwse New England. Nadat Delia hen heeft rondgeleid, komen nog verschillende mensen die het huis zelfstandig bekijken haar vragen stellen. Ze krijgt voor de rondleiding van vier uur nauwelijks de tijd voor een kop thee en een bezoek aan het toilet.

Even na vijven sluit Delia het gebouw af en vertrekken Adele en zij; bij hun auto's nemen ze afscheid van elkaar. Delia draait de raampjes open om het in de wagen te laten afkoelen – zoals ze had verwacht, is het een warme dag geweest. Ze rijdt naar het centrum. Ze parkeert bij een van de parkeermeters in het rijtje dat pas drie jaar geleden langs Main Street is neergezet. Bij Kitchen Arts koopt ze twee goedkope champagneglazen en een paar blauwgeruite theedoeken. Ze loopt naar de delicatessenzaak, vier panden verderop. Daar koopt ze een rond geitenkaasje, verschillende patés, een baguette, een doos crackers, een potje dure mosterd en wat augurkjes. Vanachter de glazen deuren van de extra brede koeling pakt ze een fles gekoelde champagne.

De afgelopen tien jaar zijn deze winkels en vergelijkbare zaakjes – een chique groentezaak en een wijnhandel – langzaam maar zeker in Williston verschenen, en ze hebben het stadje en zijn inwoners veranderd. Niet iedereen weet wat confit is, wat eerste koude persing betekent en wat het verschil tussen niçoise- en calamata-olijven is.

Het is prettig dat deze voorzieningen er zijn, denkt Delia, maar ze heeft ook het gevoel dat daardoor al die verfijning min of meer tot een verplicht nummer uitgroeit. Als je niet ouderwets wilt lijken moet je heel zorgvuldig met al deze dingen omspringen; je moet precies de goede kaas uitkiezen en een bijpassende wijn. Delia bewaart nog dierbare herinneringen aan de feestjes in hun eerste kleine appartement, toen de kinderen nog klein waren en ze Wheat Thins en Ritz-crackers met een feloranje, roze dooraderde kaas serveerde – de naam is in vergetelheid geraakt, de kleurstof was waarschijnlijk kankerverwekkend. Iedereen was toch alleen maar in de drank geïnteresseerd.

Wanneer ze thuiskomt, is de verhuiswagen er niet meer. Ze parkeert op haar eigen oprijlaan naast de keukendeur en brengt haar tassen naar binnen. Ze zet de kaas, de patés en de champagne in de koelkast. Vervolgens schenkt ze zichzelf een glas wijn in en loopt naar de hal om de post op te rapen die door de brievenbus is gevallen en die over de vloer verspreid ligt. Ze gaat ermee naar de woonkamer en gaat zitten om hem door te nemen.

Rond halfzeven gaat ze terug naar de keuken en legt de flûtes die ze voor haar buren heeft gekocht in een gevlochten mandje op de nieuwe theedoeken. Ze legt de baguette, de patés, de kaas, de mosterd, de augurkjes en de koude champagnefles erin, gaat ermee naar buiten en loopt de veranda over.

De man doet open. Een lange, knappe jongen met een langgerekt gezicht en krachtige kaken. Volgens de conventionele normen ziet hij er veel beter uit dan de vrouw, een verschil dat Delia interessant vindt. Hij heeft werkkleding aan: een spijkerbroek en een donker T-shirt. En van die enorme, gezonde sportschoenen die iedereen tegenwoordig draagt. Als ze zichzelf voorstelt komt er een brede grijns op zijn gezicht en gaat zijn hand omhoog alsof hij zijn haar glad wil strijken, maar hij maakt alleen een rukkerige beweging. Hij zegt dat hij Nathan heet.

'Komt u binnen,' zegt hij, en hij doet een stap terug terwijl hij met een breed gebaar naar Ilona's woonkamer wijst, die nu vol staat met reusachtige dozen.

'Nee, nee,' zegt Delia, hoewel ze wel degelijk naar binnen gaat – een ogenblikje maar, houdt ze zichzelf voor. 'Ik blijf niet. Het is niet mijn bedoeling het leven er voor jullie moeilijker op te maken, maar juist om het te veraangenamen.' Ze steekt het mandje naar voren. 'Dit is voor jullie. Voor vanavond, voor als jullie eraan toe zijn.'

Nu komt Meri, de vrouw, de trap af denderen; haar ondeugende, maar toch sexy ronde gezicht zit onder het vuil. Ze heeft ook een spijkerbroek aan maar loopt op blote voeten. Ze heeft haar haar met speldjes opgestoken, en rond haar gezicht vallen lange, dunne strengen die uit het gareel zijn geraakt.

'Moet je zien wat mevrouw Naughton voor ons heeft meegebracht,' zegt Nathan, en hij houdt het mandje voor haar op.

'O, wat heerlijk,' zegt ze. 'Heel erg bedankt, Delia. Delia toch, hè?' Tussen de dozen door loopt ze met uitgestoken hand naar de voordeur. Ze geven elkaar een hand.

'Inderdaad, Delia. En jij heet Meri, Meri met een e, dacht ik.' De jonge vrouw knikt, en Delia gebaart naar het mandje. 'En dat is jullie beloning voor een dag heel hard werken. Niks is zo vreselijk als verhuizen.'

Nathan, die naast haar staat, keert zich nu naar haar toe. 'Drinkt u niet een glas met ons mee? Zo te zien is het geweldige champagne.'

'Nee, nee. Ik blijf niet, zelfs al binden jullie me vast. Ik weet wat het betekent om je boedel uit te laden, en een gast is wel het laatste waar jullie vanavond behoefte aan hebben.'

Meri maakt een opgeluchte indruk. 'We zitten er helemaal doorheen,' zegt ze, en ze laat haar hoofd hangen, met haar tong uit haar mond.

Delia ziet dat Nathans gezicht even een geïrriteerde trek vertoont. Hij keurt het gedrag van zijn vrouw af, haar dwaze gedrag in elk geval. Delia wendt zich daarom glimlachend tot Meri. 'Dat geloof ik graag,' zegt ze.

Als Delia naar Ilona's tochtdeur terugloopt en haar hand naar de klink uitstrekt, gaat Nathan met haar mee. Hij wil haar duidelijk niet laten gaan. Hij vertelt dat hij het erg leuk vindt om haar te ontmoeten, dat het zo fijn is dat ze buren zijn en dat hij haar man zo bewondert. Ze verheugen zich op een bezoek van haar. 'Van u en de senator, natuurlijk.'

'O, de senator,' zegt ze glimlachend. 'Ja, die legt een van zijn ceremoniële bezoeken af.' En met een zwak, wuivend handgebaar opent ze de deur. 'We zullen zeker proberen iets af te spreken, als jullie een beetje gesetteld zijn.'

Ze komen in de deuropening staan en bedanken haar nogmaals terwijl ze om de leeuw heen naar haar eigen voordeur toe loopt.

Haar kant van het huis maakt opeens een heel geordende indruk, ondanks de boeken die overal opgestapeld liggen en de post die over de salontafel ligt uitgespreid. In de keuken schenkt Delia zichzelf nog een glas wijn in, de dure rode wijn uit Frankrijk waarop ze zichzelf trakteert. Ze maakt een lichte avondmaaltijd klaar. Salade, een paar sneetjes geroosterd brood van een dag oud, en de kleine paté die ze tegelijk met de grote exemplaren voor Meri en Nathan voor zichzelf heeft gekocht. Ze gaat aan de keukentafel zitten. Ze heeft de kleine, bruine radio zacht aanstaan op een jazzzender die ze op dit tijdstip graag hoort, evenzeer vanwege de diepe, geruststellende stem van de presentator als vanwege de muziek zelf.

Opeens hoort ze stemmen door de keukenmuur heen, een zachte, zwakke afwisseling van klanken. Ze schrikt er even van, maar dan herinnert ze zich van vroeger, toen Ilona soms nog muziekavondjes gaf, dat het geluid zich hier het best voortplant, vanwege de openingen in de muur voor de leidingen. Hier, en helaas ook in de badkamers. Dáár zal ze weer aan moeten wennen. Ze zet de muziek iets harder.

Maar nu verheffen hun stemmen zich ook een ogenblik – fel, misschien wel boos. Ze hoopt dat ze geen ruzie hebben over haar. Over haar of *de senator.*

Waarschijnlijk niet, houdt ze zichzelf voor. Je kunt over van alles en nog wat ruziën wanneer je moe bent, de hele dag samen hebt gezwoegd en allebei de ander hebt gecommandeerd. Met de restanten van haar maaltijd gaat ze naar de woonkamer.

Wanneer ze later in bed ligt te lezen, weerklinkt er nog wat gebons en gestommel. Ze legt haar boek neer. Ze herinnert zich hoe ze jaren geleden met Tom in dit gedeelte van het pand is getrokken. Het was 1965, de kinderen stonden allemaal nog aan het begin van hun studie – nee, behalve Nancy, die was met haar doctoraal rechten bezig.

Delia en Tom waren toen nog jong, jong en vol verwachting, ondanks de moeilijke tijden die ze net achter de rug hadden. Of misschien juist daarom. Dit huis had hun nieuwe begin moeten worden, al hadden ze toen ze het betrokken gedaan alsof ze een gewoon middelbaar echtpaar waren, opgetogen over een gewone verhuizing. Ze herinnert zich hoe ze, toen de kinderen

’s avonds de deur uit waren gegaan om de nieuwe buurt te verkennen, samen uitgeput door de lange dag in de keuken hadden gezeten en met zijn tweetjes bijna een halve fles whisky soldaat hadden gemaakt. Op een gegeven moment moest ze lachen om iets wat hij zei. Om niets, eigenlijk. Hij kon haar toen moeiteloos aan het lachen maken, tenzij ze zich ertegen wapende.

Haar boek ligt op de sprei, haar hand rust erop. Onder het licht van de lamp op het nachtkastje zijn de blauwige aderen scherp afgetekend en de botten en pezen prominent zichtbaar. De hand van een oude vrouw. Ze kijkt er echter niet naar. Ze denkt aan Tom op die avond. Hij was toen in de veertig, op zijn alleraantrekkelijkst en zijn allerinnemendst – lang en slungelig en nog jongensachtig, met zijn langgerekte, spottende Ierse kop en zijn rossige haar. Het was na die eerste schandelijke affaire. Later ontdekte ze dat er eerder al andere affaires waren geweest, minder belangrijke en minder ontwrichtende affaires, maar dit was de eerste grote, de eerste die zij moest ontdekken.

Lachend zat hij met haar aan tafel. Toen verstrakte zijn gezicht, boog hij zich naar haar toe en zei hij zomaar opeens: ‘Dank je.’

Ze wist dat hij bedoelde: *Dank je dat je me weer hebt willen accepteren, dank je dat je me hebt vergeven, dank je dat je samen met mij in dit prachtige huis bent getrokken, dank je dat je voor de buitenwereld de schijn hebt willen ophouden.*

Ze had haar hand opgeheven. Ze wilde er niet meer over praten, niet meer worden herinnerd aan wat ze als een vernedering ervoer. Ze wilde niet worden bedankt omdat ze iemand was die met zo’n vernedering instemde. Ze hief haar hand op om dat alles af te weren, en hij ging er niet op door. Hij leunde achterover en sneed weer een ander onderwerp aan.

Terwijl ze daar ligt komt haar hand omhoog, ditmaal onwillekeurig, om de andere, latere herinneringen af te weren: de herinneringen aan de tweede grote affaire, de andere affaire die ze moest ontdekken, de affaire waarmee aan alles een eind kwam. Want toen Delia hem een ultimatum had gesteld, had hij de vrouw niet kunnen opgeven. Hij was niet in staat geen omgang met haar te hebben, haar niet te blijven ontmoeten – in lege appartementen van anderen, in hotels in New York en in hun eigen huis in Washington als Delia de stad uit was. De kring van vrienden en collega's die op de hoogte waren werd groter. Mensen spraken tegenover haar uit dat ze zich zorgen over haar maakten. Over hem en wat hij met zijn carrière en zijn toekomst aanrichtte. Maar in die andere wereld, waarin politici nog een persoonlijk leven werd gegund en ze nog enige bescherming van de pers genoten, ging het niet mis; er kwam geen publiek schandaal.

En toen was de affaire opeens voorbij. Of hij zei dat het voorbij was.

Ze hadden hun best gedaan om ook over die affaire heen te stappen. O, wat kon Delia goed haar best doen! – in het licht van de lamp op het nachtkastje vertrekt haar gezicht zich in een verbitterde glimlach. Maar die treurige gedienstigheid van hem, het feit dat hij zo aardig voor haar was en zijn tastbare verdriet: dat alles kreeg haar klein. De herinnering overspoelt haar nu, ze kan zich er niet tegen verweren. Ze herinnert zich hoe ze het vliegtuig naar Washington heeft genomen, naar Tom en hun huis in de stad, waar hij met zijn minnares had geslapen, en hoe ze vanuit Washington, vanuit Tom, weer naar dit lege huis is teruggekeerd; op zoek naar een plek, waar dan ook, waar ze zich weer ongeschonden kon voelen.

En toen, vlak nadat hij haar hier had opgezocht, een paar weken nadat hij had gezworen dat de verhouding voorbij was, belde een vriendin uit Washington – haar beste, intiemste vriendin – om te vertellen dat ze hen weer samen had gezien. Ze had niet geweten of ze het Delia wel moest vertellen, maar toen bedacht ze dat iemand anders het dan waarschijnlijk zou doen, wat nog wreder was. 'Dan kan ik het beter doen,' zei ze.

Delia had haar bedankt en neergelegd. Ze stond in de gang naast het tafeltje van de telefoon. Het was een ongewoon warme dag voor begin april, een van die geschenken van een lente in New England. Doordat de zon steeds anders door de kale boomtakken scheen had het licht om haar heen gedanst. Ze had daar lange tijd gestaan en van alles gevoeld; uiteindelijk was het samengesmolten tot een gevoel van opluchting.

Ze was opgelucht. Ze hoefde niet langer haar best te doen, niet langer de schijn op te houden.

Ze laat deze herinnering volledig tot zich toe, zonder zich te verzetten: dat ogenblik – de openstaande voordeur, de grondlucht van het vroege voorjaar.

En de opluchting. Het was allemaal voorbij. De minnares, Tom, haar schaamte voor de twee jongste kinderen, haar schaamte tegenover haar vriendinnen. Het was voorbij. Zij had er part noch deel meer aan, het was niet meer haar taak om de zaken recht te zetten.

Nog geen week later nam ze het vliegtuig naar Frankrijk, en nog eens vier dagen later vond ze in Parijs via vrienden van vrienden een huurappartement aan de zuidkant van het zevende arrondissement.

In de loop van die lange lente- en zomerperiode begonnen Tom en zij elkaar van lieverlee te schrijven, om te regelen hoe ze hun leven zouden inrichten. Zij zou pas na de verkiezingen een echtscheiding aanvragen. Ze was zelfs bereid samen met hem campagne te voeren – anders zou hem te veel politieke schade worden berokkend. Ze zouden echter niet meer samenleven. Hij zou in Washington blijven, en zij zou het huis in Williston aanhouden.

In een aantal opzichten verliep alles inderdaad volgens plan. Ze vertoonde zich tijdens die campagne zo'n twintig of dertig keer met hem in het openbaar – bij wijze van gunst en, zo hield ze zichzelf voor, omdat het haar werkelijk niet meer kon schelen.

Tot haar verrassing genoot ze er echter van, aanvankelijk aarzelend en vervolgens met volle teugen. Maar, hield ze zichzelf voor, ze was altijd op die kant van het politieke leven met Tom gesteld geweest – op de lange dagen die ze doorbrachten tussen mensen die vielen voor zijn charme en die in hem geïnteresseerd waren. Op de toespraken vol idealisme en passie, waarin Tom zich van zijn beste kant liet zien. Op de nachtelijke bijeenkomsten met stafmedewerkers, de vlotte, spontane humor en het ontspannen lichamelijk contact in het openbaar: zijn hand op haar elleboog, zijn arm om haar schouders. De manier waarop hij haar alsmaar weer claimde: 'mijn vrouw...', 'mijn vrouw...', 'mijn wederhelft...' En ten slotte geloofde ze natuurlijk in hem als politicus en geloofde ze dat hij goed was in zijn werk. En daarbij – bij haar plezier, haar gevoel dat ze in deze periode bij hem hoorde – speelde mee dat ze in de maanden van de campagne weer met elkaar vreeën. Zonder dat ze er veel woorden aan vuilmaakten, zonder dat ze elkaar veel vragen stelden over wat het eigenlijk inhield, kwamen ze ook op deze manier weer tot elkaar – telkens weer.

Nadat hij was gekozen verschenen ze wanneer het hem van pas kwam soms samen in het openbaar, maar ze gingen volgens afspraak uit elkaar. Zij ging alleen in Williston wonen.

Ze merkte echter dat ze hem miste. Dat ze alles miste. Zijn lijf. De late avonden met hem na de hele dag onderweg te zijn geweest.

Verward en gedeprimeerd belde ze hem zo nu en dan weer, ze zocht hem op en sliep met hem. Steeds weer stelde ze het begin van de echtscheidingsprocedure uit.

Ze probeerde zichzelf in het gareel te brengen, zoals ze het in gedachten noemde. Ze wist dat Tom andere vrouwen had en hield zichzelf voor dat hij, telkens wanneer zij aan hem dacht, een ander in zijn hoofd had. Telkens wanneer zij naar hem verlangde, bedreef hij de liefde met een ander. Maar als zich een jaloers verlangen naar hem van haar meester maakte, deed dat alles er niet meer toe. Ze kon niet anders. Ze belde hem.

En hij liet haar begaan. Ze hoefde maar te bellen, en hij kwam. Dan bleef hij een dag of twee bij haar in Williston. Of ze zagen elkaar in New York. Nooit wist ze of vroeg ze wat hij daarvoor moest opgeven, hoe hij zijn leven overhoop moest gooien om die bezoekjes mogelijk te maken, maar hij aarzelde nooit en kwam altijd als zij dat van hem verlangde. En evenmin vroeg hij haar ooit wat in haar leven haar ertoe bracht hem te laten komen, waarom ze hem nodig had.

En toen, net toen hij zich opmaakte om zich weer kandidaat te stellen, was er weer een jonge vrouw. Dit keer waren er ook foto's, en het leek hem beter zich niet verkiesbaar te stellen. Dat had ze tenminste gehoord. Ze spraken niet meer met elkaar over zulke kwesties. Hij zei haar alleen dat in het politieke klimaat in Washington het tij plotseling zo heftig was gekeerd dat er niet aan te denken viel dat hij in de regering bleef. En natuurlijk was dat waarschijnlijk ook waar.

Tussen hen was de situatie toen echter veranderd en ontspannener geworden. Delia was ook veranderd. Ze was sterker en onafhankelijker geworden. Op een keer vertelde ze haar oude vriendin Madeleine Dexter zelfs dat ze het gevoel had dat ze met Toms ontrouw kon omgaan, dat ze zonder hem had leren leven, dat ze erbovenop was gekomen. En zo dacht ze er ook over. Dat ze zichzelf erbovenop had geholpen in de jaren nadat hij haar leven kapot had gemaakt.

Ook leken ze op een gegeven moment allebei het idee te hebben dat hun merkwaardige verhouding de vorm was die bij hun huwelijk paste. Jaren later schreef hij haar: 'Je had gelijk dat je de dingen bij het oude wilde laten, want hoeveel ik ook van je hou, ik had je niet trouw kunnen blijven. Ik weet dat nu, en eerlijk gezegd wist ik het toen waarschijnlijk ook al. Je hebt jezelf dus voor pijn behoed. Je hebt gezorgd dat ik van je kan houden zonder je te kwetsen. Ik kan je niet zeggen hoe dankbaar ik je voor dat geschenk ben, al gaat er geen dag voorbij – echt waar, geen dag – dat ik je niet mis.'

Ze heeft hem nu al bijna vier maanden niet gezien. Ze zijn voor het laatst samen geweest tijdens een weekend in een hotelletje in een kustplaatsje in Rhode Island. Dat was door haar geregeld. Meestal regelde zij alles.

Ze hebben er twee nachten doorgebracht. Hun kamer keek uit over de haven. Ze sliepen met open ramen, en in het donker weerklonk het geluid van vallen die tegen scheepsmasten aan sloegen; Delia werd er soms wakker van. De nachtlucht was koel en vochtig, maar na het oplossen van de mist warmde het overdag langzaam op. Ze liepen naar het havenhoofd en wandelden over het lege strand. De eerste avond vreeën ze. Nadat Delia Tom met haar strelende hand een halve erectie had bezorgd, had ze hem geholpen om in haar klaar te komen.

Toen ze na afloop in bed naar Toms ademhaling en de nachtelijke geluiden lag te luisteren, vroeg ze zich af of zijn toegenomen behoefte aan directe prikkeling, aan aanraking met de hand of de mond, zijn leven zonder haar, zijn seksuele leven, had veranderd. Waren er jonge vrouwen die verdraagzaam tegenover deze tekenen van ouderdom stonden? Wat haar betrof, zij vond het prettig, het idee dat ze van belang was en een zekere macht had beviel haar. De eerste paar keer dat hij geen stijve kon krijgen had hij 'help me' gezegd, en zij had zich koesterend naar hem toegewend.

De tweede avond dronken ze te veel. Ze zaten met dikke truien aan op het terras van een restaurant dat over de grasrijke duinen op het open water uitkeek. Allebei vonden ze het prettig om gewoon bij elkaar te slapen en in hetzelfde bed wakker te worden.

Op zondag bracht ze hem met de auto naar de luchthaven in Hartford en begon daarna aan de lange terugrit naar het huis in Williston over binnenwegen. Ze was bang voor de leegte in huis, zoals zo vaak nadat Tom en zij samen waren geweest. De eerste dagen dat ze weer alleen thuis was twijfelde ze aan zichzelf, want ze besefte hoeveel ze er bij de door haar gekozen regeling was ingeschoten, doordat ze zich zo zorgvuldig had afgeschermd tegen de pijn van een bestaan met hem. Pas geleidelijk, na een paar dagen, ging ze zich weer thuis voelen en kreeg ze weer vrede met wat door hen – door haar – was besloten en met het leven dat ze daardoor leidde.

’s Nachts wordt Delia wakker. Ze is ergens wakker van geworden. Waarvan? Van een geluid in huis. Ze kijkt naar de klok, naar de oplichtende cijfers: 12:03. Dat amuseert haar, opeens komt die digitale nauwkeurigheid haar absurd voor. Vroeger zou je gewoon hebben gezegd: ‘Ik werd in het holst van de nacht wakker.’ Want dat is het, het holst van de nacht – het is pikdonker en doodstil.

Ze ligt roerloos te midden van de vertrouwde vormen en schaduwen van haar slaapkamer en luistert ingespannen. Daar is het weer, het geluid, het komt steeds weer terug.

Een paar seconden maar weet ze niet hoe ze het heeft; dan herkent ze het. Natuurlijk, het zijn haar nieuwe buren. Ze zijn aan het vrijen – luidruchtig en hartstochtelijk, zoals jonge mensen dat doen. Ze hoort het als een aaneenschakeling van zacht maar consequent gebons. Van het bed tegen de muur, veronderstelt ze. Het vertraagt en versnelt. Het vertraagt weer. Het houdt op. Of het verzwakt zozeer dat zij het niet meer kan horen.

Maar ze is nu gewekt, ze is klaarwakker, en ze weet dat het heel lang gaat duren voordat ze de slaap weer kan vatten.

HOOFDSTUK DRIE

Meri, september 1993

Toen Meri van het sollicitatiegesprek terugkwam, baande ze zich een weg door de verhuisdozen die overal in de woonkamer twee- of driehoog opgestapeld stonden en ging de trap naar hun slaapkamer op om zich om te kleden. Ze trok de linnen broek uit, het dunne zijden topje en de beha die ze had gedragen als een soort amulet – een konijnenpootje in de vorm van wat versteviging. Uit een stapel vuile kleren in de hoek van de slaapkamer – alle werkkleding die Nathan en zij de vorige dag aan hadden gehad – haalde ze haar spijkerbroek en trok hem aan. Met ontblote borsten zocht ze in haar koffers naar een schoon T-shirt dat ze kon dragen als ze weer ging uitpakken. Uitpakken en nog eens uitpakken. Zo had ze het met Nathan geregeld, die zijn eerste dag op de campus doorbracht, waar hij voornamelijk vergaderingen moest bijwonen. Hij zou koken als zij doorging met uitpakken – *eens stevig uitpakken*, dacht ze. Ze had het op deze manier feitelijk geweldig geregeld, want Nathan kon beter koken dan zij.

Ze had hem niets over het sollicitatiegesprek gezegd. Het leek haar een slecht idee om het te vroeg ter sprake te brengen. Ze wilde het lot niet tarten. En ze wilde hem er ook niet bij betrekken, want dat gebeurde wanneer je Nathan iets vertelde: op de een of andere manier eigende hij het zich toe.

Ze ging de trap af. En bleef staan op het tussenbordes. Ze keek om zich heen met andere ogen dan gisteren, omdat ze toen zo ontzettend druk bezig waren geweest. *Dit is mijn huis*, zei ze bij zichzelf – die grote, open kamer onder haar, die ronde rij ramen aan de voorkant van de kamer met de prachtige houten vensterbank eronder, de open haard met een schoorsteenmantel van hetzelfde hout.

En natuurlijk al die dozen, Meri. Overal dozen. Die allemaal moesten worden uitgepakt. Stap één. Ze ging het laatste, korte stuk trap af.

In de keuken besmeerde ze drie van de crackers die Delia Naughton hun de vorige avond had gebracht met paté en at ze staand op boven de massieve deur, die ze met kruimels bestrooide. Ze moest Delia vandaag bellen om haar te bedanken.

Ze dacht aan Delia's bezoekje van gisteravond, aan Nathans gretigheid in haar aanwezigheid. Ze vond dat hij zich als een klein kind had gedragen, en dat beviel haar niet. Maar natuurlijk had hij gevonden dat zij zich als een achterlijke had gedragen – wat hij haar later nadrukkelijk onder de neus had gewreven – doordat ze haar tong had uitgestoken en een raar gezicht had getrokken. Vanzelfsprekend had ze hem op zijn beurt zijn onbeschaamde gedrag tegenover Delia aangewreven.

Een ruzie, min of meer. Een ruzietje. Een ruzietje waarna ze hadden gevreeën, drukte ze zichzelf op het hart. Maar ze was ruzie met Nathan niet gewend.

Ze zuchtte. Het was ongetwijfeld niet te vermijden. Zo begon het echte leven. Ze hadden niet voor eeuwig veilig in haar appartement kunnen blijven zitten waar ze elkaar alleen de allermooiste kant van zichzelf lieten zien.

Ze goot water in het koffiezetapparaat om nog een kop te zetten. Terwijl het apparaat zijn werk deed, maakte zij de ronde op de eerste verdieping, las de etiketten op de overal aanwezige dozen en dacht aan het sollicitatiegesprek. Ze had het idee dat het goed was gegaan. Ze was er tenminste redelijk zeker van.

Ze had zich in elk geval op haar gemak gevoeld vanaf het moment dat de receptioniste haar was voorgegaan in de doolhof van gangen waaruit het gebouw van de radiozender bestond. Ze werd gegroet door de mensen die haar voorbijliepen. Ze zag hoe groepjes van twee of drie medewerkers zaten te praten aan hun bureaus in de grote, open kantoorruimte. Toen ze langs een van de ruimtes naast de hal liepen, zag ze hoe een stel mensen samen aan een tafel zat te praten, te lachen en aantekeningen te maken. Ze besefte dat ze het zich precies zo had voorgesteld, ook al had ze nooit eerder voor de radio gewerkt. Maar ze had bij het lezen van de functieomschrijving een vertrouwd gevoel gekregen, en juist dat had haar aangetrokken. Ze dacht dat het werk weleens erg op haar oude baan bij het tijdschrift voor afgestudeerden kon lijken, dat je er dezelfde combinatie vond waar zij zo op gesteld was: van kletsen in de voorbereidende fase, gevolgd door eenzaam onderzoekswerk. Het was geruststellend dat in elk geval het kletsen er hetzelfde uitzag.

Ze had zich in die zin uitgelaten in haar gesprek met James, de producer van het programma waarbij ze solliciteerde – een nieuwsprogramma van een uur dat elke dag om twaalf uur werd uitgezonden. Ze zei dat ze de indruk had dat het werk in grote lijnen vergelijkbaar was, 'maar natuurlijk sneller en, maar dat weet ik niet zeker, misschien een tikje oppervlakkiger'.

Hij had moeten lachen. 'Daar komt het wel ongeveer op neer,' zei hij terwijl hij een paar keer knikte – steeds zwakker. Hij was een kleine, ietwat te zware man van waarschijnlijk achter in de twintig, met een onverzorgde baard en dik, vol schouderlang haar waar Meri een moord voor zou hebben gedaan.

Ze had hem aan het lachen gemaakt. Een goed teken.

Maar genoeg, genoeg zo. Ze wilde niet te veel hoop gaan koesteren. Ze ging terug naar de keuken en schonk wat koffie in haar gehavende blauwe mok. Terwijl ze de dozen doornam en van haar koffie nipte, probeerde ze zich te concentreren op alle werk dat ze nog moest doen – op de spullen, al die spullen die nog moesten worden uitgepakt en op hun plaats gezet.

Ongeveer de helft van de in huis aanwezige meubels en ten minste vijftien van de grootste, her en der verspreide dozen waren afkomstig van Nathans moeder – het waren spullen die ze had laten opslaan nadat ze naar een appartement in een zorgcomplex was verhuisd. Spullen die ze had bewaard voor haar enige kind wanneer hij definitief op zichzelf ging wonen. En dat had hij nu gedaan, samen met Meri. En zij ook, veronderstelde ze. Op jezelf gaan wonen.

Ze zei het hardop: 'Op jezelf gaan wonen.' En toen bedacht ze dat het een favoriete uitdrukking van haar moeder was geweest. 'Als je je niet koest houdt, ga je maar op jezelf wonen,' beet ze hun 's avonds toe. 'Je krijgt er spijt van als ik nog boven moet komen!'

God, wat had zij een totaal andere jeugd gehad dan Nathan!

Ze dacht aan zijn moeder, die nooit uit haar slof schoot. Nathan had Meri weleens verteld dat hij nooit was geslagen, door geen van zijn beide ouders. Daar had je het al.

Wat haar aan de spullen van zijn moeder het meest dwarszat, bedacht Meri nu, was dat Nathan en zij er niet over hadden gesproken. Voordat ze ontdekte dat de verhuizers een tussenstop in New Jersey maakten om ze op te halen, had ze niet eens van het bestaan ervan geweten.

'Maar wat zíjn het dan?' had ze gevraagd.

'Wat maakt het uit?' had hij gezegd. 'We kunnen alles gebruiken.'

Dat was natuurlijk waar. Nathan had in een gemeubileerd appartement in Coleman gewoond, met een paar eigen spullen, maar voornamelijk tussen de boeken. Boeken in stapels op de vloer, boeken in stapels op zijn bureau. Hij had er bij het inpakken tientallen verhuisdozen mee gevuld.

Meri had meer meubels, maar een groot deel daarvan hadden ze achtergelaten; ze waren te onbeduidend en te sjofel om de verhuiskosten te rechtvaardigen. Nathan had dus gelijk: het was verstandig om alles te nemen wat hij van zijn moeder kon krijgen. Ze konden het gebruiken, wat het ook was. En inderdaad, zei ze, het was gul van zijn moeder.

Toch was iets in haar er nijdig over. Dat deel van haar voelde zich opnieuw buitengesloten van beslissingen die haar aangingen. Ze hadden het daar ook over gehad, en hij wees erop dat zij er uiteindelijk mee akkoord was gegaan – en dat hij had geweten dát ze ermee akkoord zou gaan –, dus wat maakte het nu eigenlijk nog uit?

'Een hele hoop,' zei ze. Maar zelfs in haar oren klonk dat nukkig en kinderachtig. En dus had ze gezegd: 'Volwassen worden, Meri.' En vervolgens zei ze: 'Dank je wel, Meri, ik doe mijn best', en hij had haar toegelachen met die gulzige lach die hem een gevaarlijke en opwindende uitstraling gaf.

En de waarheid was dat ze eigenlijk niet kon klagen over het uitpakwerk dat erbij kwam kijken. Tot haar verbazing was er een enorm aantal dozen nodig geweest voor haar eigen spullen, voor alles wat zíj in het leven had verzameld. Haar spullen: haar vele dozen met boeken. Nog wat dozen met cd's en bandjes. Een roestige speelgoednaaimachine die haar aan haar moeder deed denken; ze had hem op een vlooienmarkt gekocht. Een grote lichtroze schelp van een oude geliefde, een schelp waarvan de twee helften op elkaar pasten op een manier die hij erotisch had gevonden. Een paar oude elpees: *Sgt. Pepper*, Bruce Springsteen, Muddy Waters – alleen kon ze ze nergens meer op afspelen. Een gevlochten sigarettendoos van haar moeder en verschillende oorbellen die ze bijna nooit had gedragen. Meri had ze, toen ze na haar moeders dood haar huis opruimden, in de bovenste la van haar kleerkast gevonden.

Dat en nog heel veel meer. Ze wist niet precies waarom ze er iets van had bewaard, want ze had het idee dat haar verleden niets meer te maken had met degene die ze nu was geworden. Alsof ze naakt en onbelast ronddobberde op een boot, bedacht ze nu. Ze vertrok haar mond: het enige verschil was dat zij op geen stukken na zo mooi was.

O, natuurlijk wist ze nog hoe het geweest was. Natuurlijk was zij afkomstig uit dat troosteloze huisje naast de benzinepomp, met de gebutste aluminium gevelbeplating en het overwoekerde gazon. Met de smerige rolluiken, die uit elkaar begonnen te vallen en naar roest stonken als je je neus ertegenaan drukte. Het huisje waar de zon alleen gefilterd binnenviel door de muffe, altijd dichtgetrokken gordijnen. Ze wist het allemaal nog precies: dat het binnenshuis blauw zag van de sigarettenrook, dat de tv dag en nacht aanstond en ze allemaal hun bezigheden soms onderbraken om er even naar te kijken, alsof ze een teken kregen uit een andere wereld. Uit wat, in elk geval naar haar idee, de échte wereld was. Ze wist nog dat ze zich zelfs als kind al afvroeg hoe ze dáár kon belanden; tussen die wereld en de hare leek geen verbinding te bestaan.

Natuurlijk was dat een deel van haar, maar zij had zich er ook op eigen kracht uit opgewerkt. Niet vanuit een vastomlijnde ambitie of een duidelijk idee waar ze heen wilde. Maar telkens wanneer zich een keuzemogelijkheid voordeed, had zij de keuze gemaakt die haar wegvoerde van het punt waar ze was en van wie ze was. En zo hadden al die opeenvolgende tweesprongen, en al die wegen die ze niet was ingeslagen, haar hier gebracht. In dit chique huis. Met dit onbekende meubilair. Met deze dozen met andermans verleden erin, met andermans dierbare spulletjes.

'Ho eens even,' zei ze hardop. 'Ik ben juist te benijden.' Ze dacht weer aan het sollicitatiegesprek, aan het gemak waarmee ze met James en de anderen had gesproken. Het zou wel goed komen. Ze ging naar de keuken en spoelde in de oude gootsteen haar beker om. Toen haalde ze een mes tevoorschijn en sneed de eerste doos open.

Toen James om halfvier vanaf de radiozender belde, moest ze hem vragen om een ogenblikje geduld terwijl zij de stereo zachter zette – ze had hem geïnstalleerd, een paar van hun cd's gevonden en keihard Eric Clapton opgezet om zichzelf wat energie te geven.

Toen ze in de plotselinge stilte de telefoon weer oppakte en hallo zei, zei hij zonder inleidende frase: 'Nou, als je wilt is de baan voor jou.'

Haar hart sloeg twee slagen over. 'Ja, hij is van mij!' zei ze. 'God, dit is fantastisch!' Ze maakte een sprongetje. 'O, wat ben ik blij!'

'Ja, we zijn er allemaal erg mee ingenomen,' zei hij. Hij klonk door de telefoon nog jonger dan hij eruitzag. 'Natuurlijk zouden we wel graag zien dat je zo snel mogelijk begint.'

Meri keek om zich heen naar de kamer vol dozen. 'Als je me een paar dagen geeft om uit te pakken, kan ik denk ik meteen aan de slag. Begin volgende week, misschien?'

Ze werden het eens, en daarna sprak ze met Jane en Brian, de beide presentatoren van het programma, die ze in het kader van het sollicitatiegesprek kort had ontmoet. Vlak voordat Jane neerlegde, zei ze: 'Je moet, in alle eerlijkheid, wel weten dat het een krankzinnige werkomgeving is, maar we hadden het idee dat jij er goed op je plaats zou zijn.'

Nadat Meri had neergelegd ging ze naar de woonkamer en zette Clapton weer op. Hij zong 'Layla'. Perfect. Ze danste even. Ze was op blote voeten en voelde dat er zand op de oude plankenvloer lag.

Toen het nummer was afgelopen zocht ze de hele eerste verdieping af naar haar tasje; ze bleek het op de vensterbank te hebben neergegooid. Ze haalde haar sigaretten en een boekje lucifers eruit en ging op de veranda achter het huis zitten.

Toen ze de lucifer afstreek genoot ze van de zwavelgeur. Ze was dol op de sensatie van het eerste trekje aan een sigaret. Achter haar golfde muziek naar buiten. De zon die door de platanenbladeren scheen was warm, en even ging ze helemaal op in het genot van haar sigaret en stond alles wat ze nog moest doen ver van haar af. Ze hoorde ergens een hond blaffen. De wind blies door de bomen en liet het zonlicht om haar heen dansen. Vlak bij haar hingen talloze rondtollende kleine insecten als een wolk in de lucht. Ze sloot haar ogen en zag bloedrode nabeelden langs haar oogleden schuiven. Ik ben gelukkig, dacht ze. 'Zo gelukkig als een oester,' zei ze hardop. En vervolgens opende ze haar ogen en verbeterde zichzelf: 'Zo gelukkig als een leeuwerik.'

Ze hoorde Nathan niet binnenkomen, maar opeens werd de muziek zacht gezet. Meri was in de keuken en had daar bijna alles een plaatsje gegeven, op de planken en in de laden in de voorraadkast, en in de oude ladekasten achter de massieve deur. De dozen waren weg en lagen ingeklapt in een hoek van de kamer opgestapeld. De kranten waarin alles verpakt was geweest zaten in een groot aantal groene plastic vuilniszakken; in een uitbundige stemming had ze die voorlopig in de achtertuin gedumpt. Voor de gootsteen had ze een katoenen kleedje op de vloer gelegd. Ze had zelfs een paar schilderijen opgehangen – een door een vriend van haar geschilderd, Hopper-achtig gezicht op de verlaten hoofdstraat van Coleman en een ingelijste foto uit Nathans bezit waarop Lyndon Johnson bezig was een veel kleinere politicus ergens van te overtuigen – terwijl Johnson zich over hem heen boog, kromp de hulpeloze kleine man angstig ineen.

'Natey?' riep ze in het stille huis.

Met in elke arm een zak met boodschappen verscheen hij in de keukendeur. Hij had zijn academische uniform aan: een colbert, een sportief overhemd en een pantalon. Geen das. Zijn haar zat wild. Hij zette de zakken op de vloer neer. 'Zo, hé!' zei hij, terwijl hij om zich heen keek.

'Wat vind je ervan?' vroeg ze.

'Heel erg bedankt, dat vind ik.' Hij pakte haar vast en zoende haar. 'Je moet wel de hele dag aan één stuk door bezig zijn geweest.' Hij liet zijn arm op haar schouders rusten, om haar hals.

'Het stelde niks voor,' zei ze luchtig. Ze vlijde haar hoofd tegen het zijne aan. Na de lange werkdag voelde zijn wang een beetje stoppelig. Een ogenblik later maakte ze zich los van hem, van zijn omhelzing. 'Vertel me eens wat je voor ons gaat klaarmaken. Ik ben uitgehongerd.'

'Een grote salade.' Hij hield haar tegen en wreef over een plek op haar wang. 'Nou, nou, wat ben jij een vieze meid.'

'Van een krant, wed ik,' zei ze spontaan, terwijl ze haar gezicht stilhield voor hem. 'Ik zit helemaal onder.'

Toen hij klaar was stapte ze naar achteren en trok hem met zich mee. Ze ging op het buffet bij het doorgeefluik zitten, zodat haar gezicht op gelijke hoogte was met het zijne. Ze sloeg haar benen om hem heen en liet haar ellebogen op zijn schouders rusten. 'Hoe heb je het vandaag gehad?' vroeg ze. Vervolgens zette ze een hoge stem op en zei op zangerige toon: 'Hoe was het op school, schat?'

En hij brandde los: de vergadering over automatisering, de vergadering over de bibliotheek en de vergadering van de faculteitsraad. Na een paar minuten kwam zij omlaag, begon de papieren zakken leeg te maken en zette de boodschappen neer. Bier. Ze hield een flesje omhoog.

'Ja, graag,' zei hij.

Uit een van de bureauladen haalde ze een opener, waarmee ze twee flesjes opentrok. Ze reikte hem een flesje aan en nam zelf een lange teug van het bittere, bruisende vocht. Ze had dorst. Sinds de koffie van die ochtend had ze niets meer gedronken.

Ze luisterde eigenlijk maar met een half oor naar Nathan en bedacht hoe verrast hij zou zijn wanneer ze hem over het baantje bij de radiozender zou vertellen. Ik heb een geheimpje, dacht ze.

Hij deed intussen verslag van de lunch met de faculteitsvoorzitter. Ze smeerde een cracker met paté voor hem en nam er daarna zelf ook een.

Hij was nu op haar plekje voor het doorgeefluik gaan zitten; hij had zich omhooggedrukt, zijn benen liet hij hangen. Hij had zijn jasje uitgetrokken en zijn mouwen opgerold. Ze hield van zijn armen. Van zijn armen en zijn handen – voor een man van zijn afmetingen had hij verbazingwekkend fijne handen en lange vingers.

Hij beschreef de bonte verzameling meubelstukken op zijn werkkamer. Hij vertelde dat hij naar het universitaire sportcomplex was gegaan om te kijken wanneer het zwembad open was – hij zwom graag en had het sierlijke, sterke lijf van een zwemmer. Hij vertelde haar over zijn collega aan de overkant van de gang, die hem een mop had verteld.

'Nu al een mop!' zei Meri. 'Wat een goed teken!' Ze at intussen druiven uit de tweede zak.

'Nou, dat weet ik niet,' zei hij. 'Het was een schuine mop. Is dat een goed teken? Ik bedoel, is het niet wat vroeg om iemand die je helemaal niet kent een schuine mop te vertellen?'

'Dat weet ik ook niet,' zei ze. 'Maar ik heb toch nooit iets van al die mannelijke regels gesnapt.' Ze nam nog een druif. 'Was het een goeie mop?'

'Gaat wel.' Hij schoof dichter naar de zakken toe en begon ook van de druiven te eten.

'Je weet toch dat ze niet gewassen zijn?' zei Meri.

'Dat weet ik.'

'Ben je niet bang dat we opeens een of andere afgrijselijke uitslag zullen krijgen? Dat we last zullen krijgen van onbeheersbare tics?' Ze knipperde snel met één oog en maakte tegelijk een rukkerige hoofdbeweging.

'Ik denk wel dat het risico bestaat dat onze kinderen daar last van krijgen,' zei hij.

Meri nam nog een slok bier. 'Ze zoeken het maar uit,' zei ze. 'Ze zijn al zo verwend.'

'Verwend, maar heel interessant. Heel intelligent. Heel begaafd.'

Meri snoof. Ze trok een lange tak vol druiven van de tros en overhandigde die aan hem. 'En nu is het jouw beurt, maatje,' zei ze.

'Hoezo, mijn beurt?'

'Jouw beurt om te zeggen: "Hoe heb jij het vandaag gehad, lieveling?"'

'En? Hoe heb je het gehad? Afgezien dan van het feit dat je erg productief bent geweest.' Hij wuifde met zijn hand om te wijzen op alles wat ze gedaan had.

'Het was echt een heel productieve dag, die heel veel heeft opgeleverd. Want' – ze danste van hem weg, sprong op en kwam met wijd uitgespreide armen weer neer – 'ta-dá! Ik heb een baan.'

'Wat voor baan?' Ze genoot ervan om zijn gezicht te zien, dat eerst verbijsterd en vervolgens verrast stond. 'Die baan bij de radio?'

Ze knikte.

'Maar ik wist niet eens dat je een gesprek had. Waarom heb je me dat niet verteld?' In zijn woorden klonk een vleugje irritatie door, maar vervolgens zei hij: 'Dat is geweldig!'

Hij liet zich omlaagzakken. Hij zoende haar, een glibberige bierzoen die een hele tijd duurde.

'Laten we mij feliciteren,' zei ze, met haar mond op twee centimeter afstand van de zijne. 'Laten we neuken.'

'Wat? Nu? Ik dacht dat je uitgehongerd was.'

'Ik heb de ergste honger al gestild.' Ze deed een stap terug.

'Maar je bent vies.'

'Nou? Dan lik je de viezigheid toch van me af?'

Ze liep met grote passen naar de kleine trap en ging naar boven, terwijl ze intussen haar T-shirt uittrok. Ze nam twee treden, en dit gebruik van haar lange, gespierde benen bezorgde haar al een inleidend genot. Achter zich hoorde ze Nathan. Ze gooide haar T-shirt naar hem toe en sprintte over de overloop naar hun slaapkamer aan de voorkant van het huis. Het was er zonovergoten en heet – toen ze naast elkaar neervielen en elkaar gehaast van hun kleren ontdeden, raakten ze bijna meteen bezweet. En toen ze tegen elkaar aan gingen liggen en begonnen te vrijen, maakten hun lichamen ploppende en zuigende geluiden.

Toen het achter de rug was lagen ze hevig te hijgen, nat van het zweet. Ze lagen nog een paar minuten bij elkaar. Toen maakte Nathan zich van haar los en rolde op zijn rug. Meri bracht haar hand naar haar borst. Tussen haar borsten stond een klein plasje. Een paar minuten later liet Nathan zijn hoofd op zijn ene hand rusten en streek met zijn andere hand door het zweet tussen haar borsten, dat hij over haar tepels uitsmeerde.

'Jouw project,' zei ze.

'Ik pak het heel goed aan. Heel grondig.'

'Dank je wel.' Ze pakte zijn hand en bracht hem naar haar mond. Ze kuste zijn zilte vingertoppen.

Het gesprek kabbelde een poosje voort, en ze vertelden elkaar allebei meer nieuwtjes over de eerste dag van hun leven in Williston. Meri gaf Nathan een gedetailleerd verslag van het sollicitatiegesprek. Het lage zonlicht viel schuin de kamer binnen. Na een poosje vertraagden hun stemmen en stokte het gesprek. Rondom hen hielden de hoge dozen met kleding de wacht. Ze sliepen.

Halverwege de avond, toen het koeler werd, werden ze wakker. Ze stonden op, trokken ondergoed en een T-shirt aan, en gingen samen naar beneden om de boodschappen uit te pakken; het merendeel zat nog in de zakken voor het oude doorgeefluik. Meri vond tussen de spulletjes van Nathans moeder een blauwe porseleinen kom en legde daar het fruit in dat hij had meegenomen: drie glimmende rode appels en de restanten van de bleekgroene druiven.

Meri was dol op haar werk. Zelfs de eerste dagen, toen ze nog ongericht bezig was en voortdurend om hulp moest vragen, was ze er al dol op.

De zender was op het universiteitscomplex ondergebracht en besloeg de helft van de benedenetage van een gebouw aan de rand van het terrein. In de andere helft was het bureau van de campuspolitie gevestigd. Meri was ook op de agenten gesteld – het waren flirterige, vriendelijke kerels van middelbare leeftijd. Ze was gesteld op de lange wandeling of fietstocht die ze dagelijks door het stadscentrum en over de campus moest maken. Ze was gesteld op de campus zelf, met zijn prachtige oude stenen gebouwen en zijn enorme eiken; er stonden zelfs nog een paar iepen. Ze was gesteld op de karretjes die falafel en wraps verkochten en die met lunchtijd op de wandelpaden verschenen, ze was gesteld op de studenten die elkaar over de sappige gazons dingen toeriepen en daar voetbalden, frisbeeden en lacrosse speelden.

De radiozender zond overdag voornamelijk muziek uit – 's ochtends klassiek, 's middags en 's avonds eerst jazz en dan rock – en 's nachts blues. Aan het begin van elk uur werd er een kort nieuwsoverzicht uitgezonden, en vier keer per dag was er een langere nieuwsuitzending.

Het middagnieuws, waaraan Meri meewerkte, bracht de eerste vijf minuten berichten van de nationale publieke omroep en ging vervolgens wat dieper op vier of vijf eigen onderwerpen in. Die konden aan van alles en nog wat zijn gewijd: aan wonderlijke of ontroerende verhalen over gewone mensen, aan politiek of aan kunst, afhankelijk van wat de stad, het land of de wereld in zijn greep hield.

Meri moest onder meer ideeën voor deze onderwerpen bedenken, meestal in de middagvergaderingen direct na afloop van de uitzending; daarnaast moest ze contact leggen met de mensen die voor elk onderwerp moesten worden geïnterviewd – live bij de zender, in een andere studio van de nationale publieke omroep of over de telefoon. De telefoon was altijd de laatste mogelijkheid, want de geluidskwaliteit was dan niet zo goed.

Op de middagvergaderingen was iedereen altijd ontspannen. De uitzending was achter de rug, en speels en spontaan rolden de ideeën over tafel. Er kwamen krantenartikelen ter sprake, vreemde feiten die iemand had achterhaald, en nieuwe boeken en cd's die iemand had gelezen of gehoord of waarvan iemand een recensie had gelezen. Burt Hall was gespecialiseerd in jubilea en verjaardagen: hij had een lijst, die hij voortdurend bijwerkte, waarop stond wat er de volgende dag honderd, vijftig en vijfentwintig jaar geleden was gebeurd en wie er toen waren geboren. Soms waren het belangrijke jubilea, soms heel eigenaardige, en op een saaie dag konden ze op zijn hele lijst terugvallen. Er was één medewerkster die hetzelfde werk deed als Meri: Natalie. Ze werkte al drie jaar voor het programma, vanaf het eerste begin. Ze was ongeveer even oud als Meri; ze was klein en had wild kroeshaar. Ze was geduldig en altijd bereid iets uit te leggen.

Toen Meri tien dagen bij de zender was, had ze aan ruim vijf onderdelen van het programma meegewerkt. Het eerste ging over het syndroom van ruw door elkaar geschudde baby's. Ze had de deelnemers aan een rondetafelgesprek met Jane bij elkaar gezocht: een paar kinderartsen, een specialist in medisch recherchewerk en een maatschappelijk werker die ouders begeleide die zich slecht konden beheersen. Meri voerde vooraf met alle deelnemers lange telefoongesprekken om Janes vragen voor te bereiden en voorstellen te doen voor de aanpak die zij in de uitzending kon volgen. Ze ontdekte dat dit een voorgesprek werd genoemd en was bedoeld om Brian en Jane intelligent te laten overkomen en de indruk te wekken dat ze goed van het gespreksonderwerp op de hoogte waren.

Toen ze met dit item bezig was, was ze er zo druk mee te leren hoe ze te werk moest gaan, was ze zo nerveus in de weer met de manier waarop de vragen moesten worden ingekleed en hoe ze de geschikte mensen moest vinden, dat ze nauwelijks tijd had om na te denken over de eigenlijke kwestie, die onder de aandacht was gekomen doordat in de stad een meisje van vijf maanden was overleden. Ze was vermoord door haar vader, een cocaïneverslaafde uit een keurig milieu – naar zijn zeggen per ongeluk.

Toen ze de uitzending beluisterde, stond ze in eerste instantie versteld hoe goed alles in elkaar paste, hoe professioneel het programma was gemaakt; vervolgens kreeg ze tot haar verbazing op verschillende momenten van het gesprek tranen in haar ogen. Wat was dit direct vergeleken met de stukken die ze voor het tijdschrift had geschreven! En wat afschuwelijk, in dit geval: de door drugs veroorzaakte razernij van de vader, de vreselijke verwondingen van het kleine meisje.

Toch was ze, ondanks zichzelf, tevreden. Haar tekst klonk, als hij werd uitgesproken door de melodieuze, warme, meelevende stem van Jane, erg professioneel.

Radio, dacht ze, terwijl ze haar neus snoot, wat ben ik blij dat ik je heb ontdekt.

Toen Meri onderzoek naar een totaal ander onderwerp deed, vond ze een oude foto van Tom Naughton. Hij stond achter de senatoren van de Watergate-commissie. Hij was niet zo traditioneel knap als ze zich had voorgesteld – lang en mager –, maar zelfs op deze korrelige foto had zijn houding iets zichtbaar ontspannens en spontaans over zich wat hem aantrekkelijk maakte. Ze maakte een kopie van de foto, om hem mee te nemen voor Nathan.

Ze hadden al verschillende keren gespeculeerd over de vraag waarom de senator in de drie weken dat ze nu hier woonden zelfs niet één keer in het huis naast het hunne was verschenen. Aanvankelijk hadden ze besloten dat hij wel op reis zou zijn. Hij zou wel gauw terugkomen.

Na verloop van tijd dachten ze aan andere mogelijkheden. Misschien waren ze gescheiden, opperde Meri.

Maar toen maakte ze twee of drie keer een praatje met Delia op de veranda, en Delia zei niets wat daarop wees. Ze noemde Tom zelfs altijd haar man; en zoals Nathan Meri voorhield, had ze op de avond na hun verhuizing ook nog gezegd dat ze hen zou uitnodigen als Tom weer thuis was.

Nathan veronderstelde dat ze misschien allebei forensden, en Meri beaamde dat dat de meest voor de hand liggende verklaring was. Het leek erop dat Delia op zijn minst een paar dagen weg was geweest; zo zat de vork waarschijnlijk in de steel.

Maar Meri wist dat Nathan teleurgesteld was omdat Tom Naughton niet écht hun buurman leek te zijn, en onwillekeurig vroeg ze zich af of hij nu het gevoel had dat hij er ingeluisd was toen hij het huis kocht. Ze wilde hem dat echter niet vragen – voor een deel omdat ze het idee had dat de vraag verband zou houden met een onredelijk wraakzuchtig kantje van haarzelf, met iets wat ze niet goed begreep. Want waarom zou het haar genoegen doen dat hij teleurgesteld was?

De fotokopie was dan ook een cadeautje, waarmee ze haar medeleven wilde betuigen, waarmee ze wilde delen in zijn verwarring.

HOOFDSTUK VIER

Meri, september en oktober 1993

De gesprekjes die Meri op de veranda met Delia had gevoerd als ze de deur uit gingen of thuiskwamen waren doodgewone gesprekjes; ze waren hartelijk maar inhoudsloos, zoals dat gaat bij mensen die elkaar niet goed kennen. Delia gaf ze echter altijd iets extra's mee, een zekere stijl.

'Wil je er nog geen eind aan maken?' had ze Meri een paar dagen na hun komst opgewekt gevraagd, toen ze nog nauwelijks iets leken te hebben uitgepakt. En in het daaropvolgende gesprek vertelde ze haar waar de beste slijter van de stad zat. 'Naar mijn ervaring maakt de invloed van alcohol alles draaglijker,' zei ze op troostende toon.

En op een regenachtige dag, toen Meri en zij allebei voor hun eigen voordeur stonden, Meri aan het lastige oude slot op haar deur morrelde en Delia haar paraplu maar met moeite kreeg dichtgeklapt, had ze zich tot Meri gewend en over de leeuw heen gezegd: 'Geloof maar niks van die lyrische verhalen over de herfst in New England. Het is misschien zes dagen prachtig weer, en verder heb je' – ze gebaarde naar de grijze lucht – 'dít.'

Deze gesprekjes bevestigden in Meri's ogen het gevoel dat ze bij haar eerste ontmoeting met Delia had gehad. 'Ze is eigenaardig,' zei ze tegen Nathan, 'maar wel hartelijk.'

'Kan het ook anders dan?'

'Eigenaardig maar egocentrisch, of eigenaardig maar kil, natuurlijk.'

Ze voerden dit gesprek terwijl ze samen naar huis fietsten, en langzaam door de brede, verkeersluwe straten zigzagden. Zij was hem na haar werk gaan ophalen, om hem te verlossen van zijn lange werkdag. Hij moest elke woensdag lang doorwerken, en elke woensdag kwam hij laat thuis. Toen Meri zijn deur opende – nadat ze had aangeklopt en er 'binnen' was geroepen – trof ze hem aan zijn bureau, tegenover een meisje dat zo beeldschoon was dat Meri even een steek van jaloezie door zich heen voelde gaan. Maar toen ze Nathan aankeek – en zijn gezicht straalde van opluchting en genoegen omdat zij er was –, vergaf ze het hem meteen dat de studente zo mooi was.

'Haar eigenaardigheid is uitnodigend, daar zit het hem in. Het is geen eigendunk, zoals je vaak ziet bij eigenaardige mensen.'

'Volgens mij val je op haar.' Hij was naast haar komen fietsen. Ze hadden allebei een oude tweedehands fiets met drie versnellingen die ze in Coleman hadden gekocht, en Meri vond dat Nathan er geweldig uitzag, zo rechtop zittend terwijl de wind zijn haar naar achteren blies.

'Ik val op jou,' zei ze.

De derde vrijdag na hun verhuizing stond er 's avonds een boodschap van Delia op het antwoordapparaat. Ze wilde de volgende ochtend een tochtje door de omgeving maken, naar een boerenmarkt die ze leuk vond, en vroeg zich af of Meri misschien zin had om mee te gaan – er werd mooi weer verwacht.

Nathan glimlachte toen Meri hem vertelde dat ze was uitgenodigd. 'Hé, wat leuk,' zei hij. Maar even later, toen hij zijn bezigheden had hervat – ze zaten in de achtertuin en hij grilde vis voor het avondeten –, zei hij opeens: 'Waarom heeft ze ons eigenlijk niet allebei gevraagd? Wat denk jij daarvan?'

Meri keek naar hem vanaf haar zitplaats op de veranda. 'Schaam je, Natey,' zei ze. 'Je bent jaloers.'

'Ja, dat denk ik wel. Maar ík was degene die hen graag wilde leren kennen.'

'Hoezo? Ik niet dan?'

'Je weet best wat ik bedoel.' Hij pakte een schoteltje met olijfolie en smeerde met een kwastje wat olie over de beide vissen uit. 'Voor mij betekent hun reputatie het meest. Zíjn reputatie in elk geval.' Hij legde het deksel op de grill. 'Niet dat hij er ooit is.' Hij trok een pruilmond.

'Nou, misschien wordt ze daar wel doodmoe van, dat iedereen steeds weer zo'n belangstelling voor "de senator" heeft. Misschien heeft ze daarom mij gevraagd: omdat ze weet dat ik belangstelling voor haar heb, voor haar alleen.'

Hij liep de veranda op en ging naast haar zitten. Hun vier blote voeten stonden op een rijtje, en zij bukte zich snel om de zijne aan te raken.

Een ogenblik later zei hij: 'Weet je, dat snap ik nou niet van je.'

'Wat niet?'

'In wat je met vrouwen hebt. Met oudere vrouwen.'

'Dat komt doordat je zo'n warme, meegaande, enthousiaste moeder hebt. Ze staat altijd achter je.'

Ze zwegen een poos. De houtskool rook heerlijk. Het was schemerig en fris. Dit was een van de laatste keren dat ze buiten de grill konden gebruiken.

Meri zei: 'De echte reden is natuurlijk dat wij wijven zijn. Ze denkt dat jij geen belangstelling voor die boerenmarkt hebt. Dat is niks voor kerels.'

Hij bromde. 'Mm-mm.'

'En je zou toch niet mee kunnen, dus je hoeft niet zo nukkig te doen.' Ze nam een slokje wijn en zette haar glas weer naast zich neer op het houten afstapje. 'Jij bent toch aan het werk, zoals gewoonlijk.'

Nathan was de afgelopen twee weekends naar zijn werkkamer op de universiteit gegaan om aan zijn boek te werken – zijn tweede boek. Het eerste, dat door zijn vakgenoten met enige aandacht was ontvangen, was een bewerking van zijn dissertatie over gezinsstructuren en armoede. Dit boek was ambitieuzer opgezet en vergde meer van hem. Het ging over de Great Society-programma's. Een beschrijving van het beleid dat die programma's had vormgegeven werd afgewisseld met de levensverhalen van vijf mensen die ervan moesten hebben geprofiteerd; ze waren gevolgd tot op de dag van vandaag. De research voor het boek had Nathan twee jaar gekost, en al voordat Meri hem had leren kennen was hij met schrijven begonnen. Hij wilde het aan het einde van de volgende zomer af hebben, want dat was van belang wilde hij een vaste aanstelling kunnen krijgen. Elk moment dat hij zich niet aan zijn onderwijstaak hoefde te wijden, besteedde hij aan zijn boek.

'Ja, je hebt gelijk,' zei hij. En na een lange stilte: 'Ik vraag me af waar die Tom eigenlijk uithangt.'

Die zaterdag was het prachtig weer. Het was een van die zes herfstdagen waarover Delia het had gehad: het was koel en droog, met een felle zon.

Zoals afgesproken belde Meri bij Delia aan, en korte tijd later zag ze dat de oude dame door de hal naar haar toe kwam.

'Kom binnen! Kom binnen!' zei ze, terwijl ze opendeed. 'Kom binnen door de voordeur, dan gaan we door de achterdeur naar buiten. De auto staat op de oprijlaan naast de keuken.' Ze draaide zich om, haar huis in. Meri liep achter haar aan. Ze had de schoenen met touwzolen weer aan die Meri zo leuk vond. Terwijl Meri snel door Delia's kamers heen liep, verbaasde het haar hoe anders ze waren dan de hunne. Nadat ze de autogordels hadden omgedaan, zei ze dat tegen Delia.

'Dat hebben we te danken aan de Carters, die voor jullie in jullie huis hebben gewoond,' zei ze. Ze was weggereden, richting Main Street.

'O ja,' zei Meri. 'Dat weet ik nog. Was hij geen architect? De makelaar zei daar iets over.'

'Precies,' zei Delia. 'De muren slopen was zijn idee van hoe het hoorde. Openheid. Luchtigheid. En zij liet hem zijn gang gaan. Volgens mij konden het huis en alles wat daarmee samenhing haar geen zier schelen.'

Even later zei Delia: 'Ilona was musicienne. Dat was ze geweest. Violiste. De muziek was het enige wat echt belangrijk voor haar was. En mensen, natuurlijk.'

'Natuurljk,' zei Meri, al sprak dat in haar ogen niet vanzelf.

Ze reden door het centrum. Op de trottoirs wemelde het al van de mensen die op zaterdagmorgen inkopen wilden doen. Onder het rijden bewoog Delia's voet het gaspedaal grillig, bijna ritmisch, op en neer. De auto versnelde en vertraagde, en versnelde en vertraagde weer. Het deed enigszins denken aan een schommelstoel, bedacht Meri.

'In de jaren vlak nadat wij hier kwamen wonen gaven ze regelmatig enorme feesten.' Ze keek naar Meri. 'Het is een geschikte ruimte voor feesten, als je daarvan houdt. Dat grote, open gedeelte, en dan die keuken. Die keuken waar je een paar duizend mensen in kwijt kunt. We zijn er een paar keer bij geweest. Het was erg leuk. Allemaal architecten en musici.' Een ogenblik later zei ze: 'Ben jij ook zo dol op architecten en musici? Ze zijn zo gezond.'

'O ja?' vroeg Meri.

'Volgens mij wel, ja.'

'Daar heb ik nooit bij stilgestaan.'

Delia wierp een snelle blik op Meri en glimlachte. Even later zei ze: 'Nou, volgens mij is dat zo. Door hun werk zijn ze heel direct met anderen verbonden, en daardoor zijn ze gelukkiger. Zo lijkt het tenminste.'

'Ah, ja,' zei Meri. Ze vroeg zich af of het waar was.

Meri draaide tijdens de rit haar raampje open en liet de wind door haar haar gaan. Ze reden over een bochtige, besloten weg. Het rook er naar naaldbomen. Delia vertelde Meri over de geschiedenis van het stadje, dat was verrezen rond een watermolen die een zekere Gideon Mills aan de rivier had gebouwd. Veel later, na de stichting van de universiteit, was het centrum naar zijn huidige locatie verplaatst. En nog weer later was de watermolen aan zijn lot overgelaten.

'Maar nu is hij gerestaureerd,' zei ze. 'Er zit nu een restaurant. Het is heel leuk geworden. Romantisch. Nathan en jij moeten er eens gaan eten.'

Een ogenblik later vroeg Meri: 'Ben jij er weleens geweest? Met je man?'

'In geen jaren,' zei Delia flegmatiek.

Ze reden langs open land. Hier en daar lagen bewerkte akkers. Op andere was het gras hoog opgeschoten. Hooiland, zei Delia, dat voor de laatste keer dit jaar moest worden gemaaid. Nog eens tien minuten later wees Delia weer iets aan en reed een onverhard parkeerterrein op bij een langwerpig, laag gebouw, een witgeschilderde schuur met donkergroen lijstwerk. Ernaast, onder een uitgedijde linde, stonden al zes of zeven auto's geparkeerd, en voor de open voorkant van het gebouw bevond zich een nog wat groter aantal mensen. Op twee lange schragentafels stonden houten kisten, die schuin waren neergezet zodat hun kleurige inhoud goed zichtbaar was. Meri stapte uit en liep achter Delia aan langs de uitgestalde waren.

Er waren tomaten, perziken, kroppen sla en appels. Er waren witte druiven, blauwe druiven en blauwpaarse druiven. Er waren aardappelen in verschillende vormen en kleuren, en kleine, fris ogende wortels waar het tere groene loof nog aan zat. Er waren uien, sjalotten, bollen knoflook en manden met maïs. Er waren kisten vol basilicum en muntblad, en bossen tijm met een draadje erom. 'God, wat een overvloed!' zei Meri. Ik weet niet waar ik moet kijken.'

Delia pakte een mandje van een van de torenhoge stapels aan het einde van de tafels en liep langs de kisten weer terug. 'Ik neem alleen fruit en sla,' zei ze. 'Dat is wel zo makkelijk. Ik kook toch haast nooit meer.'

'Ik kookte nooit,' zei Meri. 'Maar nu koken we wel, ben ik bang, elke avond. Zo schijnt dat te moeten gaan als je getrouwd bent.'

'Van het een komt blijkbaar het ander,' zei Delia.

'We doen het samen. Nathan kan fantastisch koken en ik ben er niet zo goed in. Maar ik ga vooruit.'

Delia's oude vingers gleden snel over het fruit, waar ze zachtjes in kneep. 'Je zult wel het nodige aan die oude keuken moeten doen als je er echt goed wilt kunnen koken.'

'O, maar dat weet ik,' zei Meri. Ze vulde haar mandje trager dan Delia, die al op voorhand precies leek te weten wat ze wilde. Meri koos appels en sla. 'Maar Nathan is plannen aan het maken,' zei ze. 'Voor een renovatie. Dat woord neemt hij graag in de mond.'

'Renoveren,' zei Delia op deftige toon, 'is bijna even plezierig als verhuizen.'

Meri lachte en keek naar haar. Ze had een plagerig lachje om haar lippen, alsof het haar wel beviel dat haar spot gewaardeerd werd.

Bij de mand met maïs aarzelde Meri. Zou ze wat nemen? Nathan en zij hadden nog niet besproken wat ze zouden eten, maar de kolven zagen er zo vers uit, de pluimpjes waren nog zo wit en zijdeachtig en de vliesjes zaten nog zo strak om de korrels dat Meri ze niet kon weerstaan. Twee stuks. Nee, vier. Ze koos een harde, dikke bol knoflook uit, en wat kruiden.

Ze gingen naar binnen om te betalen. De schuur had een onverharde vloer en aan een langs het plafond gespannen draad hingen twee kale gloeilampen. De gezette vrouw achter de kassa kende Delia en begroette haar op hartelijke toon. Ze informeerde naar haar kleinkinderen, en Delia vroeg hoe met de man van de caissière ging, die blijkbaar problemen met zijn gezondheid had.

Op een bord op de toonbank naast de kassa lagen afzonderlijk verpakte brokken fudge. Delia kocht twee stukken terwijl ze met de caissière afrekende. 'Als hartversterkertje voor de terugrit,' zei ze.

In de auto haalde ze een deel van haar stuk uit de verpakking. Terwijl ze de auto in beweging zette, knabbelde ze eraan. Meri volgde haar voorbeeld en hield de fudge net als Delia in de plastic verpakking vast, om te voorkomen dat ze vettige handen kreeg.

'Zo. Zijn jullie nu een beetje gesetteld?' vroeg Delia even later.

'Min of meer.' Meri haalde haar schouders op. 'We hebben geen gordijnen, we moeten een nieuwe bank en nieuwe tapijten hebben, we willen zowat alles nog een verfje geven, maar afgezien daarvan zijn we een heel eind, ja.'

'Een marteling is het,' zei Delia.

'Eigenlijk denk ik dat we het ergste achter de rug hebben,' zei Meri. Ze liet de fudge smelten in haar mond en zag de akkers aan zich voorbijtrekken.

'Ik hoop dat ik nooit meer hoef te verhuizen,' zei Delia. 'Ik wil hier het loodje leggen, net als Ilona.'

Meri keerde zich weer naar Delia toe. 'Net als Ilona?'

'Ja.'

'Bedoel je dat ze thuis is gestorven?'

'Ja.' Delia keek haar aan. 'Wist je dat niet?'

'Nee.' Meri was ontsteld. Het was een rare gedachte. Ze hadden geslapen in een kamer waar iemand was gestorven. Ze hadden in die kamer gevreeën.

'Nou,' zei Delia, 'zo is het gegaan.'

Meri schudde haar hoofd. 'Ik wist het gewoon niet.'

Even later zei Delia: 'Het zou je waarschijnlijk heel wat moeite kosten om onder de oudere huizen in de stad een pand te vinden waar nooit iemand is overleden. Daar stierven de mensen vroeger: thuis.'

'Ik was gewoon nooit op de gedachte gekomen,' zei Meri bijna verontschuldigend.

Delia reed verder, versnelde en vertraagde. 'Het was, denk ik, een mooie dood.'

'Ik wist ook niet dat er zoiets bestond.'

'Nou ja, zeker weten doen we het nooit, hè?' Delia lachte een beetje. 'Maar ik denk dat je, als je oud genoeg bent, er wel aan toe bent. En dat was Ilona. Ze was moe. Haar wereldje was erg klein geworden. Er was niet veel meer waaraan ze nog plezier beleefde.' Delia haalde haar schouders op. 'Ik kan me er zeker iets bij voorstellen.'

En daar leek ze ook mee bezig te zijn, dacht Meri. Haar uitdrukking was afwezig.

Toen klaarde haar gezicht op. 'Ze heeft eens tegen me gezegd: "Als je zo oud word als ik, heb je de meeste van je vrienden moeten zien wegvallen." Ze leek verdrietig. Maar tóen zei ze, na een van haar prachtige, veelbetekenende stiltes te hebben ingelast: "Maar natuurlijk zie je ook de meeste van je vijanden wegvallen."'

Meri lachte. Ze nam het laatste stuk van haar fudge en verfrommelde de plastic verpakking. Ze zag dat Delia de hare ook bijna op had. 'Zal ik me daarover ontfermen?' vroeg ze, en ze wees op het plastic.

'O. Ja. Dank je wel.' Delia stak haar laatste stuk fudge in haar mond en overhandigde Meri de verpakking. Meri verfrommelde ook dit plastic en stopte de beide stukken in haar tasje.

Een tijdje was het stil in de auto. Meri keek uit het raam. Ze keek weer naar Delia, die een in zichzelf gekeerde indruk maakte. Of misschien concentreerde ze zich gewoon op de weg.

'Jij bent hier toch in de jaren zestig komen wonen?' vroeg Meri.

'Dat klopt. Halverwege de jaren zestig. Toen het nog niet de jaren zestig waren.'

'En hield je meteen van het huis?' vroeg Meri, terwijl ze dacht aan haar eigen gemengde gevoelens over het hunne.

'Ach, dat weet ik eigenlijk niet,' zei Delia. 'Een nieuw huis staat vaak ergens voor, denk ik.' Ze maakte een handgebaar. Haar blik was strak op de weg gericht. 'Voor een bepaalde verandering in je leven, of misschien, als je getrouwd bent, voor een verandering in het leven dat je samen deelt. En dus voel je bij een verhuizing meestal een zekere hoop, maar misschien ben je ook wel een beetje bang.'

'Ja,' zei Meri. En een ogenblik later: 'Was je man toen al senator, toen jullie het huis kochten?'

'Nee, nog niet. Hij was Congreslid. We forensden naar Washington. Hij dan vooral. Ik zat de eerste paar jaar vaker in Williston. Brad, mijn jongste zoon, zat nog op de middelbare school.' Ze keek Meri aan en glimlachte. 'Ik moest hier doen wat van mij als vrouw van een Congreslid werd verwacht, terwijl het Congreslid zelf daar als de grote held rondparadeerde.'

'Maar het moet zwaar zijn geweest om niet bij elkaar te zijn,' zei Meri. Ze dacht dat ze het gesprek misschien op Toms afwezigheid kon brengen en zo kon achterhalen waarom hij er niet was.

'O, ik ben eraan gewend geraakt,' zei Delia. 'Alles went.' Even later zei ze: 'Dat is een verrassende ontdekking, maar het is een van de meest onmisbare lessen die het leven ons leert. Denk je ook niet?'

En opnieuw raakte Meri voor haar gevoel door een toevallige opmerking van Delia in verwarring. Ze wist niet wat ze moest antwoorden. 'Ik denk van wel, ja,' zei ze. 'Maar... ik denk dat ik die ontdekking nog niet heb gedaan.'

'Ah,' zei Delia met een glimlach. 'Nóg niet.'

'Ja,' zei Meri. 'Nee.'

Delia wierp een snelle blik op Meri, met een ondeugende uitdrukking op haar gezicht. 'Ik vind het prachtig als mensen een vraag met "ja, nee" beantwoorden.' Ze keerde Meri weer haar voorname profiel toe en zei even later: 'Of anders met "nee, ja".'

Toen Meri Nathan die avond verslag deed van haar uitstapje met Delia, probeerde ze hem te beschrijven wat voor indruk Delia op de momenten dat ze van haar à propos was geraakt op haar had gemaakt. 'Het zijn die plotselinge inzichten, snap je?'

'Ik snap het niet. Leg het me eens uit.'

Meri keek op naar hem, aan de andere kant van de tafel. Hij zat te wachten, zijn wijdopen ogen waren op haar gericht. Vóór Nathan had ze nooit een man gehad die zei: 'Leg het me eens uit.' En die er dan echt voor ging zitten om naar haar te luisteren.

Maar net toen ze op het punt stond het te gaan vertellen, viel ze stil en fronste haar wenkbrauwen. 'Maar nu ik erover nadenk: misschien zijn het míjn inzichten nadat zij iets heeft gezegd.' Ze dacht na. 'Nee, zo is het toch niet. Het zijn haar inzichten. Zíj begrijpt wat ze zegt, wat het referentiekader is, maar ik begrijp het niet helemaal. Ik overzie de consequenties niet volledig. Ik ga nadenken en ik sla dicht.'

Het geluid van hun messen en vorken weerklonk. Ze aten vanavond een gerecht dat door Meri was klaargemaakt, een van de vijf of zes schotels die ze kon bereiden. Karbonade met mosterdsaus.

'Geef eens een voorbeeld,' zei Nathan.

'Een voorbeeld,' zei ze. 'Nou, ik wilde een rechtstreekse vraag over Tom stellen – voor jóu, Natey, namens jou, in een poging het grote mysterie op te lossen waar hij uithangt. Mijn benadering was medeleven: hoe zwaar het geweest moest zijn als hij in Washington in het Congres zat en zij voor de kinderen in Williston moest blijven enzovoort. Daar had ze het net over gehad. En ik schoot flink op, ik naderde mijn doel, ik zat vlak in de buurt. Dacht ik, maar toen bracht ze me van mijn à propos. Volkomen. Met zo'n inzicht.'

'Waarmee dan?'

'Iets over... Ach, ik kan het me niet eens meer precies herinneren. Het had iets met het leven te maken, zoals meestal. Het leven met een grote L. Hoe je tegenslagen leert te verdragen, of iets in die geest.'

Hij kauwde de hap eten in zijn mond weg. 'Niet erg opmerkelijk, als inzicht.'

'Misschien niet. Maar zo voelde het op dat moment wel. Het voelde als iets nieuws.'

Ze moesten Delia drie keer uitnodigen voordat ze een avond vonden waarop ze kon komen eten. De eerste keer ging ze in het weekend naar het gezin van haar zoon in Maine en de tweede keer ging ze met vrienden naar een concert.

'Waarom hebben wij nooit iets te doen?' vroeg Meri aan

Nathan. 'Waarom gaan wij niet met vrienden naar een concert?'

'Omdat we hier pas wonen en tot over onze oren in het werk zitten,' zei Nathan.

Dat was waar, al gold het sterker voor Nathan dan voor Meri. Op de meeste dagen kon ze zodra ze thuiskwam haar werk van zich af zetten. Nathans werk hield nooit op, want hij moest 's avonds colleges voorbereiden en werkte in de weekends aan zijn boek. En als ze wat tijd voor zichzelf hadden, vroeg het huis alle aandacht. Ze hadden tot dusver twee kamers geschilderd, de keuken en hun slaapkamer. In de slaapkamer hadden ze eerst het oude behang moeten verwijderen met een stoomapparaat dat ze voor één eindeloze, drukkend warme dag hadden gehuurd. Toen ze die nacht naar bed gingen was de kamer nog steeds klam en rook het er naar oud behangplaksel. Meri vond het prettig – de geurige vochtigheid – maar Nathan zei dat hij er 's nachts steeds weer wakker van was geworden.

Bij een paar gelegenheden hadden ze hun gezicht laten zien. Ze waren naar een theevisite ter gelegenheid van het nieuwe studiejaar bij de faculteitsvoorzitter thuis geweest, en twee collega's van Nathan hadden hen samen met anderen te eten gevraagd. Maar als ze niet waren gevraagd en geen verplichting hadden, waren ze over het algemeen geneigd thuis te blijven. Met zijn tweetjes. Delia zou hun eerste gast worden, en Meri was een beetje nerveus over het eten – dat voor haar rekening kwam, want Nathan moest tot laat werken – en of alles wel goed zou verlopen.

Toen Meri opendeed, kwam Delia binnenzeilen – Meri had voor het eerst het idee dat ze begreep hoe dat woord op een mens van toepassing kon zijn. Ze had een grote bos witte lelies bij zich. Terwijl Nathan in de woonkamer een fles wijn opentrok, haalde Meri de keukentrap tevoorschijn en zocht op de hoge planken in de voorraadkast naar een vaas die groot genoeg was voor de bloemen. Ze vond niets. Uiteindelijk moest ze ze in een zinken emmer zetten, zo groot en vol was het boeket. Maar zelfs met deze primitieve, geïmproviseerde vaas leek de woonkamer opeens veel meer 'af' toen ze de bloemen naar het hoekje bracht waar Delia en Nathan zaten.

Ze zette ze op de gewelfde vensterbank voor de donkere ramen. 'Ze zijn schitterend, Delia,' zei ze, terwijl ze naar achteren stapte. 'Dank je wel.'

'Lelies blijven nu eenmaal lang mooi,' zei Delia. Meri keek naar haar. Ze had haar wijnglas in haar hand en had haar benen over elkaar geslagen. Voor een vrouw van in de zeventig zag ze er onwaarschijnlijk aantrekkelijk uit, dacht Meri.

'Én ze zijn schitterend,' zei Nathan.

Meri nam plaats op de enigszins verzakte bank, die uit haar appartement in Coleman afkomstig was. Delia zat in de oorfauteuil van Nathans moeder, Nathan zat in een oude fauteuil die van hem was geweest. Geen van deze meubelstukken paste bij elkaar of vulde de andere zelfs maar enigszins aan.

Ze hadden het een poosje over het gesetteld raken, en toen moest Meri naar de keuken. Ze moest de schotel van geroosterd varkensvlees met vet begieten en daarbij oppassen dat het gerecht niet van het wankele ovenrooster op de grond viel. Vervolgens moest ze de sjalotjes voor de sperziebonen sauteren. Ze moest voor het eten vaak op en neer naar de keuken. Ze besefte dat ze te ingewikkelde gerechten had gekozen. Ze moest er te vaak voor weg.

Maar ze merkte wel dat het tussen Delia en Nathan goed ging. Ze hoorde dat hun stemmen elkaar snel afwisselden, en geregeld was Nathans uitbundige lach te horen. Delia nam hem voor zich in, net zoals ze Meri voor zich had ingenomen wanneer hun paden elkaar kruisten. Zo ging dat als je de vrouw van een senator was, veronderstelde Meri: je kreeg een bijna professionele charme over je.

De laatste keer dat Meri de kamer in ging had Nathan het over zijn boek. Hij ging uitgebreid op Delia's vragen in, en Meri hoorde het plezier in zijn stem. Hij had zijn haar ook door de war gehaald. Nate toch.

Aan tafel was het Meri's beurt en kreeg zij volop Delia's aandacht. Ze merkte dat ze bijna even bloemrijk over haar werk vertelde als Nathan over het zijne. Delia was iemand die je, door 'fascinerend!' te zeggen opeens het gevoel kon geven dat je leven inderdaad heel boeiend was.

'Waarom hadden ze zulke baantjes niet toen ik nog jong was?' vroeg ze op een gegeven moment. Vervolgens glimlachte ze. 'Niet dat het wat had uitgemaakt, want ik heb in mijn jonge jaren nooit een baantje gehad. Als je de vakantiebaantjes in mijn studententijd niet meetelt. Doe je dat wel, dan heb ik alles bij elkaar in mijn hele leven zo'n zes of acht maanden als serveerster gewerkt.'

Ze kregen het over hun eerste baantjes. Nathan had in zijn middelbareschooltijd als caddy gewerkt, Meri was receptioniste geweest in een groezelig motel aan de rand van haar geboortestad.

'En welke stad was dat?' vroeg Delia.

'Rock Hill, Illinois,' zei Meri laatdunkend. 'Geen mens heeft ervan gehoord.'

'Nee, je hebt gelijk, ik ook niet,' zei Delia. 'Maar ik ken het midden-westen niet goed. Net zoals veel mensen uit het oosten, vermoed ik. Ik denk dat we allemaal een beetje snobistisch tegenover het midden-westen staan.'

'Andersom is het net zo,' zei Nathan. 'Mensen uit het midden-westen kennen het oosten ook niet. Voor ze mij leerde kennen was Meri nooit in het oosten geweest.'

'Niet waar,' zei Meri. 'Ik ben een keer een week in New York geweest.'

'New York hoort niet bij het oosten,' zei Nathan.

'Het is een wereld op zich,' beaamde Delia, en ze knikte. 'Net als Washington.'

'Nou, en het was ook een geweldige reis,' zei Meri, terwijl ze eraan terugdacht. 'Ik zat met een hele club in New York, had ik moeten zeggen. Een hele club tieners. En we deden dingen die ik nooit meer zal doen. We gingen naar het Vrijheidsbeeld. Naar City Hall. Maar de boottocht vond ik leuk.' In de boot had ze vooral met haar toenmalige vriendje zitten vrijen; ze herinnerde zich zijn zoenen weer, die naar kauwgum smaakten.

Nathan begon herinneringen op te halen aan de cultuurschok die hij had ondergaan toen hij naar het midden-westen was verhuisd – herinneringen aan het eten, het vlakke landschap en hoe ellendig hij zich had gevoeld. 'Maar eerlijk gezegd voelde ik me aan de universiteit niet gelukkig, en dat werkte overal in door. Ik was er nog niet aangekomen, of ik probeerde er alweer weg te gaan. Maar ook vond ik inderdaad dat niets er aantrekkelijk uitzag. Behalve Meri dan.' Hij boog zijn hoofd even naar haar aan de overkant van de tafel, en wendde zich vervolgens weer tot Delia. 'Maar ik heb nooit veel voor het landschap gevoeld. En evenmin voor de stad.'

'New England is natuurlijk lieflijker,' zei Meri. 'Groener. Met meer reliëf. Perfect, eigenlijk.' Ze liet haar blik van de een naar de ander gaan. 'Ik heb nog nooit op zo'n ideale plek gewoond,' zei ze. 'Ik kan er niet aan wennen. Op een bepaalde manier voel ik me er ongeschikt voor. Het is bijna of het niet echt is.' Ze was door haar eigen woorden getroffen – ze had de gedachte nog niet eerder hardop uitgesproken, maar nu wel: ze voelde zich hier niet thuis.

'Wat bedoel je met "niet echt"?' vroeg Delia.

'O, dat weet ik niet.' Ze kon hun toch niet vertellen hoe ze zich voelde? Dat ze zich niet thuis voelde?

'Oké,' zei ze. 'Oké, een voorbeeld: wat jullie hier het centrum noemen is zo ordelijk. Veel te netjes en te ordelijk. Voor iemand uit het midden-westen lijkt het... niet echt. Net een decor.' Ze liet haar blik van het ene aandachtige, beleefde gezicht naar het andere gaan. 'Elke keer dat ik door Main Street loop, verwacht ik min of meer dat er een koor van stedelingen naar voren zal treden dat een vrolijk lied aanheft.' Ze spreidde haar armen wijd uit in een gebaar dat in een Broadway-musical paste.

Delia moest lachen, en dat deed Meri zoveel plezier dat ze zich er bijna voor schaamde. Ze stond op en bracht de borden naar de keuken.

Toen ze met de salade terugkwam, was Delia aan het woord. 'Dat is echt iets voor een vrouw van mijn generatie, hè?' zei ze. 'Maar toch geniet ik ervan. Haar brieven zijn in het huis te zien, en ik geniet ervan om ze te bekijken, diezelfde brieven die ze daar ruim honderdvijftig jaar geleden aan hem heeft zitten schrijven.'

Ze keek op naar Meri. 'Ik vertel Nathan over het Apthorp-huis – heb jij daar al over gehoord?'

Meri stond met de slakom naast haar, zodat Delia zichzelf kon opscheppen. Ze schudde haar hoofd. 'Nee,' zei ze.

'Ik was aan het vertellen dat ik er werk. Als vrijwilligster, om precies te zijn.'

En Delia zette haar betoog voort, over Anne Apthorps verhalende proza en hoe dat was ontdekt, over het huis en over haar betrokkenheid bij de ontwikkeling van het pand tot museum.

Meri was nu tegenover Delia gaan zitten en sloeg haar gade. Als ze geanimeerd zat te praten zag je absoluut niet meer hoe oud ze was, dacht Meri. Natuurlijk droeg het kaarslicht ook een steentje bij. Delia's normaal gesproken zo doordringende blik leek in het gele licht zachter en vriendelijker. Haar wilde, witte haardos vormde een aureool rond haar gezicht.

'Ik denk dat ik me zo tot haar aangetrokken voel omdat haar leven in bepaalde opzichten op het mijne lijkt, al heeft zij er uiteraard een andere wending aan gegeven. Maar in wezen was ze iemand die thuiszat. Ze moest wel thuiszitten, gezien de tijd waarin ze leefde en haar status als echtgenote.' Ze nam een slokje wijn en zette haar glas neer. Langzaam draaide ze het om. 'En toch heeft ze een uitweg gevonden, nietwaar?'

Delia tuurde in de vlam van de kaars die voor haar stond. Vervolgens keek ze op naar Meri en Nathan, en glimlachte. 'Ach, draait het daar niet om in het huwelijk?' zei ze. Ze hief haar hand op. 'Dat je ermee doorgaat terwijl je er op een bepaalde manier ook uit stapt?'

O, dacht Meri. Weer een inzicht. Weer een venster in haar dat werd opengezet.

Delia's gezicht was gefronst. Na een korte stilte zei ze: 'Maar ik denk dat een deel van me ook spijt heeft van al dat gedoe met het Apthorp-huis.'

Nathan vroeg wat ze daarmee bedoelde.

'Nou, vind je niet dat het uiteindelijk niet kan om een zo besloten, introvert bestaan later alsnog in de openbaarheid te brengen?' Ze richtte zich tot hen allebei en liet haar blik van de een naar de ander gaan.

'Nee.' Nathan klonk resoluut. Hij schudde zijn hoofd. 'Nee, ik kan het me niet permitteren om dat te onderschrijven. Historici gaan precies zo te werk, en ik ben historicus.'

'O ja, dat weet ik. Maar sommige levens zijn voor de openbaarheid bedóeld. Het leven van mijn man, bijvoorbeeld. Hij hoeft niet op een genadige behandeling te rekenen.' Ze streek haar haar naar achteren. 'Al wordt hij natuurlijk veel meer genegeerd dan vroeger, nu hij geen politieke functie meer bekleedt.'

Ze glimlachte. 'Na al die jaren doet dat hem nog altijd pijn,' zei ze.

Tom weer. Meri en Nathan deden hun uiterste best om elkaar niet aan te kijken.

'Wanneer heeft hij zijn functie neergelegd?' vroeg Nathan.

'In '78 besloot hij zich niet langer kandidaat te stellen.'

'Vanwege?'

'O, vanwege van alles en nog wat.' Haar hand bewoog nerveus in het niets. 'Wat ik, denk ik, precies wil zeggen is dat ik mijn dagen doorbreng met informatie verstrekken over het leven van iemand die er terecht op vertrouwde dat haar brieven alleen van belang waren voor degene aan wie ze waren gericht. En dan stellen ik en dat hele Apthorp-huis de mensen in staat om overal in rond te neuzen en alles na te pluizen wat ze willen weten.'

'Maar ze was schrijfster,' zei Nathan. 'In elk geval iemand die wilde dat haar wérk in de openbaarheid kwam. Dat neemt ze dan toch op de koop toe?'

'O nee. Nee.' Het viel Meri op dat Delia bijna voortdurend zat te gesticuleren. 'Ze nam níets op de koop toe. We hebben geen aanwijzingen dat ze ooit heeft geprobeerd iets te publiceren. De roman is zelfs nooit voltooid. Ze bewoog zich dus in geen enkel opzicht in de openbaarheid. Haar leven speelde zich binnenshuis af. Er kwamen toevallig wat teksten uit voort, zou je kunnen zeggen.'

'Toch vind ik dat je onderzoek naar haar mag doen,' zei Nathan. 'De geschiedwetenschap houdt zich ook bezig met privépersonen. Met individuen. Met het ik – dat je misschien ook de ziel kunt noemen – en hoe dat wordt beïnvloed door de gebeurtenissen. Door de maatschappelijke veranderingen. Door de politieke ontwikkelingen. Door de culturele ontwikkelingen op de wereld.' Hij was rechtovereind gaan zitten. Hij was losgebrand, zijn gezicht was een en al leven. 'We moeten nagaan wat je onder een privépersoon verstaat. Neem de mensen in mijn boek, over wie ik je vertelde. We moeten nagaan wat geschiedenis betekent. Wat politiek betekent. Hoe het leven op een bepaald moment, onder bepaalde omstandigheden, wordt ervâren, wordt geleefd.' Hij bracht zijn handen naar zijn borstkas, naar zijn hart. 'We moeten dus – en dat is echt noodzakelijk – onderzoek doen naar mensen zoals jouw Anne Apthorp.' Hij fronste zijn voorhoofd. 'Wat ik eigenlijk bedoel is dat iemand die haar emoties heeft vastgelegd, die ze na al die jaren aan ons kan overbrengen, ook in fictieve vorm, een bron is waaruit haar medemensen kunnen putten. Medemensen zoals ik, in elk geval.' Hij bracht zijn hand naar zijn haar. 'Anders zouden we ons alleen in statistische, in abstracte zin, met regeringen, oorlogen en economische kwesties kunnen bezighouden en zouden we de invloed daarvan op ménsen buiten beschouwing moeten laten.' Hierom was Nathan in conflict geraakt met de faculteit voor politicologie in Coleman. Daaraan waren statistici verbonden, die geïnteresseerd waren in maatschappelijke tendensen. Ze hadden niet veel met zijn werk op gehad, en dat was wederzijds.

Delia knikte traag, vier of vijf keer. 'Tja,' zei ze. 'Dat kan ik volgen. Natuurlijk heb je gelijk. Ik vind het vreselijk om zo over mijn Anne te moeten denken, maar ik kan het volgen.' Zo te zien dacht ze erover na. Toen hief ze haar kin op. 'Maar ik weet het nog niet zo net. Uiteindelijk is het toch allemaal oedipaal?' Haar gezicht kwam plotseling tot leven. Ze boog zich nu naar voren en zette haar ellebogen op de tafel. 'Zo zit het toch? In diepste wezen is het bestuderen van de geschiedenis toch oedipaal? Het houdt toch rechtstreeks verband met het oedipuscomplex?'

'Ik word gefileerd.' Nathan had zich achterover laten zakken in zijn stoel en lachte Delia verrukt toe. 'Ik hap. Maar hoe zit het nu precies in elkaar?'

'O,' – ze wuifde met haar hand – 'komt onze belangstelling voor het verleden niet voort uit ons verlangen om meer over onze ouders te weten? Dat bedoel ik eigenlijk.' Ze glimlachte. 'Die gedrevenheid waarmee we allemaal precies willen uitzoeken waarom ze zich tot elkaar aangetrokken voelden. We willen toch altijd hun verhaal kennen? Dat is het eerste stukje geschiedenis waarnaar we echt nieuwsgierig zijn. En het laatste. Het achtervolgt ons. Omdat het het stukje geschiedenis is met het allerbelangrijkste resultaat dat er is: onszelf.' Ze keerde haar handpalmen naar boven. 'Onszelf en óns verhaal. Onze geschiedenis.' Haar ogen schitterden in het kaarslicht. 'Dus,' zei ze, 'hoe hebben ze elkaar leren kennen? Hoe is het mogelijk dat ze van elkaar zijn gaan houden? En dan de seks, het allergrootste mysterie. Hoe dóen ze het?' Ze grijnsde. 'Het liefst zouden we hen in die slaapkamer willen bekijken. De oerscène. En als dat niet oedipaal is, wat is het dan wel?' In een theatraal gebaar hief ze haar handen ten hemel. Een zilveren armband gleed vanaf haar pols langs haar arm.

Nathan lachte, en Meri ook. Delia was tevreden over zichzelf. Ze trok een nuffig pruimenmondje. Ze had haar wijn op, en Nathan tilde de fles omhoog – een offergave. Ze stak hem haar glas toe.

Meri keek naar hem terwijl hij de fles over de kaarsen heen liet gaan. Was hij het met haar eens? Meri vroeg het zich af. Had hij ooit over het seksuele leven van zijn ouders nagedacht? Meri haalde zich zijn moeder voor de geest: haar keurige grijze haar, haar ronde, knappe, meisjesachtige gezicht. Deze eettafel was van haar afkomstig, en deze oude Windsor-stoelen, die zich er krakend over beklaagden wanneer je erop ging verzitten. Meri kon zich niet voorstellen hoe zíj had gekreund van erotisch genot.

Delia bouwde voort op haar idee. Onze belangstelling voor geschiedenis begint bij het persoonlijke en breidt zich vervolgens uit naar de politiek en de wereld. Nathan betoogde dat het precies andersom ging. Ze genoten van hun discussie.

Meri's gedachten waren echter afgedwaald. Ze dacht aan haar eigen ouders, over wie Lou en zij volop hadden gespeculeerd. Déden die het weleens? Ooit? Zou dat geen herrie maken?

Voor Lou was dat het cruciale punt, zeker toen ze eenmaal met jongens naar bed ging. Het maakte een hele hoop herrie, volgens haar. Je moest je hand voor de mond van de jongen houden als je niet wilde dat anderen – bijvoorbeeld op een feestje, of voor in de auto – wisten waar je mee bezig was. En zelfs dan kreunden ze nog. Dat konden ze zelfs nog als je hun mond dichtklemde.

Meri keek naar Delia. Anders dan bij de meeste oude mensen die Meri had gekend, was seks bij haar denkbaar.

Waarom?

Door hoe ze zich kleedde, veronderstelde Meri. Vanavond droeg ze bijvoorbeeld een blauwe trui, een strakke zwarte rok, een breed zilveren collier en een armband – een vrouw die half zo oud was als zij had hetzelfde kunnen dragen.

Nee, het kwam meer door hoe ze wás. Het had iets te maken met haar energie, zeg maar haar levenslust.

Nathan kwam nu overeind en ruimde de bordjes voor de salade op. Hij ging het dessert halen, dat hij had gemaakt. Desserts waren zijn specialiteit. In zijn afwezigheid vertelde Meri aan Delia dat ze als verliefd stel soms een van zijn desserts als volledige maaltijd gebruikten. 'Ik zie me nog samen met hem in mijn appartement aan tafel zitten en een citroentaart zo uit de vorm soldaat maken. De hele taart.' Ze vertelde er niet bij dat ze naakt waren geweest en dat ze zo lang hadden gevreeën dat het nergens meer op sloeg om een voorgerecht te eten.

Vanavond kwam Nathan met een flan, die hij voor hen opschepte. Hij was koel en glad; Meri liet hem in haar mond heen en weer glijden en genoot ervan.

Delia was onder de indruk. Ze begon over de Franse keuken, over Parijs.

Parijs, waar ze een appartement had.

'Ik ga er over een paar weken weer naartoe.' Ze legde haar lepel neer. 'En dat doet me eraan denken dat ik jullie had willen vragen: zouden jullie op het huis willen passen? Jullie hoeven alleen maar de planten water te geven en de post uit de brievenbus te halen – dat soort dingen.'

Nathan zei direct: 'Met alle genoegen.' Meri keek naar hem. Ze zag dat hij precies bedoelde wat hij zei, dat de vertrouwelijkheid die het verzoek met zich meebracht hem een groot genoegen deed.

'Denk er eerst even over na voordat je ja zegt,' beval Delia. 'Ik ben twee volle maanden weg. Dat is op dit moment zo'n beetje mijn vaste patroon: twee maanden in de herfst en twee maanden in de lente.'

Meri voelde even een steek van verdriet en teleurstelling. Deze herfst was Delia er dus niet meer. Ze besefte dat ze dit etentje had gezien als een beginpunt. Van haar kennismaking met Delia natuurlijk, en van nog wat meer, maar ze wist niet goed waarvan. Van een vriendschap? Ze wist het niet. 'Het is geen moeite,' zei ze tegen Delia. Ze nam nog een lepel flan.

'Ga je elk jaar?' vroeg Nathan.

'Ja, twee keer per jaar, met de wisseling van de seizoenen. Ik ben net een trekvogel,' zei Delia. 'Het appartement is naar mijn idee iets wat op me wacht als ik er niet ben. Mijn nest. Al verhuur ik het soms, maar alleen aan vrienden. En natuurlijk zitten de kinderen er ook vaak.'

Ze tekende nu voor Meri en Nathan met haar vingers een

complete plattegrond in de lucht om te laten zien waar het appartement lag ten opzichte van de Seine en de Jardins du Luxembourg.

Meri bekende nog nooit in Parijs te zijn geweest.

'Ah,' zei Delia, terwijl ze haar recht aankeek. 'Wat heerlijk dat dat geweldige genoegen nog voor je in het verschiet ligt!'

'Wat heb je met Frankrijk?' vroeg Nathan. 'Hoe ben je er terechtgekomen?'

'O, op zo'n moment in je leven dat je zegt: ik wil weg. Ik moest ervandoor. Ik had in Washington een vriendin met contacten in Parijs, en ik sprak een klein mondje Frans.' Ze hield haar duim en wijsvinger ongeveer twee centimeter uit elkaar. 'Dus dacht ik: welja. *Oui. Pourquoi pas?* Zo is die geschiedenis gelopen. Zij het niet jouw soort geschiedenis,' zei ze tegen Nathan.

Het gesprek kwam op Frankrijk en de aantrekkelijke kanten van dat land. Op de economische problemen, de werkloosheid en het immigratieprobleem. Delia beschreef hoe ze eens een boodschap in een buitenwijk had gedaan: 'Het was een totaal andere wereld – die grauwe, hoge woonkazernes. En de mensen op straat! Je waande je in een soek in Marokko.'

'Interessant is dat,' zei Nathan met een hoofdknik. 'Denk eens aan de enorme minachting die al die vroeger zo homogene Europese culturen voor ons hebben, voor de manier waarop wij de rassenkwestie in Amerika hebben aangepakt.' Hij glimlachte. 'En nu mogen we zien hoe goed zij ermee om weten te gaan.'

Ze zaten al lang aan tafel. De kaarsen waren kort en dik van het afgedropen vet. Delia's lippenstift was verdwenen. Ze zag er vermoeid uit.

Meri vroeg of ze nog koffie wilde, eventueel cafeïnevrij, maar zoals ze al verwachtte sloeg Delia het aanbod af. En zoals ze eveneens verwachtte, duidde dat het einde van de avond aan. Delia schoof haar stoel naar achteren en stond op; ze kwam heel langzaam overeind, alsof haar lichaam het met al haar wervels een voor een moest uitvechten. Meri besefte opeens hoe oud ze was. Het moest pijn doen om zo oud te zijn.

Ze gingen terug naar de woonkamer. Meri haalde diep adem. De lelies waren opengegaan en de lucht was vervuld van hun geur. Nathan hielp Delia met haar jas.

Bij de deur pakte ze hen om beurten bij de hand. 'Heel veel dank, lieve mensen,' zei ze.

'Welnee,' zei Meri. 'We moeten jou bedanken. Voor de bloemen. En omdat je ons het gevoel hebt gegeven dat we welkom zijn.'

'Geen dank,' zei Delia. 'Ik ben blij dat ik jullie dat gevoel heb gegeven. Dat wilde ik ook.' Ze draaide zich om, maar bleef toen staan en deed een stap terug. 'Morgen breng ik de sleutel, voor als ik weg ben,' zei ze. 'Jullie moeten er toch een hebben. Ik heb er namelijk al een van jullie, dat had ik jullie misschien moeten zeggen – van die dag met Ilona. Ik hoop dat jullie daar geen probleem mee hebben.'

Allebei maakten ze instemmende geluiden.

'Ik leg mijn nummer in Parijs op de klapper op het telefoontafeltje. Naast de nummers van mijn kinderen – ik heb er drie –, op volgorde van wie als eerste, als tweede en als derde moet worden gebeld als er met het huis iets gebeurt en jullie mij niet kunnen bereiken. Maar maak je geen zorgen,' zei ze. Ze wendde zich weer van hen af en pakte de deurknop vast. 'In oktober en november gebeurt er toch niets.'

'Wanneer dan wel?' vroeg Meri, en ze dacht vooral aan hun huis, aan wat ze konden verwachten.

'In september. Regen,' verklaarde Delia terwijl ze naar buiten liep. 'Verstopte afvoerpijpen, lekken. En in de winter. Dan kun je problemen met ijsafzetting krijgen. De waterleiding kan bevriezen.'

Nadat ze afscheid hadden genomen en de deur achter Delia hadden gesloten, richtte Meri zich tot Nathan. 'Zeg, wat is ijsafzetting eigenlijk precies? En hoe zit dat met die afvoerpijpen?'

Natuurlijk wist Nathan het, ook al had hij nooit eerder een eigen huis gehad. Hij legde het haar uit.

'Waarom weet jij al die dingen toch altijd?' vroeg ze.

'Doe niet zo raar. Dat weet toch iedereen?' Hij ging naar de keuken voor de afwas.

Meri liep naar de lelies toe. Ze boog zich over de bloemen heen en ademde hun zoete, bijna erotische geur in. Toen ze de keuken in kwam, bracht Nathan zijn handen naar haar gezicht – bij wijze van liefdevol gebaar, dacht ze even. Maar nee, hij wreef met zijn duimen langs haar neus en haar wang. 'Stuifmeel,' verduidelijkte hij.

Zwijgend werkten ze samen. Meri liep heen en weer naar de eetkamer om de tafel af te ruimen. Toen ze op een gegeven moment weer de keuken in kwam, zei ze tegen Nathan: 'Ik jatte van het motel.'

'Van welk motel?'

'Het motel van mijn eerste baantje. Ik verduisterde spullen.'

Hij keek naar haar, zich afvragend wat hij van haar woorden moest denken. Haar blik ontmoette de zijne. Ze was benieuwd of hij haar zou geloven.

'Kom nou, Meri. Dat heb je nooit gedaan.'

'Nee, hoor,' zei ze, en ze lachte naar hem. 'Geintje,' zei ze, en ze liep de keuken weer uit.

Ze had Nathan in verschillende fasen van hun relatie veel leugens verteld, maar de meeste had ze opgebiecht. Bij hun eerste ontmoeting had ze hem verteld dat haar ouders bij een autoongeluk waren omgekomen toen ze veertien was. Waarom? Ze wist het niet. Ze had hem verteld dat ze topless in een bar had gedanst. Toen probeerde ze hem op te winden.

Maar dit was geen leugen. De manager van het motel was op haar gevallen. Na haar komst hing hij steeds om haar heen. Hij dreef haar in het nauw in het kantoortje. Hij drukte zich tegen haar aan en gaf haar nattige zoenen. Dat was het ergste onderdeel van het werk, en ze vond dat ze ervoor betaald moest krijgen. Ze wist dat hij wist wat ze deed, maar ze wist ook dat hij haar niet zou aangeven zolang ze het bij kleine bedragen hield.

Nathan had nooit zoiets meegemaakt, dat sprak vanzelf.

HOOFDSTUK VIJF

Meri, oktober en november 1993

Begin oktober was Meri er zo goed als zeker van dat ze zwanger was. Ze hield weliswaar nooit precies bij wanneer ze ongesteld was, maar ze voelde zich raar en besefte dat ze niet meer wist wanneer haar laatste menstruatie was geweest. Op een middag kocht ze na haar werk bij de drogist in Main Street een zwangerschapstest. Ze vond het amusant dat de testjes in het schap naast de condooms lagen. Werkte er een grappenmaker in de zaak? Was het ironische effect opzettelijk tot stand gebracht?

Thuis, gezeten op de rand van de badkuip, las ze de gebruiksaanwijzing een paar keer door, maar uiteindelijk ging ze op het toilet zitten en hield het staafje al plassend onder zich, zoals blijkbaar de bedoeling was – al werd haar hand ook kletsnat. Vervolgens wachtte ze af en zag in het venstertje op het staafje een fletsblauw kruis verschijnen, waarvan de verticale lijn duidelijker was dan de horizontale. Ze las de gebruiksaanwijzing nogmaals door om er zeker van te zijn dat dit inderdaad betekende wat ze dacht. Omdat ze zekerheid wilde, haalde ze vervolgens nog een staafje uit de verpakking en voerde de test opnieuw uit, ditmaal met wat meer bedrevenheid. Oefening baart kunst, dacht ze, al zou ze hierna niet vaak meer een beroep op deze vaardigheid hoeven te doen – in elk geval de eerste negen maanden niet meer. Met haar broek rond haar enkels zat ze op het toilet; het staafje lag op de rand van de met roestplekken besmeurde oude wastafel, en ze zag dat er opnieuw een kruis in het venstertje verscheen.

'Godver!' zei ze hardop.

Ze trok haar broek omhoog en sjokte op blote voeten over de overloop naar hun slaapkamer. Ze lag een poosje op bed en zag hoe de schaduwen in de kamer dieper werden en heen en weer schoven. De timing was slecht, zeker, maar ze hadden het over een kind gehad. Het viel niet mee in de komende paar jaar een tijdstip aan te wijzen dat beter uitkwam – en de komende paar jaar zouden voor haar weleens de laatste kunnen zijn waarin het nog zou kunnen.

Ze stond op en ging naar beneden. Ze was zich als nooit tevoren bewust van het huis – van het aantal kamers aan de overloop, van de grote open ruimtes beneden. Toen ze het huis kochten hadden ze een gezin voor ogen gehad. Of misschien gold dat voor Nathan en had zij ermee ingestemd. Had ze ingestemd met wat hij voor haar voor ogen had. Maar nu het zover was, was ze – ja, wat? Bang?

Dat was ze. Hoe moesten ze dit in godsnaam aanpakken? Zíj, welteverstaan, want Nathan had het veel te druk om naast zijn huidige werkzaamheden nog iets te kunnen aanpakken.

Maar misschien, dacht ze, zou hij als hij met zijn boek klaar was wat meer tijd voor zichzelf hebben. Misschien kon hij er dan wat meer bij betrokken zijn dan nu het geval leek te zijn. Ze ging in de schemerige woonkamer zitten en nam verschillende mogelijke scenario's door. Dat ze maar zo weinig tijd samen hadden gehad om elkaar te leren kennen en aan elkaar gewend te raken, joeg haar de meeste angst aan. Ze had het gevoel dat ze daaraan pas net waren begonnen, sinds ze samenleefden in dit huis. En nu zouden ze zich samen, los van elkaar, op een kind moeten richten. Op hun kind.

Toen Nathan thuiskwam was het al bijna helemaal donker. Ze zag hoe hij buiten langzaam de trap op liep, de moegestreden strijder voor de wetenschap. Ze was blij dat hij er was. Blij dat ze niet meer alleen met deze kwestie zat. Ze hoorde hoe hij zijn sleutel in het slot stak.

Hij kwam binnen, zag haar en bleef halverwege de woonkamer staan. 'Wat is er?' vroeg hij. 'Waarom zit je daar in het donker?'

'Hallo schat,' zei ze. 'Kom je even bij me in het donker zitten?'

Hij gehoorzaamde, met zijn jas nog aan en zijn aktetas nog in zijn handen, die hij op zijn schoot legde. Meri zag hem alleen als een grote gedaante, een gestalte in de stoel aan de overkant van de kamer. 'Wat is er aan de hand?' vroeg hij.

'O, Nate, ik ben zwanger,' zei ze. 'Dat denk ik tenminste.'

Voor Meri's gevoel viel er een lange stilte. Toen zei hij zachtjes: 'Wauw.'

'Eigenlijk, eerlijk gezegd, weet ik het wel zeker.'

'Hoezo dan?' Zijn stem klonk hol. 'Hoe weet je dat?'

'Nou, ik heb een testje gedaan. Een testje van de drogist. En ik ben twee keer gezakt.' In het donker verscheen er een treurig lachje op haar gezicht. 'Of eigenlijk ben ik met vlag en wimpel geslaagd. Met een klein blauw kruisje, om precies te zijn, want dat betekent: positief.' Nathan zei geen woord. 'Maar daarnaast,' zei ze schouderophalend, 'bén ik ook zwanger. Ik ben over tijd. Ik voel me raar.'

Hij schraapte zijn keel. 'Hoezo, raar?'

'Nou, zwanger.'

Sinds hij was gaan zitten had hij zich niet meer verroerd, en Meri kon zijn gezicht duidelijk onderscheiden.

'Ik denk dat het is gebeurd op de dag dat ik mijn baan kreeg, die dag dat jij voor het eerst naar de universiteit ging.'

'Waarom denk je dat?' vroeg hij. Hij tastte naar de staande schemerlamp naast zijn stoel en knipte hem aan.

Ze kneep in het plotselinge felle licht haar ogen half dicht en bracht haar hand naar haar voorhoofd, alsof ze in de verte tuurde. 'Ik had mijn pessarium niet in. Het was op het randje. Over het randje.' Ze liet haar hand zakken en trok een berouwvol gezicht. 'Ik wist eigenlijk wel dat het over het randje was. Maar ik wilde jou.' Ze dacht aan hun zweterige, gedreven vrijpartij, aan hoe hij achter haar aan de trap op was gevlogen.

'Ach, nee toch.' Zijn toon was zacht. 'Ík wilde jóu,' zei hij.

Ze voelde zich opeens veilig.

Even zeiden ze geen van beiden een woord. Toen zette Nathan zijn aktetas op de vloer en zei: 'En nu?'

Ze keek op. Hun blikken vonden elkaar. 'Er zal wel het nodige in het honderd lopen,' zei Meri.

'Maar wil je het? Wil je het hebben?'

Uit zijn toon sprak dat hij volledig voor de mogelijkheid openstond, en Meri besefte opeens scherp dat ze van hem hield, een gewaarwording die ze al een tijd niet meer had gehad – allebei waren ze sterk door hun eigen leven in beslag genomen. Haar Nathan. Haar keel werd ervan dichtgeknepen.

Ze schraapte haar keel en zei op quasi gechoqueerde toon: 'Een kind is een geschenk van God, Nate.' Dat had Nathans moeder eens tegen hem gezegd.

Hij grijnsde. 'Ja, maar dat kun je ook zeggen van epidemieën en overstromingen. En van steenpuisten.'

Meri lachte en liep naar hem toe. Ze ging bij hem op schoot zitten, op zijn gespreide benen. Hij rook naar chloor – hij had vandaag gezwommen. Ze hield zijn achterovergebogen hoofd in haar handen, haar haar viel langs zijn gezicht. Dat stond ernstig. Ze vond hem mooi.

'Ja, dus?' fluisterde hij. Ze knikte en boog zich over hem heen.

Toen ze die avond vreeën onder Meri's oude quilt – de nachten waren intussen fris geworden –, liet ze hem naar haar gevoel op een ongekende manier bij zich binnen. Ze spreidde dit keer niet zomaar haar benen voor hem, en het kwam ook niet doordat het pessarium niet tussen hen in zat. Het leek of ze diep vanbinnen nog opener was, ook al zou ze hebben gezegd dat dat niet mogelijk was, dat ze niet opener voor Nathan kon zijn dan ze al was. Toch leek het toen hij in haar heen en weer bewoog alsof er werkelijk een vleselijke barrière tussen hen was geweken – alsof hij van haar was, alsof het kind dat ze hadden verwekt hen op zijn beurt had verenigd. Het was een duizelingwekkende, overweldigende gewaarwording. Voor Meri was het een zo vergaande belevenis dat ze na afloop nog even stil was en moest huilen. Ze had geen woorden om Nathan te zeggen wat haar zo had ontroerd.

En omdat ze zich daar volstrekt niet bij op haar gemak voelde, gaf ze er een komische draai aan: 'Hoorde je de engeltjes zingen toen we klaarkwamen, Natey?'

Binnen twee weken paste niet een van Meri's spijkerbroeken haar meer. Ze was voller geworden in haar taille, haar kleine borsten waren zwaar en gevoelig. Het verbijsterde haar. Ze dacht dat ze nog maanden de tijd had voordat er lichamelijk iets van haar zwangerschap merkbaar zou zijn. Bij Lou, haar zus, was er tot de vijfde of zesde maand nooit iets te zien geweest, en daarna verscheen er alleen een discrete, maar steeds rondere uitstulping; je kon je niet voorstellen dat die door haar smalle bekken kon.

Meri leek over haar hele lichaam uit te dijen. Zelfs haar vingers waren dik. Als ze in de spiegel keek, leek haar gezicht een stuk voller te zijn geworden. Ze was nu echt sprekend Peter Rose.

Erger was dat ze zich voortdurend een beetje misselijk voelde. Ze had voortaan in haar handtas altijd een grote zak zoutloze crackers bij zich, die ze in de loop van de dag stukje bij beetje opat, afgewisseld met slokken water uit de fles die ze nu ook overal mee naartoe nam.

Eind oktober bereidde ze een programmaonderdeel voor over een schrijfcursus in de gevangenis van Goffstown, dat ongeveer dertig kilometer ten zuiden van Williston lag. Ze ging twee keer naar de gevangenis om de lessen bij te wonen. Beide keren reed ze er bij zware regenval behoedzaam naartoe; ze hield het stuur zo stevig vast dat haar handen er later nog pijn van deden.

Voor vrouwelijke bezoekers waren in de gevangenis strenge regels van kracht. Ze mocht geen open schoenen dragen, geen spijkerbroek, geen push-upbeha en geen strakke kledingstukken. Geen rok die boven de knie viel. Voordat ze naar binnen mocht moest ze haar handtas, haar regenjas en haar paraplu in een kluisje leggen. Vervolgens moest ze langs een metaaldetector en door verschillende vestibuleachtige hokjes waarvan de deuren voor je pas opengingen nadat de deuren achter je waren dichtgegaan. Overal waren bewakingscamera's op de muren aangebracht.

Ze had toestemming gekregen om bandopnamen van de lessen te maken en na afloop vier gevangenen te interviewen. De lessen werden gegeven in een grote ruimte met een betongrijze linoleum vloer en in onregelmatige rijen geplaatste metalen bureaustoelen. Aan de rechterarmleuning daarvan was een schrijfblad bevestigd. De ramen in het vertrek waren getralied en zo smerig dat je er eigenlijk niet door naar buiten kon kijken. Het harde licht kwam van tl-buizen.

Ze vond de gevangenen bijna allemaal verbijsterend jong. De meesten waren latino's, een paar waren zwart, en er waren twee blanken bij. De blanke jongens waren het oudst – misschien voor in de dertig.

Allemaal werkten ze aan hun memoires onder begeleiding

van Mary-Anne, een forse vrouw met een vriendelijke stem die leiding gaf aan de speciale activiteiten in de gevangenis. Ze had assistentie van twee mannelijke medewerkers van de faculteit Engels van de universiteit. Om de beurt lazen de gevangenen een stuk voor, dat vervolgens door de groep werd besproken.

De meeste teksten gingen over hun misdaden en hun arrestatie, maar een van de blanke mannen had over zijn grootmoeder geschreven – een volkomen voorspelbare, sentimentele tekst. Iets voor een wenskaart. Iedereen vond het prachtig.

De mooiste jongen, een latino met de trage, gelukzalige lach van een engel, schreef in een bijna erotische en zonder meer meeslepende stijl over alcohol – over zijn liefde voor de drank en zijn verslaving. Zijn stuk was opmerkelijk goed geschreven, zij het hier en daar wat onbeholpen, en ook enkele andere teksten waren in orde. Het viel Meri echter op dat de meeste stukken onleesbaar zouden zijn als je alleen de tekst voor je had – als de stemmen, de passie en de overtuiging van de gevangenen er niet toe bijdroegen dat de teksten bij je overkwamen.

Voor alle mannen leek het erg veel te betekenen hoe hun werk werd ontvangen. Bij Meri's tweede bezoek was ze er getuige van dat een van hen bijna in tranen uitbarstte vanwege de kritiek op zijn voorlezing. Mary Anne greep direct in en temperde de toon. Ze nam een aantal van de meest negatieve opmerkingen nog eens door en moedigde de jongen aan.

Nadat Meri de tweede bijeenkomst op de band had opgenomen, interviewde ze de vier gevangenen in aanwezigheid van Mary Anne. De volgende dag leverde Meri haar banden in, zodat ze konden worden gemonteerd. Ze legde de redactie ook haar aantekeningen en voorstellen voor het radio-interview voor: Mary Anne en de cursusbegeleiders zouden in de uitzending komen; de cursusbegeleiders kwamen naar de studio, Mary Anne zou telefonisch worden geïnterviewd.

Het item duurde langer dan gebruikelijk. Jane en James hadden de bandopnamen en de interviews vaardig tot een verhaal gemonteerd. Tijdens de nabespreking was iedereen opgetogen, zo niet uitbundig, omdat alles zo goed was geworden. Er was al een recordaantal telefonische reacties binnengekomen. Meri werd gefeliciteerd. Ze had het gevoel dat ze het eindelijk voor elkaar had.

Jane en zij hadden meer tijd nodig om hun spullen te pakken dan de anderen. Toen Meri de deur uit ging, sprak Jane haar aan. Meri draaide zich om. Zachtjes zei Jane: 'Je bent zwanger, hè?'

Meri glimlachte. 'Weet je,' zei ze, 'als het niet zo was zou dat erg gênant voor jou zijn. Als ik bijvoorbeeld zomaar een stuk dikker was geworden.'

'Ja, maar dat is niet zo. Je bent niet zomaar dikker geworden. Je bent zwanger.'

Meri slaakte een geveinsde zucht. 'Inderdaad.'

'God!' zei Jane en ze maakte een grimas. 'Weet je...' Ze zweeg en schudde haar hoofd.

Het drong tot Meri door dat Jane blijkbaar kwaad was. Een deel van haar kon het niet geloven. In de hoop het te bagatelliseren, het te corrigeren, zei ze: 'Ik had niet het idee dat seks nog zo in de taboesfeer zat.'

'Nee, maar zwanger worden?' zei Jane. 'Nu?'

'Het was niet gepland,' zei Meri defensief.

'O! Prachtig.' Jane stond op en liep naar Meri toe, die voor de deur stond.

'Kom nou, Jane. Ik ben een volwassen mens. Ik weet dat het niet ideaal is...'

Jane ging vlak voor haar staan. Ze was een lange, grof gebouwde vrouw, met een grote bril met zwart montuur. Ze was niet lelijk, maar ze kleedde zich slonzig, in slobberige spijkerbroeken en mannenhemden.

'Het is ook niet goed,' zei Meri haastig. 'Dat weet ik. Met het oog op het werk. Maar ik moest een keus maken. Ik ben zevenendertig. Ik ben zwanger geworden. Ik ga met zwangerschapsverlof, en daarna kom ik weer terug.'

Jane zette een stap naar achteren. 'Laat ik er dit van zeggen, Meri.' Ze zag er vermoeid uit. Meri wist – ze had het van James gehoord – dat Jane haar baan had gekregen nadat ze bij een groot station van de publieke omroep in Boston was ontslagen. Dat ze teleurgesteld was over het verloop van haar carrière. Haar stem was nu zachter, hij had weer die prettige klank. 'Ik ben blij voor jou, en ik beloof je dat ik er niet weer over zal beginnen.' Ze opende haar hand, met de palm omhoog. 'Het punt is dat het hier net wat ontspannener begint te worden, en daarom hadden we jou ook aangenomen. Nu gaat het weer worden zoals het was, en dat vond niemand prettig.'

Meri haalde haar schouders op. Haar lippen gingen even van elkaar, maar ze had niets te zeggen.

'En heel eerlijk gezegd' – er verscheen een zure trek om Janes mond – 'als jij had gezegd: "Ik wil misschien over een paar jaar een kind" – laat staan al over twee maanden –, zouden wij hebben gezegd: "o nee, nee hoor. Nee hoor, dank je wel."'

'Ik heb het begrepen,' zei Meri. Ze had pijn in haar keel. 'Ik snap het.'

'En nu doe ik er het zwijgen toe,' zei Jane, en ze ging de kamer uit. Langzaam en geruisloos sloot de deur zich achter haar.

Meri huilde maar eventjes en snoot vervolgens haar neus. Ze had zich in elk geval goed kunnen houden totdat Jane was opgestapt. Dat was dan nog iets positiefs, hield ze zichzelf voor.

Ze ging zitten en zocht in haar tas naar een cracker. Haar vingers schoven langs het kartonnen doosje: sigaretten. Daar had ze zin in, bedacht ze. Een sigaret. Terwijl ze in haar mond de droge cracker met het water uit de fles bevochtigde, genoot ze van de gedachte hoe ze de sigaret zou opsteken en zou inhaleren. Sinds ze vermoedde dat ze zwanger was had ze niet meer dan een of twee sigaretten gerookt, maar ook had ze dit bijna volle pakje nog niet uit haar tas gehaald. Op de een of andere manier was het de afgelopen weken voor haar uitgegroeid tot een symbool van alles wat ze moest opgeven.

Ach, wat een flauwekul. Ze had hier toch niet kunnen roken. Dit was een rookvrije werkplek. Ze snoot nogmaals haar neus.

Ze miste het alleen zo, haar oude leventje. En dat had ze al geruime tijd voordat ze zwanger werd opgegeven, hield ze zichzelf voor.

Nee, het was meer. Veel meer, bedacht ze. Verschillende keren op een dag vocht ze tegen een hevig gevoel van slaperigheid; haar hoofd leek dan vol watten te zitten, haar armen en benen waren zwaar en nauwelijks in beweging te krijgen. Elke dag was ze bijna aan één stuk door misselijk. Vaak had ze een scherpe hoofdpijn, met het zwaartepunt boven haar rechteroog.

Ze dacht een ogenblik na. Nee. Nee, het ging hierom, dacht ze: dat ze haar lijf niet mooi meer vond en dat het niet lekker meer aanvoelde – haar lijf, waar ze altijd zo trots op was geweest en waar ze zo van had genoten. Het enige mooie aan haar.

Het zou weer overgaan, hield ze zichzelf voor. Het gaat wel weer over.

Maar ondanks zichzelf vond ze het vreselijk wat haar nu overkwam. Ze had niet gedacht dat ze zich er zo afschuwelijk bij zou voelen. Ze was bang.

Ze wilde het niet. Ze wilde er niet aan beginnen.

Toen ze thuiskwam, was Nathan er nog niet. Het was schemerig in huis. Ze knipte het licht in de keuken aan en opeens, weerspiegeld in de glazen wand, zag ze daar Meri, met haar enorme trui en een ribfluwelen broek van Nathan aan, die springerig langs de verschillende ruiten bewoog – een spastische versie van zichzelf.

Ze haalde de in plastic gewikkelde kip uit de koelkast in de voorraadkast en legde hem op de afdruipplaat. Ze zette de kleine oven op voorverwarmen. Ze waste wat sla en boog zich over de lage gootsteen. Vervolgens haalde ze een sleutel uit een van de bovenste bureauladen onder de deurtafel en ging naar buiten, naar Delia's huis. Ze was er nu zes of zeven keer geweest om zoals afgesproken voor het huis te zorgen. Dat kwam op haar neer, voornamelijk omdat Nathan later thuiskwam, maar misschien voor een deel ook omdat ze het allebei als vrouwenwerk beschouwden.

Het was er koel – Delia had de thermostaat laag gezet. Meri raapte de post bij elkaar die over de vloer van de hal verspreid lag en bracht hem naar de keuken. Ze sorteerde de post: de catalogi en tijdschriften in een van de manden die Delia daarvoor had neergezet, de brieven in de andere mand.

Delia had alle kamerplanten op een plastic zeiltje voor de keukenramen gezet. Meri hoefde niet heel precies te zijn met het water geven, had Delia haar gezegd. En ze hoefde zich geen zorgen te maken als er een plant doodging. 'Ik ben dol op de planten, maar ik ben ook wispelturig,' had ze tegen Meri gezegd. 'Ik heb weleens een plant die ik te veeleisend vond te weinig water gegeven, om hem te laten merken wie er de baas was.'

Terwijl Meri in Delia's keuken de planten besproeide met de speciale slang die Delia aan de gootsteenkraan had bevestigd, liet ze haar blik door het vertrek gaan, dat een stuk kleiner was dan hun uitgebouwde keuken aan de andere kant van de muur. Deze keuken was vierkant, met zowel achteraan als aan de zijkant twee ramen van standaardformaat, en een glazen deur die op de oprijlaan uitkwam. De witte vitrage was opengetrokken en aan de muren hingen schilderijen en een paar familiefoto's.

Opeens besefte Meri dat deze ruimte haar beter beviel dan hun eigen grote keuken. Eigenlijk was het hele huis, met zijn kleinere, besloten, niet-gerenoveerde ruimtes, met zijn witgeschilderde houten lijstwerk en zijn muren in warme kleuren, leuker dan het hunne.

Toen ze met de planten klaar was, liep ze terug naar de woonkamer en deed een lamp aan die op een tafel vlak bij de deur stond. De muren waren hier diepgeel. Op de ronde witte vensterbank lagen bleekgroene zitkussens, en aan de beide uiteinden stonden extra kussens voor je rug. Op de salontafel voor de bank stond een grote groene schaal; daarin hadden op de dag dat Meri was langsgekomen om te horen wat ze tijdens Delia's afwezigheid moest doen gele peren gelegen.

Het zag er gezellig uit, vond ze. Uitnodigend. En dat gold niet voor de open vertrekken aan haar kant van de muur.

Ze draaide zich om en ging de hal in. Ook daar keek ze rond. In een impuls liep ze naar de trap en ging naar boven.

Dit was de eerste keer dat ze zich boven waagde. Waarschijnlijk is dit toch onontkoombaar, dacht ze terwijl ze de trap op liep. Ze had een onstilbare nieuwsgierigheid naar andermans leven, en wilde zelfs weten hoe anderen hun spulletjes ordenden en wat voor spulletjes ze precies hadden. Toen ze voor het eerst alleen in Nathans huis was had ze al zijn bezittingen bekeken. Ze had zijn medicijnkastje doorzocht en ze had aan zijn bureau een paar bladzijden gelezen uit het boek dat hij aan het schrijven was. Ook had ze een overzicht doorgekeken van de beoordelingen die hij van zijn studenten had gekregen. Alle meisjes aanbaden hem – dat had haar niet verrast –, maar ook de jongens waren diep van hem onder de indruk. Hij 'ging helemaal in de stof op', alles leek zo echt als hij erover vertelde. 'Omdat hij zelf zo geïnteresseerd is kreeg ik meer interesse, terwijl ik de pest heb aan geschiedenis.'

Toen ze die woorden later aanhaalde, was hij ontsteld. 'Heb je gelezen wat er op mijn bureau lag?'

'Natuurlijk. Zou jij dat niet doen? Heb je dat nooit gedaan?'

'Ik zou het pas doen als ik eerst had gevraagd of het mocht.'

Ze had haar schouders opgehaald. 'Volgens mij zegt dat alleen dat ik veel nieuwsgieriger naar jou ben dan jij naar mij.'

'Is dat zo?'

'Daar lijkt het wel op,' zei ze.

Ze liep nu traag over de brede overloop in Delia's huis. De kamers aan de overloop leken meer op de hunne dan de kamers beneden, al hadden hier de badkamers een opknapbeurt gehad – die zouden bij hen het eerst aan de beurt komen, had Nathan tegen Meri gezegd. Maar net als beneden maakte alles een veel gerieflijker indruk dan in hun huis. In elke kamer waren de ramen van gordijnen voorzien, en overal lagen oude Perzische tapijten en voddenkleedjes. Het tapijt dat op de overloop onder haar voeten lag was een veelkleurige kelim. Aan de muren van de overloop hingen schilderijen – oude landschapsschilderijen en zeegezichten in olieverf en aquarel. Ook hingen er enkele familiefoto's en een paar oude landkaarten.

De muren in Delia's slaapkamer waren geschilderd in een iets lichter geel dan de woonkamer. Naast een grote stoel met diepe kussens stond een rond klaptafeltje met een lamp erop. Het enorme bed was groot genoeg voor twee personen; er lag een dik dekbed op. Tegen de witte houten rand achter het hoofdeinde telde Meri vijf kussens.

Ze liep over de overloop terug en wierp een blik in de kleinere slaapkamers. Het waren duidelijk logeerkamers, ingericht voor Delia's kinderen en kleinkinderen. In een van de kamers stonden twee stapelbedden. Aan de muren prijkten foto's van kinderen, jongeren, moeders met baby's en vaders met hun kroost.

Meri bekeek ze zorgvuldig: gelukkig, gelukkiger en nóg gelukkiger. Op een van de opnamen, een ingelijste zwart-witfoto, hield Delia – een nog erg jonge Delia – een kleine, pasgeboren baby vast. Delia zag er precies zo uit als Meri had gedacht: verbluffend aantrekkelijk – al haar trekken waren even krachtig en uitgesproken. Ze droeg haar donkere haar in jarenveertigstijl, bijna schouderlang en met een scheiding aan de zijkant. Haar lippenstift leek op de foto bijna zwart, en om haar hals droeg ze een glanzend parelsnoer. Ze keek de fotograaf recht aan – met zo'n intense, liefdevolle blik dat Meri er zeker van was dat Tom Naughton de foto had gemaakt.

De laatste kamer, die vlak boven de kleine trap naar de keuken lag en die bij Meri en Nathan de babykamer moest worden – al hadden ze er nog niets voor aangeschaft –, was duidelijk Delia's studeerkamer. Voor het raam dat over de achtertuin uitkeek stond een breed, ouderwets bureau. Meri liep langzaam door de kamer heen en bekeek alles: de boeken in de kast, voornamelijk romans, die alfabetisch gerangschikt waren, en de versleten stoel met een plaid over de hoge rugleuning. Aan de achterste muur hingen heel kleine ingelijste schilderijtjes, aquarellen – Meri ging er vlak voor staan om ze beter te bekijken.

Ze slaakte een kreetje en haalde diep adem.

Het waren afbeeldingen van vrouwen in pornografische poses, die hun benen hadden gespreid of ze in verbluffend acrobatische danshoudingen uit elkaar hielden. Hun geslachtsdelen waren met fijne potlood- of inktlijntjes ingetekend. Er hingen een stuk of tien van die afbeeldingen. Meri bekeek ze allemaal zorgvuldig. Op een ervan stonden twee elkaar omhelzende naakte vrouwen, met in elkaar vervlochten ledematen. Op een ander schilderijtje stond een groenachtige naakte vrouw met rood haar en profil afgebeeld, zo ver achterovergebogen dat haar lange lokken bijna de grond achter haar raakten. En op één schilderijtje was een liggend naakt afgebeeld, met haar benen wijd en haar geslacht geopend voor de kunstenaar.

Dat was een verrassing. Een verrassend kantje van Delia. Meri was er ontsteld door.

Ze ging op Delia's bureaustoel zitten. Uit haar eigen keukenramen scheen licht over Delia's terras, op de lege houten stoelen die daar stonden. Gevallen bladeren van de plataan hadden zich op de zittingen en tegen de heg opgehoopt. Het bureau was opgeruimd, alles lag er ordelijk bij. Meri stelde zich voor hoe Delia hier zelf een brief las of haar administratie bijhield, teruggetrokken en gereserveerd.

Daardoor besefte ze dat ze die eigenschappen ook aan Delia toeschreef. Delia was geestig en hartelijk, ze nam je met haar charme voor zich in en wekte de indruk heel open, openhartig en spontaan te zijn, maar in feite gaf ze niets aan je prijs wat ze niet wilde prijsgeven. Meri had dat gevoel niet eerder onder woorden kunnen brengen, maar de afbeeldingen aan de muur hadden het voor haar bevestigd. Delia was ongrijpbaar. Ze was erg op zichzelf.

Ze liet je niet toe.

Meri deed de bureaulamp aan. Tegenover zich zag ze haar spiegelbeeld: haar ronde, vastberaden gezicht, haar steile, slappe haar. Het bureau was leeg, maar langs de achterkant van het schrijfblad stond een rij bakjes vol met allerlei papieren. Meri zag hoe haar hand een envelop uit een van de bakjes trok.

De naam in de bovenhoek kwam haar bekend voor: het was een van de zonen. Brad, de tweede naam op het lijstje met nummers die in een noodgeval moesten worden gebeld.

Ze haalde de brief uit de envelop en begon hem te lezen. In de aanhef noemde Brad Delia 'Allerliefste moeder'. Meri's blik gleed over de bladzijde. Ze keerde het vel om en las de achterkant. Het was een doodgewone brief, een kletsbrief vol nieuwtjes. In Meri's familie zou nooit iemand zo'n brief hebben geschreven, net zo'n brief als Nathan vaak aan zijn moeder schreef. Hij ging voor het grootste deel over Delia's kleinkinderen, over hun leven nu de school weer was begonnen.

Denk je eens in: dat je dit wil vertellen, dat je weet dat de ontvanger van de brief erin geïnteresseerd is. In haar ogen was het verbazingwekkend. Wat was je dan onnoemelijk bevoorrecht.

Vlak voordat Meri de brief uit had, hoorde – en voelde – ze een geluid: een diepe plof. Ze schrok, haar hart bonsde. Heel even dacht ze dat het geluid uit Delia's huis kwam, dat er iemand was binnengekomen.

Vervolgens kalmeerde ze. Natuurlijk, het was Nathan. Nathan die hiernaast thuiskwam en de deur hard dichtsloeg.

Even later deed ze de bureaulamp uit. Langzaam, behoedzaam, ging ze de trap af, want ze wilde geen geluid maken dat Nathan door de muur heen zou kunnen horen. Ze deed ook in Delia's woonkamer het licht uit en liep de koude veranda voor het huis op. Terwijl ze de deur achter zich dichttrok, hoorde ze hoe hij met een klik in het slot viel.

Het werd anders tussen hen. De verrukking die Meri had ervaren tijdens de eerste keren dat ze hadden gevreeën sinds ze wist dat ze zwanger was, verdween doordat haar lichaam veranderde, doordat zich een gevoel suf en saai te zijn van haar meester maakte terwijl ze in eigen ogen dik en lelijk werd – terwijl ze steeds meer in beslag werd genomen door het afwenden van de vage en soms hevige misselijkheid waarvan ze de hele dag last had. Soms werd de misselijkheid alleen al door de gedachte aan vrijen verergerd. Op een keer deinsde ze zelfs terug toen Nathan haar wilde vastpakken.

'Niet doen!' zei ze, te hard. Meri wilde aan haar lichaam ontsnappen, ze wilde het niet nog intenser ervaren.

Nathan leek zich op zijn beurt van haar terug te trekken, al deed hij het juist voorkomen of hij bezorgd was en rekening met haar hield. Of misschien voelde Meri het zo, had ze het gevoel dat zijn beleefde vragen een maniertje waren om een liefdevolle indruk te maken terwijl hij zich juist voor haar afschermde.

Maar misschien kwam het gewoon doordat hun leven zo sterk verschilde van hun luie, op seks gerichte tijd in Coleman. Hier zat Nathan elke avond steeds langer op zijn studeerkamer te lezen, colleges voor te bereiden, aantekeningen te maken en papers na te kijken. Ze dronken bij het eten geen wijn meer, want zij mocht die niet hebben en hij moest zijn hoofd helder houden voor zijn werk in de avond. Daarom aten ze niet meer zo ontspannen en genoten ze minder van de maaltijd. Nathan verdween nadat ze hadden afgewassen en opgeruimd. Meri hield het soms maar tot negen uur of halftien vol, en als ze dan naar bed ging hoorde ze hem boven haar: het kraken van de vloer onder zijn bureaustoel en het geluid van zijn veelvuldige wandelingetjes door zijn kamer naar zijn boekenkast. Als hij naar bed kwam, als hij onder de dekens tegen haar aan gleed en de koelheid van zijn lange lichaam haar wekte en verleidde, reageerde ze maar al te vaak niet – ze moest zich uit een te diepe slaap trekken, ze was te uitgeput, haar armen voelden hopeloos zwaar.

Op twee plaatsen vond Meri troost voor dit alles. Allereerst op haar werk, waar ze dikwijls zo in haar bezigheden opging dat ze soms een uur lang vergat hoe ellendig ze zich voelde.

De andere plek was, in steeds sterkere mate, Delia's huis.

Ze was tijd gaan vrijmaken om er te zijn, om er te blijven hangen: meestal laat in de middag voordat Nathan thuiskwam, of in de weekends als hij in zijn werkkamer op de universiteit op zijn boek zat te ploeteren. Het was kil in Delia's huis, maar Meri wapende zich daartegen met extra truien. Ze zat in verschillende kamers, ze ging op Delia's bed liggen. Net als Goudhaartje, dacht ze terwijl ze rondsnuffelde op plekken waar ze niet hoorde te komen en waar ze overal even plaatsnam, om te voelen of het lekker zat.

Maar ze kon er niets aan doen, ze vond het prettig om in Delia's huis te zijn. Met veel plezier bestudeerde ze de schilderijen aan de muur en de familiefoto's. Ze was dol op de oude landkaarten die her en der hingen en die blijk gaven van absurde veronderstellingen over hoe de wereld in elkaar zat. Ze vond het heerlijk om door de kamers te lopen en te ontdekken hoe het licht er op verschillende tijdstippen binnenviel.

In de loop van deze weken voelde ze zich in toenemende mate aangetrokken tot Delia's studeerkamer – om er aandachtig naar de erotische aquarellen te kijken, aan Delia's bureau te zitten en de onschuldige brieven en documenten door te lezen die Delia in de bakjes achter op het bureaublad had gezet.

Deze wens om steeds meer over Delia's leven te weten te komen was een bijna fysiek verlangen – als zodanig beschouwde ze het. Ze had het even hard nodig als de crackers en het water waarmee ze zichzelf overdag overeind hield. Voor haar gevoel was dat verlangen even sterk met haar huidige toestand verbonden.

Haar toestand: haar zwangerschap. Ja. Maar ook nog iets anders. Misschien het gevoel dat ze in haar toestand alleen was. Haar behoefte aan iets wat ze niet kon benoemen. Ze dacht aan wat Delia tijdens het etentje bij hen over haar eigen nieuwsgierigheid naar het leven van Anne Apthorp had verteld: dat haar verlangen om meer over haar te weten verband hield met een oerinstinct in haarzelf. Meri had nu het gevoel dat ze dat begreep. Dat ze het aan den lijve ondervond.

Op een kille, regenachtige zaterdagochtend – Nathan zou tot het eind van de middag op de universiteit zijn – liep ze om de leeuw op de veranda heen en werkte in Delia's huis op de begane grond haar vaste klusjes af: de post, de planten. Toen ging ze naar boven, rechtstreeks naar Delia's studeerkamer. Opnieuw ging ze aan Delia's bureau zitten. Voor het eerst opende ze een van de laden onder in het bureau.

Daar lagen nog meer brieven, in dossiermappen met etiketten met de namen van haar kinderen erop: Nancy, Brad en Evan. Maar hiernaar was Meri niet op zoek – al had ze, toen ze de trap op liep, zichzelf niet toegestaan om te beseffen dat ze naar iets op zoek was. Ze schoof de la dicht, opende de tegenoverliggende la aan de rechterkant van het bureau en las daar het etiket: Tom. Ze merkte dat ze sneller begon te ademen.

Ze aarzelde maar even: toen trok ze een brief uit de la en las hem. En daarna weer een brief.

Later zou ze zich afvragen hoe ze dat had kunnen doen. Als ze terugdacht aan die eenzame uren in Delia's huis – en aan alles wat er daarna tussen Delia en haar was gebeurd –, schaamde ze zich zo dat ze het idee had dat ze in deze fase van haar leven los had gestaan van de persoon die ze daarvoor en daarna was geweest. Een eiland. Een eiland van wanhoop. Van hunkering. In de loop der jaren vroeg ze zich weleens af waarom ze in deze periode van haar leven geestelijk zo labiel was geweest, of haar hormonen hadden opgespeeld, of ze depressief was geweest. Ze wist het niet. Ze weet het niet. Ze zal het nooit aan Nathan vertellen, of aan een ander. Ze zal altijd een ongemakkelijk gevoel over deze herinnering houden.

Er waren zo'n vijftig of zestig brieven; sommige lagen opengevouwen in de map, andere zaten nog in hun envelop. Gedurende de rest van Delia's afwezigheid las Meri de meeste van deze brieven meer dan eens door. Langzaam, gretig, wist ze een verhaal te reconstrueren, een geschiedenis van Tom en Delia.

Ze ontdekte dat ze de afgelopen twintig jaar niet bij elkaar hadden gewoond en dat ze geen plannen hadden dat alsnog te doen. Maar ook ontdekte ze dat ze elkaar van tijd tot tijd nog zagen en nog met elkaar vreeën. Dat ze altijd met elkaar waren blijven vrijen, ook toen hun relatie op zijn slechtst was. Dat er ook toen in bepaalde opzichten nog sprake was van een huwelijk – of een liefdesrelatie – waarvan Delia de vorm kon bepalen.

Ze ontdekte dat Tom Delia aanvankelijk had gesmeekt hem zijn misstappen te vergeven – in elk geval die ene misstap die er de oorzaak van scheen te zijn geweest dat ze uit elkaar waren gegaan. In de vroege brieven gaf hij zichzelf de schuld en noemde hij zichzelf een zondaar, die zwak was geweest en voor wie hulp niet meer kon baten. Ook sprak hij steeds weer de hoop uit dat zij nog bereid zou zijn met hem verder te gaan.

Maar uiteindelijk zag hij in dat het daar niet van zou komen. Hij erkende dat Delia sterk stond en zelfs dat ze de situatie juist had beoordeeld. 'Je had gelijk dat je de dingen bij het oude wilde laten,' schreef hij, 'want hoeveel ik ook van je hou, ik had je niet trouw kunnen blijven. Ik weet dat nu, en heel eerlijk gezegd wist ik het toen waarschijnlijk ook al.'

Nog maar een paar jaar eerder had hij geschreven: 'Waar jij bent, daar ben ik thuis, Delia. Als ik naast jou lig onderga ik het diepste en meest intense genot dat ik ken. Ik ben, kortom, bij jou meer mezelf dan waar of bij wie ook, en ik ben blij dat jij op die momenten nog van me kunt houden, hoe scherp je me bij andere gelegenheden ook doorziet.'

Op één, niet-gedateerd briefje, dat misschien bij een cadeau of een bos bloemen had gehoord, stond alleen: 'Delia. Mijn vrouw.'

Terwijl Meri in Delia's huis op Delia's stoel Delia's brieven van Tom zat te lezen, drong vooral een troebel gevoel van jaloezie tot haar bewustzijn door. Ze was jaloers op wat Delia en Tom samen hadden. Jaloers op hun trieste, indrukwekkende verhaal. Jaloers op iets in dat verhaal dat ze zelf graag zou hebben beleefd.

Soms, als ze na thuiskomst nog snel een hapje met Nathan at voordat hij zich op zijn studeerkamer terugtrok en ze allebei enigszins afwezig over hun werk vertelden – en, dacht ze, elkaar misschien zelfs verveelden –, besefte ze, dat ze verlangde naar de pijn die Delia blijkbaar leed, mits die het haar mogelijk maakte ook iets zo aangrijpends, intens en rijks te ervaren als de liefde die tussen Delia en Tom bestond. Terwijl ze scherp de leegte van die ogenblikken ervoer, had ze het gevoel dat de emoties waarover Tom het in zijn brieven aan Delia had van een heel andere orde van grootte waren dan wat Nathan ooit voor haar zou voelen, of zij voor hem. Dat ze te afstandelijk tegenover hem stond – dat ze te kil was – om zulke diepe gevoelens mogelijk te maken, zulke diepe inzichten om in het leven als mens te kunnen blijven groeien.

HOOFDSTUK ZES

Delia, Kerstmis 1971

Het was koud in huis, zoals altijd wanneer ze in deze tijd van het jaar thuiskwamen na een poosje weg te zijn geweest. Terwijl Evan de koffers uit de auto haalde en ze naar boven bracht, draaide Delia de thermostaat hoger. Vervolgens liep ze naar de auto en bracht de zakken met kerstcadeaus naar binnen die ze allebei hadden gekocht: vier zakken van haar en één halfvolle zak van Evan. Ze zette ze in de woonkamer neer. Met haar jas nog aan liep ze terug naar de keuken en nam snel de post door die door Marta, de werkster, op een stapel op tafel was gelegd. Er zaten voornamelijk rekeningen bij en tientallen kerstkaarten. Ze keek naar de afzenders. Slechts een paar kaarten kwamen van bekenden die Delia als 'echte mensen' beschouwde; de overige waren van politieke relaties.

Ze was vijf dagen te vroeg van Washington naar Williston gereisd om alles voor de kerst in orde te maken. Evan, die economie studeerde en kerstvakantie had, had haar met de auto van het station afgehaald. Het was vijf uur, en toen ze thuiskwamen was er geen sprankje licht meer aan de hemel te bekennen. Het was 20 december 1971. Voor de volgende dag was sneeuw voorspeld. Het zou dus een witte kerst worden. Delia voelde bij die gedachte een bijna kinderlijk plezier.

Tom was in Washington gebleven, maar hij was er vrij zeker van dat hij binnen enkele dagen thuis kon komen. Hij was nu senator – alweer vijf jaar. Hij zou zich volgend jaar opnieuw kandidaat stellen, en hoewel hij nog niet wist wie zijn tegenstander zou worden, verwachtte hij weinig strijd. Hij was in zijn staat heel populair. Hij had een middenweg weten te bewandelen tussen de tradities van het ouderwetse liberalisme – dat hij als een geloofsovertuiging beleed – en de nieuwe, steeds veranderende eisen van de burgerrechtenbeweging, de beweging ter bestrijding van de armoede, de feministen, de pleitbezorgers van democratische participatie en de groeperingen die tegen de oorlog gekant waren. Een balletdanser, noemde hij zichzelf – soms in vertwijfeling, kwam het haar voor. Hij had het over 'de nieuwe Democratische two-step'. Soms moest hij in Washington dan ook ingewikkelde toeren uithalen, maar in zijn eigen staat leek hij er tegenover zijn verwarde achterban mee weg te komen.

Toen ze de woonkamer binnenkwam, zat Evan gehurkt voor de open haard, die hij met proppen krantenpapier probeerde aan te maken. 'Ach schat, laten we ergens een hapje gaan eten,' zei Delia.

Hij draaide zich om en keek naar haar, nog steeds vanuit zijn gehurkte positie. 'Ja? Wil je niet liever hier bij de haard wat gebruiken?'

'Nee. Zelfs met de haard aan is het hier nog koud, en in de voorraadkast liggen alleen nog blikken soep en crackers.'

'Die soep is prima, wat mij betreft.'

'Nee. Ik trakteer. Kom, dan gaan we.'

'Omdat jij het zegt,' zei hij en hij stond op. Ontvouwde zichzelf, kon je beter zeggen. Net als Tom was Evan lang, tien à twaalf centimeter langer dan Brad, haar andere zoon. Een paar jaar eerder had hij een uiterlijke gedaanteverandering ondergaan en was hij in zekere zin een nieuw mens geworden. Dat was gebeurd na het Peace Corps. Toen hij zich daarbij aansloot liep hij er slonzig bij, met een vlassig baardje en haar tot op zijn schouders – in zijn *uniform*, zoals zij het noemde, dat hij altijd aanhad en dat in haar ogen weinig flatteus was. Hij droeg een spijkerbroek die van zijn smalle heupen zakte, met bij wijze van riem een soort geweven band als gebaar van solidariteit met de een of andere indianenstam, en een T-shirt – de helft van zijn shirts was gescheurd of zat onder de vlekken. Daarover droeg hij soms, als concessie aan het weer en misschien aan een bepaald concept van stijl, een motorjack – nooit meer, zelfs op de koudste dagen niet. Het deed haar 's winters al pijn om naar hem te kijken.

Ze wist dat het Peace Corps een verzorgd uiterlijk had verlangd en erop stond dat je je haar liet knippen en er netjes bij liep, maar toen Evan terugkwam stond ze er versteld van hoeveel verder hij daarin was gegaan. Vanavond droeg hij bijvoorbeeld een pantalon met vouw. Zijn haar was naar de geldende normen kort. Hij was gladgeschoren, maar had wel net zulke volle bakkebaarden als waar je tegenwoordig iedereen mee zag. Zijn lange, smalle gezicht zag eruit alsof het gebeeldhouwd was. Hij droeg een bril met randloos montuur en over zijn gestreepte overhemd een perfect passende trui met V-hals. Dit was zijn huidige uniform, en zij zag hem veel liever zo. Ze hield zichzelf voor dat dat kwam doordat hij zo veel mooier was, maar wie zou het zeggen? Misschien beviel het haar omdat het conventioneler was – zoals mannen er vroeger uit hoorden te zien.

Hij was bezig aan zijn eerste jaar economie, een studie die hij was gaan volgen omdat hij geïnteresseerd was in ontwikkeling op menselijke schaal, in kleinschalige projecten die daadwerkelijk iets konden betekenen voor de mensen die hij in Zuid-Amerika had leren kennen en om wie hij was gaan geven. Vooralsnog bestudeerde hij echter het ouderwetse, onversneden kapitalisme en bijna ondanks zichzelf was hij een goede student.

Van haar kinderen voelde Delia zich bij Evan het meest op haar gemak, al koesterde ze de meest liefdevolle gevoelens voor haar jongste zoon Brad. Maar iedereen in het gezin had zulke gevoelens voor Brad: hij was de benjamin van de familie. De gevoelens die ze, vanwege zijn knappe verschijning en zijn onafhankelijkheid, voor Evan had, vervulden haar met een moederlijke trots die in zijn intensiteit soms bijna erotisch aandeed.

Die gevoelens hielden ook verband met het feit dat ze iets ontroerends bespeurde in zijn gevoelens jegens haar. Het was echt iets voor hem om zijn dag zo in te delen dat hij haar kon ophalen. Afgezien van een paar jaar tijdens zijn puberteit waarin de omgang met hem nauwkeurig aan haar voorstelling van de hel beantwoordde, had hij haar altijd op de een of andere manier beschermd, of zich zelfs – in haar woorden – tegenover haar als een volwassene gedragen.

Toen hij zo'n tweeënhalf jaar oud was, hadden Tom en zij een keer vreselijk ruzie gehad – ze hadden woedend tegen elkaar geschreeuwd, en midden in die ruzie was Evan in zijn blauwe hansopje uit zijn kamer gekomen; zijn plastic zooltjes gleden over de vloer. Hij was recht op haar af gelopen en bij haar op schoot geklommen. Natuurlijk waren ze toen ze hem hoorden aankomen meteen opgehouden.

'Evvie,' had ze gezegd, 'je hoort al een hele tijd in bed te liggen. Je moet terug naar je kamer.'

'Nee, mama,' zei hij vriendelijk. 'Ik blijf hier bij jou.' En dat had hij gedaan. Hij hield haar arm vast en glimlachte naar Tom aan de andere kant van de kamer. Ze voelde de strakgespannen pezen in zijn kleine lijfje.

Later, nadat hij gerustgesteld en weer naar bed was gebracht en zij naast hem was blijven liggen tot hij sliep, hadden Tom en zij beschaamd op een redelijke en zelfs bedaarde toon verder geruzied.

In de auto besloten ze naar het Peking Palace te gaan. Het eten was er matig en de inrichting was sjofel, maar allebei hielden ze van de geroerbakte ravioli en het buitenlandse bier. Terwijl ze in een van de boxen plaatsnamen bekeek Delia de kleurige papieren lantaarns die aan het plafond hingen, de formica tafels en de ingelijste panelen aan de muren met pastorale taferelen uit een denkbeeldig Chinees verleden – taferelen die haar verdacht Japans voorkwamen.

'In het Peking Palace verandert nooit iets,' zei ze.

Hij keek op. 'Volgens jou dan,' antwoordde hij, en hij richtte zich weer op het menu.

Met het oog op hun gezondheid – voldoende groente – namen ze bij de ravioli samen nog een auberginegerecht. Dat bleek zo scherp dat Delia er een loopneus van kreeg. Ze moest om extra papieren servetjes vragen. Hun conversatie verliep zoals altijd ontspannen. Evan vertelde haar over een paar onderwerpen die hij het afgelopen kwartaal had bestudeerd en over zijn tentamens; hij was er vrij zeker van dat hij daar uitstekende cijfers voor had gehaald. Ze hadden het over films en over de soorten koffie die ze het lekkerst vonden. Ze hadden het over skiën – Delia was van plan in januari naar New Hampshire te gaan om te leren skiën, wat ze in het verleden verschillende keren tevergeefs had geprobeerd. Evan verzekerde haar echter dat de ski's tegenwoordig korter waren dan vroeger en dat de lesmethode heel anders was geworden. Hij zei dat ze er vast en zeker van zou genieten.

'Wanneer komt Nan hierheen?' vroeg hij.

Delia wachtte op thee, hoewel ze wist dat ze er niet van zou kunnen slapen. 'Donderdag pas, in de loop van de avond – ze moet die dag werken. O, en heb ik je al verteld dat de beeldschone Carolee met haar meekomt? Vanwege de een of andere familiekwestie kan zij met de feestdagen niet naar huis.'

Hij grijnsde. 'Dat had je nog niet verteld,' zei hij.

Carolee was Nancy's huisgenote. Ze hadden elkaar bij een deftig oud advocatenkantoor in Boston leren kennen, waar ze tot hun enorme geluk allebei direct na hun afstuderen waren aangenomen. Carolee had aan Harvard gestudeerd en kende de stad dan ook goed. Ze was behulpzaam en vrijgevig voor Nancy. Na een paar maanden hadden ze besloten samen een appartement te zoeken. Delia had hen een paar keer opgezocht in dat appartement, dat in Cambridge lag, en ze wist dat Evan ook een paar keer vanuit New Hampshire bij hen was komen logeren.

'Ik weet weer hoe het zit.' Ze hief haar hand op en stak een vinger omhoog. 'Haar ouders zitten nu in Turkije, waar haar vader als ingenieur aan een project meewerkt, en Carolee heeft zo weinig vrije dagen dat het haar niet lukte om daarheen te gaan. Dus komt ze naar ons toe.'

'Oké!' zei Evan.

Delia lachte hem toe. 'Ze is nogal betoverend, hè?' Dat was ook zo. Carolee was een beeldschone jonge vrouw, bij wie alle kleuren met elkaar harmonieerden. Ze had weelderig, honingkleurig haar tot over haar schouders en een volmaakte huid waarin ook een vleugje van die honingtint zichtbaar was. Haar ogen, die daar perfect bij pasten, waren lichtbruin.

'Nogal?' zei Evan. 'Ze is waanzinnig mooi.'

De serveerster zette Delia's theepot op tafel, en daarnaast een schoteltje met twee in cellofaan verpakte gelukskoekjes erop. 'Welk koekje denk je dat voor jou bedoeld is?' vroeg Delia, en ze schoof het schoteltje naar haar zoon toe.

Hij maakte een keuze. 'Een vriend van me heeft een poosje spreuken voor die koekjes geschreven,' zei hij.

'Kun je daar de kost mee verdienen, met het schrijven van spreuken voor gelukskoekjes?' Allebei trokken ze de cellofaantjes los.

'Het was geen volledige baan, maar hij was muzikant en aan de drugs. Hoe dan ook, ik neem die dingen sindsdien niet al te serieus meer.'

'Daarvoor natuurlijk wel.'

Hij keek haar vragend aan en ontrolde het kleine velletje papier. Hij snoof. 'Ik vind dit helemaal niks,' zei hij. 'Het is zo risicoloos. Het is een spreuk, geen voorspelling. "Over het pad van een sterk man schijnt altijd de zon." Gelul.' Hij gooide het velletje op tafel en zette zijn tanden in zijn koekje. 'Wat staat er op die van jou?'

'Deze zegt al even weinig over de toekomst.' Ze streek het rolletje plat en las voor: '"Uiteindelijk zal de dromer ontwaken."'

'Nou, dat heeft nog íets met de toekomst te maken,' zei hij. 'Als je ervan uitgaat dat jij de dromer bent.'

'Nee.' Delia schonk wat thee in haar kopje. 'Als je ervan uitgaat dat ik de dromer ben, gaat het over het verleden.'

Hij wierp haar een doordringende blik toe. Vervolgens hief hij zijn bierpul op en dronk.

Tom had gezegd dat hij woensdagmiddag zou komen, met het vliegtuig en de taxi. Evan bood aan hem van het vliegveld af te halen, maar hij wilde beslist een taxi nemen.

'Hij verschijnt graag alleen ten tonele, met veel spektakel,' zei Evan.

'En vergeet natuurlijk de taxichauffeur niet,' antwoordde Delia. 'Dat levert weer een stem op.'

Toen Tom verscheen, hoorde Delia niet dat hij binnenkwam. Ze was in de keuken, terwijl de afwasmachine aanstond en op het fornuis een pan met suikerwater borrelde. Op luchthartige toon zei Tom: 'Dag schat', en toen ze opkeek zag ze hem in de deuropening staan. Hij droeg zoals gebruikelijk een kostuum, met de stropdasknoop omlaaggeschoven, en had een vrolijke en tedere uitdrukking op zijn gezicht.

'Hallo,' zei ze. Ze voelde dat op haar gezicht ook een lach verscheen. Ze gebaarde naar het fornuis. 'Hallo. Ik kan niet naar je toe komen.' Ze wachtte op de suiker, die moest karamelliseren.

'Dan zal ik naar jou toe moeten komen.' Hij liep de keuken door, sloeg zijn arm om haar heen, bukte zich en kuste haar eerst in haar hals, toen op haar wang en toen op de zijkant van haar mond. In de pan begon de suiker onder de zilverachtige belletjes een flauwe roestkleur te krijgen. Toms huid voelde koel aan haar gezicht, zijn mond had een prettige, vertrouwde smaak. Ze vond dat hij heerlijk rook. Ze vlijde zich tegen hem aan en besefte hoe opgelucht ze zich voelde omdat hij er was. Omdat hij thuis was.

Op dit punt in hun relatie was Delia bijna even vaak in Washington als in Williston. Tom was uiteraard vaker in Washington, al kwam hij zo veel mogelijk naar huis – als het Congres met reces was of een kwestie in de staat daartoe aanleiding gaf.

Delia had het in Washington aanvankelijk naar haar zin gehad; ze hadden er aan het begin van hun huwelijk, tijdens de oorlog, gewoond. In die tijd vestigden zich veel jonge echtparen in de stad. Door de oorlog kregen al hun vriendschappen snel een intiem en intens karakter. Toen ze jaren later, tijdens Toms eerste termijn als Congreslid, naar Washington waren teruggekeerd, had Delia het er opnieuw naar haar zin gehad.

Maar toen kwam de moord op Kennedy, en tijdens dat door iedereen meebeleefde verdriet kwam ze erachter dat Tom een verhouding had, een serieuze verhouding met de vrouw van een ander Congreslid, die Delia als een vriendin had beschouwd. En toen dat voorbij was, biechtte hij op dat hij ook andere, terloopsere en vluchtigere verhoudingen had gehad. 'Incidenteel', had Tom ze genoemd, en daar had ze bitter om moeten lachen.

Ze kwamen erdoorheen, maar daarna viel het leven in Washington Delia zwaarder. Ze voelde zich ongemakkelijk in het sociale verkeer. Ze wist absoluut niet wie er verder van de verhouding – de verhoudingen – op de hoogte was geweest, en evenmin wist ze hoe die mensen over haar dachten. Ze voelde een bepaalde spanning, ook al was er oppervlakkig niets veranderd, was ze in het openbaar nog even charmant als altijd en verscheen ze nog even vaak op de verplichte sociale en politieke manifestaties. Maar toen ze dit huis hadden gekocht en Delia een bestaan en een vriendenkring in Williston opbouwde, besefte ze hoeveel beter ze zich hier op haar gemak voelde. Ze veronderstelde dat dat voornamelijk kwam doordat ze met Tom was ontsnapt aan het erotisch geladen klimaat van Washington, waar een knappe en machtige man die goed van de tongriem was gesneden en vrouwen innemend en hoffelijk bejegende, altijd van gezelschap verzekerd was. Of, nauwkeuriger geformuleerd: welbewust de keuze moest maken om het zonder gezelschap te stellen, als hij dat tenminste wilde. Terwijl ze zich tegen Tom aan vlijde zei ze nu: 'Het is goed dat je er bent.'

'Mmm-mmm, vind ik ook. Je moest eens weten.'

'Ga zitten. Dit is zo klaar. Wil je iets drinken?'

'Ik ruim mijn spullen op en zeg Evan even gedag. Ik ben met een minuutje weer terug.'

Toen hij in hemdsmouwen terugkwam, schonk hij voor hen allebei een glas whisky in. Ze gingen aan de keukentafel zitten en bespraken hoe alles in Washington was afgelopen (chaotisch – op het laatste moment moest er nog over een aantal wetsvoorstellen worden onderhandeld) en wat de plannen voor het weekend waren. Wat er voor de kerst nog moest gebeuren.

Evan kwam bij hen zitten, en Delia hoorde nogmaals zijn verslag van zijn belevenissen op de universiteit aan, dat dit keer was opgesmukt met vrouwen. Dat was onontkoombaar, bedacht ze. Evan wilde zijn vader altijd laten zien dat hij ook een man was.

Toen ze de deur uit gingen om een kerstboom te kopen en

Delia weer alleen was, dacht ze na over de rivaliteit die tussen vader en zoon bestond. Brad was daarvan ontheven. Of misschien had hij daar zelf voor gezorgd met zijn vriendelijkheid en zachtaardigheid – een eigenschap die haar weleens zorgen baarde. Soms kreeg ze zin om hem eens stevig door elkaar te schudden en hem te vertellen wat een knappe jongen hij wel was.

Ze was er kortgeleden op een avond in bed tegenover Tom over begonnen: over Brads passieve houding, over de manier waarop hij zich bijna opzettelijk afkeerde van alles wat naar mannelijkheid riekte. 'Of doet hij het inderdaad met opzet?' vroeg ze. 'Wat denk jij ervan?'

'Pff!' zei Tom. 'Zo is de nieuwe Amerikaanse man.'

'Zou dat het zijn, denk je? Is het een cultuurverschijnsel?'

'Nou, klaarblijkelijk wil de nieuwe Amerikaanse vrouw het zo. Iemand die ze kan overheersen.'

Ze hadden allebei liggen lezen en nu legden ze hun opengeslagen boeken met het omslag naar boven op de deken. Delia zette haar bril af. 'Dat zeg je alleen maar omdat je in de eerste plaats iets tegen de vrouwenbeweging hebt en je in de tweede plaats je zoon niet bang wilt maken.'

'Hem niet bang wil maken?'

'Ja. Omdat je zelf zo... mannelijk bent, is het voor hem moeilijk om zich op dat gebied te manifesteren.'

'Evan heeft daar geen enkele moeite mee,' zei hij. Hij zette nu ook zijn bril af.

'Evan is Evan. En misschien is het extra lastig voor hem doordat jullie hier allebei rondlopen, in Brads buurt, terwijl het testosteron zowat van jullie afspat.'

Het was stil in huis. Ze waren in Washington. Tom zei: 'Ik heb niets tegen de vrouwenbeweging.'

'Ach kom!' zei Delia.

'Nee, echt niet. Alleen tegen bepaalde aspecten ervan.'

'Ja.' Ze glimlachte. 'Tegen die aspecten die van toepassing zijn op jouw gedrag.'

Er was nu echter een frons op zijn gezicht verschenen, en toen hij na een korte stilte zijn mond weer opendeed, sprak hij langzamer. 'Nee, ik doel op die onderdelen van de beweging die zo fel vasthouden aan... het idee dat ze onrechtvaardig behandeld zijn en die daar hun identiteit aan ontlenen. Ik kan het niet verdragen wat dat betekent voor ons zelfbewustzijn als volk. Als gemeenschap.'

'O, wat een grote woorden!' Ze legde haar hand op haar hart. 'Als gemeenschap.'

'Verdorie, Dee, het gáát ook om iets groots. Vroeger in elk geval nog wel. En een poosje heeft het geleefd, dat weet je nog wel, het idee dat de staat verantwoordelijkheid draagt voor het volk en het volk voor de staat – wederzijds.'

Tom was opgegroeid in een arm Iers milieu in Boston. Zijn vader werkte als chauffeur voor een klein bedrijf dat in steenkolen en ijs deed. Hij had in de crisisjaren steeds werk, wat voor veel mensen in zijn omgeving niet gold, maar hij had zeven kinderen en hij verdiende amper genoeg om hun eten en onderdak te bieden. Tom en zijn broers en zussen hadden als het enigszins mogelijk was ook gewerkt, en Tom was in zijn tienerjaren zelfs met een van zijn broers het huis uit gegaan om de last voor hun ouders te verlichten. Ze hadden door het land gezworven, als dat kon op boerderijen gewerkt en in een zomer zelfs bosbranden bestreden in Montana en Wyoming.

Roosevelt was Toms grote voorbeeld. Roosevelt en zijn eigen moeder, die erop stond dat ze ondanks hun armoede geld aan goede doelen schonken, die van hen verwachtte dat ze naar vermogen aan de armen gaven en die wilde dat ze zich nooit boven een ander verheven voelden. Dat alles was deel van Toms persoonlijkheid gaan uitmaken, en mede daarom hield Delia van hem.

‘Ik weet dat de feministen er niet mee begonnen zijn,’ zei hij, ‘en ik kan ze eigenlijk niet kwalijk nemen dat ze er gebruik van maken, maar hun houding stoort me.’ Hij schudde zijn hoofd. ‘Dat je slachtoffer bent komt voorop, en pas veel later zie je jezelf als staatsburger en lid van de gemeenschap, laat staan dat je je verplicht voelt om deze klotewereld er ook voor een ander wat beter op te maken.’ Hij zweeg. Aan zijn ademhaling kon Delia horen dat hij geëmotioneerd was.

Even later wendde hij zich naar haar toe, met het lachje dat zijn mond scheeftrok. ‘En ik heb vooral iets tegen diegenen in de vrouwenbeweging die weigeren te erkennen dat er grote verschillen tussen man en vrouw bestaan.’

‘Volgens mij is er niemand die dat beweert.’ Delia pakte haar boek weer op.

‘Nou, misschien willen ze zeggen dat vrouwen béter zijn dan mannen, maar daar komt het wel op neer.’

Ze zweeg even veelbetekenend en zei toen: ‘Nou? Is dat soms niet waar?’

Tom had moeten lachen terwijl hij zijn hoofd weer op zijn kussen liet zakken, en Delia had naar hem geglimlacht, maar toen ze ieder hun bril weer opzetten en hun lectuur hervatten, besefte ze dat ze zich erg ongemakkelijk voelde, zoals wel vaker wanneer de vrouwenbeweging ter sprake kwam.

Ja, ze voelde zich solidair en ze wist dat er veel misstanden moesten worden rechtgezet. Ze had echter het idee dat haar eigen leven voor feministen een toonbeeld was van alles wat niet deugde, dat ze in de ogen van de vrouwenbeweging de verkeerde keuzes had gemaakt. Dat haar dochter maatschappelijk iets had bereikt, maakte het er nog moeilijker op. Ze was blij dat Nancy advocate was en trots omdat ze carrière wilde maken, maar ze had weleens het idee dat haar dochter medelijden met haar had en soms zelfs een beetje op haar neerkeek. Dat ze zich afvroeg waar haar moeder zich nu een hele dag mee bezighield.

Soms vroeg Delia zich dat zelf ook weleens af: hoe ze haar dagen kon hebben gevuld met de huishoudelijke bezigheden en klusjes waaruit haar leven nu leek te bestaan. Van tijd tot tijd was ze zich bewust van een soort afgunst of misschien zelfs woede op Nancy en alle andere jonge, ambitieuze vrouwen die ze hier en in Washington kende.

Terwijl Tom en Evan van huis waren, maakte Delia het eten klaar – een eenvoudige maaltijd: kip, aardappelpuree en worteltjes met gember. Als toetje was er ijs, met de karamelsaus die ze zojuist had gemaakt. Ze dekte de keukentafel voor drie personen, maar wel met het mooie servies en de kristallen glazen.

Ze hoorde hen binnenkomen: ze praatten hard, ze lachten en ze stampten. Ze klinken als paarden, dacht ze. Even later voelde ze een koude luchtstroom rond haar benen. Ze ging naar de hal.

Natuurlijk hadden ze de voordeur open laten staan. Ze waren in de voorkamer met de boom bezig, die ze op zijn voet zetten terwijl ze elkaar vertelden hoe het moest. Delia ging naar de hal met de bedoeling de deur dicht te doen, maar in plaats daarvan bleef ze een ogenblik staan en keek naar buiten, waar het donker was. De voorspelde sneeuw viel, droog en licht; er lag alleen een transparant wit laagje op de veranda, op de stenen reling, en waar het licht op het gazon viel was een filigraan laagje zichtbaar. Ze rilde. Ze deed de deur dicht en bekeek de boom: een flinke spar, zo hoog dat hij het plafond bijna raakte. De kamer was vervuld van de zuivere harslucht.

Nadat ze hadden gegeten, ging Evan naar vrienden toe. Tom en Delia ruimden de keuken op en zetten de vaat in de afwasmachine. Daarna ging Tom in de kelder op zoek naar de kerstversierselen die ze in de loop der jaren hadden verzameld. Terwijl Delia een marinade maakte voor het rundvlees dat ze de volgende avond zouden eten, plaatste hij de lichtjes in de boom. Toen zij de keuken uit kwam, haalden ze voorzichtig de oude versierselen uit hun dozen en hingen ze op; geregeld liepen ze een stukje naar achteren om te kijken welke plekjes nog moesten worden opgevuld. Twee keer ging boven in Toms studeerkamer de telefoon – hij had een aparte aansluiting voor zijn werk –, maar hij liet hem opnemen door de antwoorddienst.

Toen ze klaar waren deed Delia afgezien van de lichtjes in de boom alle lampen uit en schonk Tom voor hen allebei een glas whisky in. In het gedempte licht gingen ze samen op de bank zitten. Tom liet zijn hand op Delia's dij rusten. Eerder al had hij muziek opgezet: Respighi. Nadat ze waren gaan zitten zette hij de muziek wat harder, en zwijgend beluisterden ze de hele plaat. De naald gleed lispelend door de laatste groeven en kwam vervolgens omhoog.

Even later zei Delia: 'Soms zou ik willen dat we nooit meer naar Washington terug hoefden te gaan.'

'Ach Dee, het kan niet eeuwig Kerstmis zijn.'

'Dat weet ik. En ik weet dat je gek bent op je werk. En daar ben ik blij om.' Ze legde haar hand op de zijne. 'Alleen was het leven een stuk eenvoudiger toen jij nog doodgewoon Tom was. En ik alleen een tuttig huisvrouwtje, in plaats van voorzitster van allerlei geldinzamelingscomités.'

Hij pakte haar hand en kuste hem. 'Je bent nooit een tuttig huisvrouwtje geweest.'

Ze zuchtte.

Hij sloeg zijn arm om haar heen. 'En ik ben ook nooit gewoon Tom Naughton geweest. Je kent me. Je weet hoe ambitieus ik altijd ben geweest.' Ze antwoordde niet. 'Ik ben een intrigant en een rat.' Hij kuste haar boven op haar hoofd. 'Daarom hou je van me.'

Was dat zo, dacht ze. Zou ze in Tom geïnteresseerd zijn geweest als hij niet zo ambitieus en veelbelovend was geweest? Had zij niet, net als alle intelligente, pas afgestudeerde jonge vrouwen in die tijd, een man gewild die voor haar kon zorgen?

'Dáárom hou ik niet van je,' zei ze.

'Maar je houdt wel van me.'

'Nou en of.' Ze draaide zich om en glimlachte naar hem. 'Verdomd nog aan toe.'

'Weet je,' zei hij, en hij legde zijn vinger op haar onderlip en stak hem een stukje in haar mond. 'Als de kinderen allemaal weg zijn, kunnen wij hier op de bank vrijen, op elk moment, als het in ons hoofd opkomt.'

'De kinderen zullen nooit allemaal weg zijn, dat weet je best.'

'Jazeker.' Hij lachte. Toen veranderde zijn gezichtsuitdrukking. 'Ga je mee naar boven?'

Nadat ze naar boven waren gegaan en hadden gevreeën en nadat Tom in slaap was gevallen, lag Delia wakker. Ze dacht aan hem ten tijde van hun eerste ontmoeting, aan de tomeloze energie die toen van hem uitging en waardoor ze hem zo aantrekkelijk had gevonden.

Hij was toen net als advocaat in New York begonnen, en zij was aan het laatste jaar van haar studie bezig en piekerde over wat ze daarna moest doen. Ze had Engels als hoofdvak gedaan. Kon ze voor de klas staan? Moest ze iets doen wat meer direct nut had? Een opleiding tot verpleegkundige? Ze had twee heftige romances achter de rug, die geen van beide helemaal waren afgerond, en naar haar idee waren die symbolisch voor alles in haar leven: voor het feit dat alles wat ze had gedaan onaf en onvervuld was.

Met zijn zelfverzekerdheid, met zijn voor haar gevoel bijna elektrische geladenheid en zijn voor haar onbekende en buitenissige achtergrond maakte Tom dat alles irrelevant.

Ze leerden elkaar kennen toen hij op een avond aan het begin van de herfst met Delia's oudere broer en een andere medewerker van het advocatenkantoor waar ze werkten naar Delia's campus kwam. Ze had er een stel vriendinnen bij gehaald, en opeengepakt in de oude auto van haar broer reden ze naar een drukke kroeg op zo'n vijfentwintig kilometer afstand van de universiteit.

Op een klein podium dat iets boven de dansvloer uitstak speelde een band: twee blazers, een bassist, een drummer en een pianist met een ontstemde piano. Ze dansten, dronken en rookten. Vermoedelijk hadden ze ook gepraat, maar daarvan herinnerde ze zich erg weinig – wat er gezegd was, was in elk geval steeds afgebroken en onderbroken omdat de band zo hard speelde.

Delia was door haar broer min of meer aangeboden aan de andere advocaat, een zekere Preston Eccles. Maar nadat ze één keer met hem had gedanst, greep Tom in.

Vanaf de eerste passen die ze samen zetten voelde Delia dat er met Tom nooit sprake van onbeholpenheid zou zijn. Hij danste fantastisch en leidde haar zeker en elegant. Ze hoefde alleen maar naar zijn lichaam te luisteren.

Het zag blauw van de rook, door de muziek heen klonken geschreeuwde gespreksflarden en het rook naar drank. Delia en Tom wisselden nauwelijks een woord, maar Delia had het gevoel dat hun lichamen met elkaar in gesprek waren. Tussen het dansen door stonden ze vlak naast elkaar te wachten tot de muziek verder zou gaan, in de ban van het overweldigende verlangen om dicht tegen elkaar aan te bewegen. En onder het dansen waren ze zich bewust van de geladenheid tussen hen, van de verrassende spanning die ze bij elke aanraking voelden. Op een gegeven moment keek ze hem aan toen ze naast hem stond te wachten; hun blikken ontmoetten elkaar en allebei lachten ze omdat ze wisten wat er komen ging. Ze hield al van hem voordat ze hem kende. Haar lijf vertrouwde hem.

Ze veronderstelde dat je tegenwoordig zulke gevoelens niet serieus meer zou nemen als motief om te trouwen, dat je er niet voldoende reden meer in zou zien om iets met iemand te beginnen met de gedachte dat je voor altijd bij elkaar zou kunnen blijven. Je zou zulke gevoelens op waarde schatten, als begeerte en hunkering. Maar toen was zo'n misverstand nog mogelijk – en kon je daar een besluit op baseren.

Natuurlijk hield ze ook nog van hem toen ze hem leerde kennen, maar dat speelde voornamelijk nadat ze getrouwd waren, nadat hij haar met zijn persoonlijkheid en zijn ambities had meegesleurd in het avontuur dat hij van zijn leven ging maken. Van zijn en haar leven.

En ze wérd meegesleurd. Ze geloofde in hem: toen hij nog advocaat was gespecialiseerd in arbeidsrecht, toen hij vervolgens voor een lager salaris bij de Raad van de Arbeid in hun stad ging werken en toen ze na het uitbreken van de oorlog net als iedereen van hot naar her vlogen – in hun geval eerst naar Washington, waar Tom aan het ministerie van Oorlog verbonden was. Daarna waren ze korte tijd van elkaar gescheiden doordat Tom zijn militaire basisopleiding kreeg en zij bij haar ouders in Maine woonde. Vervolgens gingen ze weer naar Washington, waar Tom eerst op het ministerie van Oorlog en later op het ministerie van Buitenlandse Zaken werkte. Ook na de oorlog volgde ze hem; hij besloot toen naar New England terug te keren om op lokaal niveau in de politiek te gaan.

Ze geloofde in hem, en ze geloofde dat ze op de een of andere manier voor elkaar bestemd waren. Dat geloof, dat idee van een lotsbestemming, ging meer dan wat ook te gronde toen ze erachter kwam dat hij verhoudingen had gehad.

Als ze er later aan terugdacht, verbaasde het haar nog het meest dat ze zo lang aan dat idee had vastgehouden. Dat was onderdeel van de vernedering, dacht ze nu: dat ze haar kinderlijke voorstellingen van liefde onder ogen had moeten zien, haar voorstellingen van wat hun huwelijk had betekend.

Toen had het verlies van die vermeende zekerheden haar echter wanhopig gemaakt, het had haar gek gemaakt van verdriet. Ze kon bijna letterlijk niet geloven dat hij het echt had gedaan. Meer dan wat ook wilde ze dat hij de verhoudingen zou laten verdwijnen, dat hij ze ongedaan zou maken. Ze huilde, ze sloeg hem, ze hoorde zijn beloften en zijn verhalen over zijn pijn aan, en ze huilde nogmaals.

Maar ze sloegen zich erdoorheen, en nu was ze ouder. Haar liefde voor hem was nu verstandelijker. Ze kon niet opnieuw zo worden gekwetst.

Evan kwam om tien over twee thuis en trok de voordeur dicht. Hij bleef een poosje in de keuken, en daarna hoorde ze zijn voetstappen op de trap. Tom bewoog en draaide zich om, maar werd niet wakker. Daarna ontspande zich iets in haar, en kort daarop voelde ze het komen: de trage, diepe duizeling die op slaap uitliep.

Delia was de hele donderdag met de voorbereidingen in de weer. Ze maakte de bedden op in de kamer waar Nancy en Carolee zouden overnachten. Ze stelde menu's voor het lange weekend op en maakte een boodschappenlijstje. Ze reed naar de supermarkt in het nieuwe winkelcentrum even buiten de stad en liep door de gangpaden op en neer. Ze vulde het karretje en zelfs het rek aan de onderkant ervan met wat in haar ogen goede giften waren, en al doende voelde ze zich vrijgevig en euforisch. Toen ze weer thuis was bakte ze twee ovenladingen kerstkoekjes en maakte gerstesoep met lamsvlees klaar.

Toen Evan met Nancy en Carolee verscheen – hij had hen van de trein gehaald –, stond ze in de keuken. Ze ging de gang in om hen te begroeten; Tom kwam op hetzelfde moment de trap af.

Terwijl ze in gesprek waren met Evan, deden de meisjes hun jas uit. Ze waren samen vanaf hun werk rechtstreeks naar het station gegaan en hadden allebei hun werkkleding nog aan: schoenen met hoge hakken en mantelpakjes waarvan de roklengte behoedzaam langer was gehouden dan in de mode was. Het jasje van Nancy's pakje was vrij vormloos, maar Carolees jasje was strak getailleerd en liep aan de onderkant wijder uit. Daardoor trokken haar heupen en haar welgevormde lichaam de aandacht.

Delia was als eerste in de hal en omhelsde de beide meisjes, eerst Nancy en vervolgens Carolee. Ze deed een stap terug en keek toe hoe Tom Nancy tegen zich aan drukte ('Liefje!' zei hij, terwijl hij zijn armen om haar heen sloeg) en hoe Nancy hem daarna aan Carolee voorstelde, zo vol trots dat je bijna zou denken dat ze het andere meisje zelf had gemaakt.

Toen de meisjes naar boven gingen om zich om te kleden en hun bagage uit te pakken, liep Tom achter Delia aan naar de keuken. 'Va va voem,' zei hij zachtjes tegen haar, met een grijns op zijn gezicht. Hij bewoog zijn wenkbrauwen op en neer.

'Ik weet het, ik weet het,' zei Delia. Ze maakte een grimas naar hem. 'Maar misschien kun je eventjes kalmeren en een fles wijn voor me opentrekken.'

De meisjes kwamen in spijkerbroek en trui beneden, weer veranderd in jongeren, en met zijn allen dronken ze wat in de woonkamer – Evan een biertje, Tom een pure whisky en alle drie de vrouwen wijn. Tom pakte flink uit, zoals altijd wanneer er nieuw publiek voor zijn charmes was, al vond Delia dat hij met iedereen even hard flirtte.

Dankzij Carolees aanwezigheid waren ze echter allemaal levendiger dan gebruikelijk. Delia had de indruk dat met name Evan Tom bijna de loef probeerde af te steken door Carolee voortdurend met vragen te bestoken. Zij was door de aandacht van de beide mannen spraakzaam en vertelde hun haar levensverhaal, een verhaal dat Delia deels al eens eerder had gehoord – ze vertelde over de exotische plaatsen waar ze had gewoond vanwege de projecten waar haar vader als ingenieur bij betrokken was. Over de cultuurschok toen ze voor haar studie naar Amerika was teruggekomen. 'Ik had een accent,' zei ze, 'en iedereen dacht dat ik expres zo praatte. Een soort onbenoembaar quasi Brits accent. Ik weet het niet precies, misschien voor een deel Brits-Indisch, postkoloniaal.' Ze schudde haar hoofd bij de gedachte eraan, en haar prachtige haar golfde heen en weer. 'Iedereen had de pest aan me, ze vonden me vreselijk onecht. Ik moest mezelf bewust Amerikaanse uitdrukkingen aanleren.' Ze leek hun aandacht als iets vanzelfsprekends te beschouwen en er niet aan te twijfelen dat ze een fascinerend leven had geleid.

Nu wás het ook fascinerend, maar vooral omdat zij er zo levendig over kon vertellen. Ze was echter ook complimenteus. Op een gegeven moment wendde ze zich tot Delia en zei: 'Dit is echt geweldig.' Ze maakte een weids armgebaar. 'Ik wou dat ik hetzelfde kon als u: dit huis zo prachtig, zo smaakvol inrichten. Het ruikt zelfs lekker.' Ze lachte. 'Al die fantastische, vrouwelijke kwaliteiten waar ik als de dóód voor ben.'

'Stukje bij beetje zwicht je,' zei Delia. Ze schonk zichzelf nog een glas wijn in.

'O, u moet het woord "zwichten" niet gebruiken. Ik zou er alles voor overhebben om dat in mijn leven voor elkaar te krijgen.'

Delia wierp Tom, die aan de andere kant van de kamer zat, een glimlachje toe en was Nancy dankbaar dat ze het gesprek overnam en het bracht op het advocatenkantoor en het slappe koord waarop je als vrouw moest balanceren; je moest nuchter en competent zijn, maar ook vrouwelijk, en je mocht niet bedreigend zijn voor de mannen.

Delia stond op en liet de crackers, de kaas en het schaaltje met gekruide amandelen nog eens rondgaan.

Het gesprek ging over *Carnal Knowledge* en welk beeld daarin nu werkelijk van vrouwen werd gegeven. Ze discussieerden over *Portnoy's klacht*. Ze waren het er allemaal over eens dat ze *The French Connection* mede zo goed vonden omdat daarin niet van zo'n probleem sprake was; er kwam vrijwel geen vrouw in voor.

Later kwamen ze op een gegeven moment onvermijdelijk op de politiek: Carolee stelde Tom een vraag over de Pentagon Papers. Hij was mededeelzaam: hij had een groot aantal theorieën over de volgens hem complexe motieven van Daniel Ellsberg, die hij persoonlijk kende; hij zei echter dat hij blij was dat de documenten in de openbaarheid waren gekomen en dat in Washington iedereen steeds had geweten dat de regering loog. Volgens hem had de zaak Katherine Graham van de *Washington Post* succes gebracht en zou haar ster nog verder rijzen. Hij noemde haar Kay.

Carolee maakte op Delia een gelukkigere en levendigere indruk dan bij eerdere gelegenheden. Ze had een blos op haar wangen, maar dat kwam misschien door de wijn. Voor het eerst merkte Delia op dat een van haar lichtbruine ogen een tikje loenste. Als ze je aankeek raakte je ervan in de ban, van de intensiteit van haar blik, van het idee dat er een sterke wil sprak uit het loensende oog dat zich op je richtte.

Ze keek vaak naar Tom. Dat zou Delia in een andere situatie misschien hebben gestoord, maar op dit moment hier niet.

Later vroeg ze zich af waarom niet. Ze bedacht dat het kwam doordat Carolee nog zo jong was en doordat ze een vriendin van Nancy was. Of misschien kwam het doordat Tom tegenover haar de spot met Carolees schoonheid had gedreven.

Er waren echter nog andere redenen. Tom was de vorige avond in bed ongewoon teder geweest, en dat had de hele dag bij haar nagewerkt: het beeld van zijn lange lijf dat in het halfdonker over haar heen boog, het gevoel van zijn handen en zijn mond op haar lichaam.

Later op de avond, toen ze allemaal met een leeg glas in hun handen zaten, en hij een rampzalige kampeervakantie van jaren geleden beschreef, somde hij op met wat voor narigheid ze te kampen hadden gehad en wees om beurten iedereen aan. 'Zij kreeg *poison oak*, hij kreeg voedselvergiftiging en zij' – hij was bij Delia aanbeland en wierp haar zijn intieme lachje toe – 'was zo verbrand dat ze dagenlang geen enkele aanraking verdroeg.' Iets aan deze terloopse verwijzing naar hun intimiteit als huwelijkspartners, en misschien ook aan de dominante opsomming van zijn gezinsleden, bezorgde Delia een warm gevoel. Misschien werd ze erdoor gerustgesteld. Misschien was dat ook precies de bedoeling. In elk geval ontging het haar dat er tussen Carolee en hem een vonkje oversprong.

Toen ze de volgende dag van de keukentafel opstonden, viel Toms oog op haar boodschappenlijstje met de spulletjes die ze had vergeten of waarvan ze al niet genoeg meer had – ze was het niet meer gewend voor veel mensen te koken. Hij pakte het lijstje en bekeek het. 'Ik wil het graag nog even voor je gaan halen,' zei hij.

'Ja, zou je dat willen doen?' vroeg ze, en ze was hem dankbaar. Terwijl hij naar buiten ging om de auto warm te laten lopen, ging zij aan tafel zitten en schreef het lijstje over zodat het voor hem leesbaar was.

Nadat hij was vertrokken en zij de woonkamer had opgeruimd, de schone vaat uit de afwasmachine had gehaald en de vuile vaat erin had gezet, pakte ze een grote, crèmekleurige kom en de handmixer en legde de ingrediënten klaar voor de cake die ze morgen als dessert wilde serveren. Terwijl ze de droge ingrediënten zeefde, stormde Nancy de loperloze trap naar de keuken af. Ze droeg een spijkerbroek, een sweatshirt en witte wollen sokken. Ze had geen make-up op. Ze droeg haar haar strak naar achteren in een paardenstaart. Ze zag eruit als een schattig meisje van twaalf. Delia lachte haar toe.

Nancy vroeg Delia wat ze als lunch kon gebruiken. Delia stelde soep voor, met eventueel een sandwich. Nancy ging de voorraadkast in. Delia hoorde de deur van de koelkast opengaan. 'En Carolee?' riep ze.

'Hoezo: en Carolee?'

'Wil zij niet ook wat eten?'

'Mmmf,' zei Nancy. Al kauwend kwam ze de hoek om. Uit haar mond stak een wortel. Ze hield een stel plastic zakken onhandig tegen haar buik gedrukt. Ze zette ze op het aanrecht, haalde de wortel als een sigaret uit haar mond en zei, met de wortel tussen haar wijs- en middelvinger: 'Ze is met papa meegegaan. Ze wou nog wat inkopen doen in de stad.'

Delia keek naar haar op. 'Waarom ben jij niet meegegaan?' vroeg ze.

'Omdat ík geen inkopen hoef te doen.'

'Je zou haar gezelschap kunnen houden.'

'Mam,' zei ze. Ze rolde met haar ogen en stak de draak met de manier waarop ze zich een paar jaar geleden tegenover Delia had gedragen. 'Ze heeft toch gezelschap? Ze is met pap meegegaan. En ze is toch ook geen kind van tien? En niet invalide, of zo.'

'Je hebt gelijk. Je hebt gelijk,' zei Delia. Ze goot melk in het mengsel van bloem en suiker, en zette de mixer aan om niet meer te hoeven praten.

Ze bleven een paar uur weg. Delia hield zichzelf voor dat het niets te betekenen had. Hij liet haar de stad zien. Waarschijnlijk lunchten ze in het restaurant van het hotelletje op de campus dat hij zo leuk vond. Waarom niet? Tenslotte was hij haar gastheer.

Toen de cake klaar en afgekoeld was en Delia er het glazuur op had aangebracht, besloot ze de deur uit te gaan. Ze trok haar laarzen, haar jas en haar handschoenen aan en zette een muts op. Ze riep naar Evan en Nancy dat ze zo meteen weer terug zou zijn.

Het was bitter koud. Op de trottoirs langs Dumbarton Street lag een laagje ijs. Oude voetafdrukken waren in het korstige oppervlak aangevroren. Van de helft van de trottoirs was de nieuwste sneeuwlaag niet geruimd, en vaak ook eerdere lagen niet – 's winters nam iedereen de auto.

Delia stapte over de sneeuwhoop die aan de rand van het wegdek was opgeworpen en ging over de straat lopen. Het was erg rustig. Er kwam maar één auto voorbij. Haar laarzen knarsten over de brokken zout en grind in de bruine sneeuw. Haar adem vormde een dampwolkje dat pijn deed aan haar gezicht. Ze ging Main Street in en liep langs de lange huizenblokken het stadscentrum in. Ze passeerde een jong stel dat de andere kant op ging; allebei hadden ze zakken vol cadeaus bij zich. De jongen droeg een kerstmannenmuts. 'Vrolijk kerstfeest!' zei hij, en het meisje zei het hem na.

Delia dwong zichzelf tot een glimlach. 'Vrolijk kerstfeest,' zei ze.

Hoe dichter ze in de buurt van het winkelgebied kwam, des te drukker werd het met mensen die op het laatste moment nog inkopen deden. Ze moest zorgvuldig een weg over het trottoir zoeken om te voorkomen dat ze tegen iemand op zou botsen. Vanuit een van de winkels werden kerstliedjes de koude buitenlucht in geblazen.

Ze ging naar de Five&Ten. Ook daar waren kerstliedjes te beluisteren; een enthousiast koor bracht de niet-religieuze liedjes ten gehore – over de kerstman en zijn rendier. De verwarming in de enorme winkel stond te hoog, en zoals altijd rook het er naar oude koffie. Er was bijna geen mens in de zaak.

Ze liep de gangpaden door en deed artikelen in haar mandje, artikelen waaraan ze eerder niet had gedacht. Een vel karton met witte knoopjes erop, voor een overhemd van Tom waar een knoop af was. Garen. Een nieuwe haarborstel. Haarspeldjes. Notitieboekjes voor bij de telefoons. Schoenveters. Enveloppen van manillapapier en kantoorenveloppen. Extra pennen. Schoensmeer. Ze nam er de tijd voor. Toen ze klaar was en alles had betaald, ging ze met haar tas naar het lunchhoekje aan de voorkant van de zaak en dronk een kop van de afschuwelijke koffie.

Toen ze op de terugweg net weer Dumbarton Street was ingeslagen, gleed ze uit over het ijs. Tot vlak voordat ze de grond raakte maakte ze zichzelf wijs dat het zover niet zou komen, dat ze nog overeind kon blijven. Ze kwam op haar zij terecht en ging bijna languit, haar inkopen lagen naast haar verspreid over een bevroren gazon. Ze bleef even liggen en wachtte af tot de pijn en het smadelijke gevoel zouden wegtrekken; langs de sneeuwkorsten bekeek ze de goedkope, lelijke spulletjes die ze had gekocht. Toen ze alles voorzichtig opraapte, had ze zo met zichzelf te doen dat ze tegen haar tranen moest vechten.

'Hou op!' fluisterde ze fel.

Vanaf halverwege de straat zag ze de auto op de oprijlaan staan. Ze waren weer thuis.

Toen Delia het pad naar de voordeur op liep, wist ze niet precies hoe ze zich voelde – treurig genoeg was ze misschien wel opgelucht. Toen ze de deur opende was het stil in huis, en daarna hoorde ze Toms stem boven in zijn studeerkamer. Ze liet haar jas en haar inkopen op de bank in de hal vallen. In de keuken waren alle boodschappen die niet in de koelkast hoefden keurig op tafel gezet. Door Carolee? Door Tom? Delia ruimde ze op: havervlokken voor het ontbijt, extra fruit, Engelse muffins, suiker, jam, brood en bakpoeder. Alles leek zich in slowmotion af te spelen, zelfs hoe haar handen alle artikelen oppakten en op hun plaats zetten.

Toen ze naar boven ging hoorde ze de stemmen van Nancy en Carolee, nauwelijks hoorbaar boven de muziek die op Nancy's kamer op stond. De deur van Toms studeerkamer stond open, en hij zat nog altijd aan de telefoon. Vanachter zijn bureau zwaaide hij naar haar; hij grijnsde haar vrolijk en argeloos toe, om zich vervolgens in zijn draaistoel om te keren en verder te praten. Delia ging naar hun slaapkamer. Ze sloot de deur en ging op bed liggen.

Tom bleef het grootste deel van de dag op zijn studeerkamer telefoneren – Delia hoorde zijn stem als ze erlangs liep. Toen hij voor het eten tevoorschijn kwam om wat te drinken, was hij levendig en charmant, maar aan charme en vleierij had het hem geen moment ontbroken.

Carolee maakte echter in alle opzichten de indruk in een betere stemming te verkeren. Ze praatte meer en lachte vaker en harder. Haar haar en make-up waren tot in de puntjes verzorgd. Delia moest zichzelf ertoe dwingen normaal en vriendelijk te blijven klinken als ze het woord tot haar richtte.

Na het eten lieten Tom en zij het afruimen aan de jongeren over en gingen naar de dienst van tien uur in de episcopale kerk – bij hun huwelijk hadden ze daarvoor gekozen als compromis tussen de katholieke en de congregationalistische kerk. Onderweg in de auto zwegen ze, maar dat was ze gewend. Tom had gewoon zijn plotselinge inzinking nadat hij een tijd had gesprankeld van levenslust.

Ze parkeerden op het terrein achter de kerk en liepen naar de voorkant van het gebouw. Hoewel ze op een bank achterin gingen zitten, voelde ze bij hun binnenkomst wat voor opwinding Toms verschijning teweegbracht. Verschillende mensen die dicht bij hen zaten begroetten hem op fluistertoon en anderen draaiden zich om, met op hun gezicht een gegeneerd lachje omdat ze de senator hadden herkend – een lachje dat Delia maar al te goed kende. Het overkwam Tom zo vaak, en Delia stoorde zich er niet aan. Hem deed het goed, hij zoog het in zich op. Zij hoefde alleen maar terug te lachen en nietszeggende vriendelijke opmerkingen te maken. Maar als ze alleen was, toevallig opkeek en zag dat iemand wist wie ze was, wendde ze zich altijd af van de gretige blik en concentreerde zich op haar bezigheid van dat moment. Wanneer ze werd benaderd terwijl hij er niet bij was, voelde ze zich bijna gegriefd. Ze vond het vreselijk als haar privacy werd geschonden.

De dienst begon. Ze stonden op voor een welkomstgebed en een dankgebed, en staande zongen ze het eerste lied van de dienst: 'O Come, All Ye Faithful.' Bij Delia riepen de kerstliederen en de Bijbelteksten in deze tijd van het jaar herinneringen op aan haar jeugd, toen ze nog het idee had gehad dat ze gelovig was. Dat was niet meer het geval, maar juist deze dienst riep die gevoelens weer bij haar op en deed haar ernaar terugverlangen. Ze zag zichzelf weer naast haar ouders en haar oudere broer in de kerk op het dorpsplein in het stadje in Maine waar ze was opgegroeid; bij bepaalde gebeden en inspirerende schriftlezingen waren haar daar de tranen in de ogen gesprongen.

Voor Tom was het anders. Voor hem was deze dienst – en eigenlijk elke openbare bijeenkomst – vooral een optreden, zoals zoveel zaken in zijn leven. Zelfs terwijl ze met gebogen hoofd baden, voelde ze de energie van hem af stralen. Hij kwam onder al die blikken, te midden van al die mensen, extra tot leven.

Opeens ging er een golf van tedere gevoelens voor hem door haar heen. Een golf van medelijden. Wat had hij veel meer nodig dan zij! Het was voor hem veel moeilijker om geluk te vinden. Waarschijnlijk trok Carolee hem mede daarom zo aan en had hij mede daarom vandaag zo graag bij haar willen zijn. Een nieuw publiek. Een bekoorlijk nieuw publiek. Meer was het niet, dacht ze.

Ze bedacht dat dit een onderdeel van zijn dagelijks leven in Washington was: de knappe jonge secretaresses, de stafmedewerksters en stagiaires. En zoals daar niets bijzonders of bedreigends in school, zo was het voor haar ook niet bedreigend dat hij gevoelig was voor de charmes van Carolee en met haar flirtte. Ze pakte zijn hand even vast, en hij wierp haar een snelle blik toe en glimlachte.

Na afloop van de dienst wendde hij zich onmiddellijk tot de mensen in zijn omgeving, sprak met hen en schudde hun de hand. Hij legde steeds ook een hand op Delia – op haar schouders, op haar elleboog of op haar rug. Ze was nu een deel van hem – de senatorsvrouw – en maakte met hem de korte wandeling naar het gangpad; ze knikte mensen toe, groette hen en luisterde naar Tom. Hij vertelde iemand hoe prettig hij het vond om uit Washington weg te zijn, en Delia ontmoette zijn blik en maakte een grimas naar hem: *leugenaar.* Hij wierp haar daarop een krampachtig lachje toe. Met anderen sprak hij over het weer en over ijshockey. 'Vrolijk kerstfeest!' zei hij steeds weer. 'Vrolijk kerstfeest!'

Een man van in de veertig stelde hem een vraag over Vietnam en de dienstplicht. Hij zei dat hij een paar zonen in de tienerleeftijd had, en uiteraard...

'Ik denk er net zo over als u. Ik denk er net zo over,' zei Tom. 'We zijn ermee bezig. Als God het wil, is het voorbij voordat zij erheen moeten.'

Op de terugrit zwegen ze weer, maar toen ze Dumbarton Street insloegen en de oprijlaan op reden, merkte ze dat hij opleefde en aandachtiger werd. Misschien was het vanwege Carolee, maar het kon evengoed vanwege een van zijn eigen kinderen zijn. Ze liep samen met hem de trap op en de deur door.

Het was stil in huis. Op het tafeltje in de hal lag een briefje van Nancy, geschreven in haar ronde schoolmeisjeshandschrift: 'We zitten in de bioscoop. Misschien gaan we nog wat drinken. We komen laat thuis.'

'Ah,' zei Tom, en hij rechtte na lezing van het briefje zijn rug. 'Ze hebben de ouwe knarren in de steek gelaten.' Hij probeerde opgewekt te klinken, maar Delia hoorde de teleurstelling in zijn stem.

Hun dagindeling voor eerste kerstdag was zo onwrikbaar dat je van een ritueel kon spreken. De enige verandering die er in de loop der jaren in was geslopen, was dat Tom en Delia tegenwoordig veel vroeger wakker werden dan de kinderen. Vanochtend waren ze samen in kamerjas en op pantoffels in de keuken in de weer: ze zetten koffie, dronken die op en praatten op gedempte toon. Delia dekte de tafel in de eetkamer, en Tom zette de ingrediënten klaar voor het ontbijt dat hij op kerstochtend altijd klaarmaakte: bacon, Franse toast, jus d'orange en koffie.

Toen ze naar boven gingen om zich aan te kleden, liep Tom naar de kleerkast en haalde een vakkundig ingepakte doos tevoorschijn, in hun bewoordingen zijn échte cadeau voor haar. Dat was ook een ritueel: dat hij haar zijn cadeau gaf als ze met zijn tweeën waren. Het was altijd iets intiems of sentimenteels; hij wilde niet dat de kinderen zich er opgelaten door zouden voelen of er in hun gêne de spot mee zouden drijven, wat ze toen ze nog jonger waren wel hadden gedaan. Dit jaar kreeg Delia een juwelenkistje van donker, gepolijst hout; op het deksel was in ivoor een bloemmotief ingelegd.

'O, Tom, wat prachtig,' zei ze. Ze zat aan haar toilettafel voor de spiegel, met het kistje op schoot. 'Heel erg bedankt.' Ze streek er met haar vingers overheen. 'Het is schitterend.'

'Daarom was het het juiste cadeau voor jou.' Hij kwam overeind uit de stoel tegenover haar. Hij boog zich van achteren over haar heen en gaf haar een kus op haar wang. Ze keek naar hun spiegelbeeld in de ovale spiegel: haar waakzame gezicht dat haar aankeek, de bovenkant van zijn hoofd terwijl hij zich naast haar bukte, zijn armen die haar omvatten, zijn handen op haar ellebogen.

Toen stond hij op en verdween uit de spiegel, op weg naar zijn kleerkast. Achter zich zag Delia alleen nog hun lege bed. Een ogenblik later boog ze zich naar voren en begon haar haar te doen.

Om tien uur gaf nog niemand een teken van leven, en daarom zette Tom muziek op – het kerstgedeelte van de *Messiah*. Hij draaide het volume ver open. Na een poosje hoorden ze boven de douches lopen. Tom begon aan het ontbijt – Delia maakte de groente voor het diner al klaar, en de lamsbout kon zo de oven in.

Toen de jongelui beneden waren, ging iedereen naar de eetkamer voor het ontbijt. De ochtendzon viel door de hoge ramen naar binnen en reflecteerde op de glazen en het zilveren bestek. Tijdens het ontbijt danste het weerspiegelde licht in helle plekken langs de muren en het plafond. Evan vroeg Carolee wat haar ouders nu deden, en ze vertelde daarover en over de kerstvieringen in haar kinderjaren. Het leukst had ze de kerst in Noorwegen gevonden, waar ze twee jaar had gewoond. Bij de kerstviering van haar ouders mocht ze Santa Lucia zijn. Ze had toen een kroontje op, een krans met brandende kaarsjes erin. 'Dat vond ik geweldig. Voor een deel vanwege het gevaar, denk ik. Het idee dat het vuur zo dicht bij je haar en je hoofd was.'

Toen ze uitgegeten waren ruimden de kinderen af en dekte Delia de tafel opnieuw voor het diner. Terwijl ze de borden en het bestek neerzette, bedacht ze hoezeer de feestdagen haar herinnerden aan hoe haar leven was geweest toen de kinderen nog klein waren – elke maaltijd weer. Waarom was ze er niet gek van geworden? Hoe had ze zich er met zo'n overgave aan kunnen wijden? Wie was ze toen geweest?

Toen ze met hun bezigheden klaar waren, kwamen ze een voor een naar de woonkamer. Tom maakte de open haard aan. Delia had de lichtjes in de kerstboom ontstoken, ook al was hun schijnsel erg zwak nu via de ramen daglicht door de altijd groene takken viel.

Evan nam dit jaar Brads vaste taak op zich. Hij kroop onder de boom rond, koos cadeaus uit en bracht ze naar iedereen toe; hij probeerde daarbij evenwichtig te werk te gaan, zodat iedereen bij elke ronde wat kreeg. Delia had om dat mogelijk te maken wat extra cadeautjes voor Carolee gekocht, kleinigheidjes: lipstick in eenzelfde kleur als ze nu op had, een netje met chocolademunten, wanten en een pocketuitgave van *The Bluest Eye*.

Evan ging bij de verdeling van de cadeaus aanvankelijk zakelijk te werk – een efficiënte elf, noemde Tom hem. Maar toen hij er beter in kwam, maakte hij er bij de meisjes een hele vertoning van, vooral bij Carolee. Hij stond voor haar te draaien, maakte een buiging voor haar en sprak haar aan als 'uwe hoogheid' of 'mademoiselle'. De eerste paar keer speelde ze het spelletje mee, vervolgens deed ze of het haar irriteerde. Telkens wanneer hij Nancy of haar iets gaf, gooiden ze tot proppen verfrommelde stukken cadeaupapier naar hem toe. Hun stemmen klonken schel, en iedereen lachte.

Als Delia of Tom een cadeau uitpakte hield het spel even op, maar het begon weer opnieuw wanneer Carolee of Nancy aan de beurt was. Delia vond dat ze zich gedroegen als tieners – als spelende kinderen.

'Wat ben je toch een eikel,' zei Carolee, terwijl ze Evan weer op de korrel nam.

'Ah, de ware kerstsfeer,' zei Tom, en hij lachte Delia toe. Ze lachte terug.

Het diner was een langzame, feestelijke maaltijd, met voor elke gang een andere fles wijn en lange pauzes tussen de gangen. Toen ze toe waren aan het dessert en de koffie met een drankje erbij, werd het licht in de ramen in de eetkamer zwakker, om vervolgens te verdwijnen.

Opnieuw boden de kinderen aan om af te ruimen. De meisjes gingen eerst naar boven om zich om te kleden. Tom trok zich terug op zijn studeerkamer – de telefoon was die middag verschillende keren gegaan.

Delia ging bij de haard zitten om Brad te schrijven. Ze vertelde hem over het weer, over hun kerstdag zonder hem, over haar plannen om bij Evan te gaan leren skiën en over de bezigheden van zijn broer en zus. Ze stelde zich voor hoe Brad de brief drie of vier weken later zou lezen – dan zou hij aankomen in het bergdorp in Guatemala waar Brad verbleef. Ze zag zijn gezicht voor zich, rond en jongensachtig. Ze dacht aan de krullen achter in zijn nek. Ze miste hem. Ze hoorde de meisjes in de keuken, Toms stem die met tussenpozen vanuit zijn studeerkamer weerklonk en de muziek die Evan boven draaide.

Toen ze de brief af had, was het overal rustig geworden. Ze stond op en pookte het vuur op. Het laatste houtblok viel in knetterende, gloeiende stukken uiteen. Ze zette het scherm voor de haard.

Toen ze de hal in wilde lopen, zag ze Carolee halverwege de

trap, net bezig in de bocht uit het zicht te verdwijnen. Precies op dat moment kwam Tom ook de hal in, vanuit de keuken. Hij glimlachte toen hij Delia zag. 'Schat...' zei hij op zijn luchthartige, haastige toon, en Delia zag hoe Carolee zich, onzichtbaar voor hem, op de trap omdraaide met een opgewonden, verwachtingsvolle uitdrukking op haar gezicht.

Delia ging in Carolees blikveld staan en antwoordde hem: 'Wat?'

Toen Tom begon te praten – hij vertelde een verhaal over zaken in Washington –, zag Delia vanuit haar ooghoek Carolee snel de hoek om gaan en naar de eerste verdieping verdwijnen. Terwijl ze Tom uitvroeg en rustig bleef klinken, voelde ze haar hart tekeergaan. Ze zag opnieuw voor zich hoe gretig – nee, hoe begerig – het meisje had gekeken toen ze Tom 'schat' had horen zeggen, en ze wist, ze voelde, met onomstotelijke zekerheid dat er tussen hen al iets was begonnen.

Tom moest de volgende dag vroeg terug, dat vertelde hij. Er waren problemen met een wetsvoorstel dat vlak voor de kerst was aangenomen; er werd nog overleg gepleegd waarbij zijn aanwezigheid vereist was.

'Ik snap het,' zei ze.

'Zo gaat het nu eenmaal.' Hij hief zijn handen op, met de palmen omhoog – machteloos. Om zijn mond verscheen het lachje vol zelfspot. 'Ik vind het echt heel erg. Ik had gedacht dat we lekker lang samen vakantie konden houden.'

Delia wist zeker dat hij loog, maar dwong zichzelf hem te geloven, te geloven dat hij de waarheid sprak. Er wás een vergadering, er zou vergaderd worden, hij vond het jammer dat hij moest gaan. Op dezelfde manier had ze zichzelf gedwongen te geloven dat Carolee gisteren in de stad een hele stapel fotokopieën had moeten maken, dat ze op een andere klant had moeten wachten en dat ze daarom hadden besloten om ergens te gaan lunchen. Om ergens te gaan lunchen, om de boodschappen te doen die Delia nodig had en – jazeker – om een ritje door de stad te maken. En zelfs daarna hadden ze nog even moeten wachten toen ze de kopieën waren gaan ophalen.

Omdat Tom de volgende ochtend een erg vroege vlucht had, pakte hij die avond al zijn bagage. Hij had een taxi besteld die hem naar het vliegveld zou brengen. Delia lag in bed en keek toe hoe hij in de kamer bezig was. De geopende koffer lag aan haar voeten, en telkens wanneer hij er weer wat in legde voelde ze een plofje. Hij ging snel en doelmatig te werk. Hij had dit al honderden keren eerder gedaan.

Terwijl hij naast haar in bed stapte, zei hij: 'Wanneer denk je dat jij weer komt?' Zijn toon was iets te nonchalant, iets te ontspannen.

'Naar Washington?' zei ze. 'Dat weet ik niet. Evan blijft de hele week nog hier, dus ik wil er voor hem zijn. En ik heb ook nog een paar uitnodigingen aangenomen, maar die waren voor ons allebei bedoeld. Ik zie nog wel.'

'Laat je het me even weten?'

'Natuurlijk. Ik zal je niet onverwachts bespringen.'

'Eigenlijk klinkt dat wel interessant.' Hij gaf haar een flauw kusje.

Toen hij de volgende ochtend vertrok, waarschuwde hij haar dat hij tot heel laat moest vergaderen en telefonisch 'nogal onbereikbaar' zou zijn. 'Ik bel je zo gauw ik kan.'

Later die ochtend moest Carolee onverwachts ook weg, een dag eerder dan Nancy en zij hadden gepland. Ze moest voor haar werk nog iets voorbereiden waar ze in het weekend niet aan toe was gekomen omdat ze het zo gezellig had gehad. Ze moest er thuis even echt voor gaan zitten. Ze vermoedde dat ze er de hele nacht voor nodig zou hebben. Evan en Nancy brachten haar naar het station en zetten haar op de trein.

Die avond belde Delia Tom niet, en ook de volgende avond en de hele daaropvolgende week niet. Ze wilde de telefoon niet eindeloos horen overgaan in het lege huis in Washington.

HOOFDSTUK ZEVEN

Delia, voorjaar, zomer en najaar 1972

Nancy ontdekte uiteindelijk precies wat er was gebeurd. Een dag later gedroeg Carolee zich gegeneerd en nerveus tegen haar. Toen Nancy vroeg wat er aan de hand was, zei ze dat er niets was, helemaal niets. Maar daarna was ze nauwelijks meer thuis. Verschillende keren bleef ze de hele nacht weg en deed ze de volgende dag op het werk geheimzinnig over waar ze was geweest. Een paar weken later verhuisde ze. Ze vertelde Nancy dat ze had besloten dat ze een tijdje alleen wilde wonen. Ze had het idee dat ze de ruimte moest hebben, zei ze.

Maar al wilde Carolee niet met Nancy praten, ze praatte wel met verschillende anderen, die ook met Nancy bevriend waren. In haar opwinding over het romantische en erotische avontuur waaraan ze was begonnen, en verward en opgetogen als ze was over haar eigen aantrekkelijkheid, praatte ze zelfs haar mond voorbij. Ze praatte en liet vervolgens al haar toehoorders beloven dat ze het niet verder zouden vertellen.

Natuurlijk kwam Nancy er dus achter, en op haar beurt vertelde ze Delia wat Delia toch al had geweten vanaf het moment dat ze vanuit de hal had gezien hoe de mooie jonge vrouw op de trap zich gretig omdraaide bij het horen van Toms stem.

En nadat Delia het nog een hele winter had geprobeerd, nadat ze had ontdekt dat Tom nog contact met het meisje had lang nadat hij had gezworen dat het voorbij was, en nadat hij haar vervolgens had verteld dat hij Carolee niet kon en wilde opgeven, was Delia gevlucht. Naar Parijs, waar ze een poosje buiten schot was, waar ze rustig op een rijtje kon zetten wat ze verder wilde.

Ongeveer een week nadat ze in het appartement in het zevende arrondissement was getrokken, besloot ze halverwege de middag naar het Musée Rodin te gaan, een van haar favoriete openbare gebouwen in de buurt. Het was een warme dag, te warm voor eind april, en ze nam zich voor in de tuin verkoeling te zoeken. Ja, ze zou een wandeling maken en op een bankje in de schaduw tussen de prachtige rozen gaan zitten om haar aankomst in de stad te vieren – haar nieuwe leven.

Zo gezegd, zo gedaan. Ze kocht een kaartje en liep langs de zijkant van het prachtige oude *hôtel particulier* waarin het museum was gevestigd over het lange wandelpad onder de bomen naar de fontein toe. Maar zelfs in de tuin was het te warm, en op haar bankje raakte ze enigszins versuft. Ze stond op en liep over het grindpad langzaam naar het gebouw terug. Ze liep de trap op naar het brede terras aan de achterkant. Door de openstaande hoge glazen deuren ging ze het museum binnen.

Er waren zo laat op de dag niet veel mensen meer; ze liepen van het ene werk naar het andere en vormden daar kleine groepjes. Delia mengde zich onder hen en bewonderde de marmeren beelden en de kleimodellen. Maar het was binnen nog warmer dan buiten – de zalen lagen op het zuiden, en het zonlicht stroomde naar binnen. Delia voelde zweet opkomen bij haar haarwortels. Langs haar rug gleed een straaltje naar beneden, en daarna weer een straaltje.

Een deuropening gaf toegang tot een donkerder ruimte aan het einde van de laatste zaal die over het terras uitkeek. Ze liep erheen en ging een gedempt verlichte kleine zaal binnen. Het voelde er direct koeler, al kwam er geen frisse lucht binnen – het zaaltje had geen ramen.

Er waren geen beelden te zien, alleen glazen vitrines met tekeningen en kleine schilderijen die op ooghoogte aan de muren hingen. Delia ging vlak voor de dichtstbijzijnde vitrine staan. Er hingen verschillende snelle schetsen; voorstudies die Rodin voor de enorme beelden had gemaakt. Ze waren met potlood of een heel fijne pen getekend – de lijnen waren zo dun, zo vluchtig en iel dat je er in dit licht vlak voor moest gaan staan om ze te kunnen onderscheiden. Er waren ook schilderijen – aquarellen. Delia ging van de ene kleine, vage schets of kleurstudie naar de andere.

En toen bleef ze staan. Ze wilde zich afwenden, maar deed het niet.

Het was een liggende vrouw, gezien vanaf het voeteneind van een bed. Ze had haar benen wijd gespreid, haar bijna haarloze geslacht was geopend. Haar genitaliën waren met potlood ingetekend en over haar heen was een bleke laag aquarelverf aangebracht, in de honingkleur van haar huid; over het bed waarop ze lag was een diepgroen laagje geaquarelleerd. Het was liefdevol en met veel aandacht geschilderd, en uiterst erotisch. Je kon je met geen mogelijkheid voorstellen dat de man die dit had getekend en geschilderd na afloop niet naar dit model toe was gelopen en haar had geneukt.

Dat zag Delia er in elk geval in; naar haar idee was ze daarom hier terechtgekomen en was het haar straf om dit te moeten zien. Het vlees, de jeugd, de schoonheid en de seksualiteit van een andere vrouw zoals Tom haar zou zien, zoals Tom op haar zou reageren. De uitbeelding van zijn onontkoombare verlangen naar een ander.

Een stelletje – jonge hippies met rugzakken – kwam de zaal binnen. Toen ze haar zagen, een oudere vrouw alleen die in het zwakke licht voor een van de glazen vitrines stond terwijl de tranen over haar wangen rolden, bleven ze staan. Ze fluisterden iets tegen elkaar en vervolgens deinsden ze terug en verdwenen snel om de hoek in het felle licht van de zaal achter hen.

Slechts een paar dagen later belde Nancy; ze nam begin mei een week vakantie op en wilde naar haar moeder toe komen. Delia's eerste impuls was afwijzend. Haar bezoek aan het museum lag haar nog vers in het geheugen – ze had er versteld van gestaan hoe snel ze van de kaart raakte, hoe kwetsbaar ze was. En ze wist dat het zwaar zou zijn Nancy om zich heen te hebben – het was de hele winter zwaar geweest. Soms had haar dochter in Williston vanuit haar machteloze woede en haar intense gevoel te zijn verraden een bijna fysiek destructieve indruk op haar gemaakt. Op een keer had ze Delia toegeschreeuwd: 'Hoe kunnen ze zoiets doen? Hoe kun je ze zomaar hun gang laten gaan?' En daarbij was ze zo onbehouwen uit haar stoel opgestaan dat ze het glas en het bord op het tafeltje naast haar had omgestoten. En toen ze vervolgens de glas- en porseleinscherven op de vloer zag liggen, had ze opzettelijk ook het tafeltje nog omgegooid. Het leek wel of het verraad en het einde van het huwelijk van haar ouders haar evenzeer waren overkomen als Delia.

En in zekere zin was dat misschien ook zo, bedacht Delia. Nancy had als puberdochter haar vader geadoreerd, en zijn belangrijke positie betekende veel voor haar. Ze was altijd veel sterker dan Brad en Evan geneigd haar vrienden en vriendinnen te laten weten wie haar vader was – dat ze de dochter van de vooraanstaande senator Naughton was. Als hij thuis was, was ze niet bij hem weg te slaan.

Op zijn beurt gedroeg Tom zich tegenover haar veel flirteriger en verleidelijker dan tegenover de jongens, alsof hij tegen een vrouw niet anders kon, zelfs als die vrouw zijn dochter was. Als hij naar huis belde vroeg hij altijd als eerste naar haar. Tijdens haar studie zocht hij haar vaak op en nam hij haar mee uit eten in dure restaurants – ze dineerden dan met zijn tweetjes. Voor haar verjaardag gaf hij haar meestal sieraden.

Toen hij verliefd werd op Carolee, haar beste vriendin, en hij zijn gezin blijkbaar voor haar in de steek liet, was Nancy dan ook veel dieper geschokt dan Delia – die al niet meer tot zulke gevoelens in staat was –, en had Delia de eerste maanden na het einde van haar huwelijk haar handen vol aan het troosten van haar dochter. Het deed haar beseffen hoe leeg, dor en uitgeput ze was. In die periode had ze soms het idee dat ze, als ze alle narigheid had kunnen voorkomen, meer omwille van Nancy dan omwille van zichzelf zou hebben gevochten.

Maar nu ze het gezinsleven achter zich had gelaten en uit Williston en Washington was ontkomen naar een plaats waar niemand haar kende, meende ze dat achter de rug te hebben. Ze dacht dat ze egoïstisch kon zijn en zich alleen op zichzelf en haar herstel kon richten. Het idee dat Nancy weer in haar leven zou komen, met al haar woede en verdriet, kon ze bijna niet aan.

Maar Nancy was nu eenmaal haar dochter. Ze leed, en Delia begreep dat en hield van haar. En daarom stemde ze toe. Ze mocht komen.

De eerste paar dagen verliep het bezoek heel prettig. Het was in Delia's ogen een waar genoegen. Ze ontdekte dat ze het gezelschap van haar dochter had gemist – of misschien wel gezelschap überhaupt: in de maand die ze in Parijs had doorgebracht was ze te veel alleen geweest. Het was prettig om te praten. Om samen met iemand te eten en elkaar 's avonds welterusten te zeggen. Om iemand van wie je hield te kunnen aanraken.

Delia had Nancy verteld dat ze aan een taalcursus bij de Alliance Française was begonnen en daarmee tijdens haar bezoek zou doorgaan. En op maandagochtend ging ze inderdaad vroeg de deur uit, haar aantekenschriften als een schoolmeisje tegen haar borst gedrukt. Ze liep langs de Algerijnse en Marokkaanse straatvegers die op hun wonderlijke manier met behulp van oude stukken tapijt afvalwater het riool in werkten – intussen was Nancy, nog niet op de Europese tijd ingesteld, nog diep in slaap.

Na afloop van de drie uur durende cursus lunchte Delia met haar dochter in een restaurant waar ze hadden afgesproken. Het was een klein buurtrestaurant waar Delia zich op haar gemak voelde; het werd gedreven door een echtpaar van middelbare leeftijd dat Delia intussen al hartelijk begroette. Voor de ramen hing halflange vitrage. Niemand sprak er Engels en het menu was in het Frans – Delia vertaalde het voor haar dochter. Nancy vond het allemaal heel charmant.

Die eerste lunch was prettig. Delia was zoals gebruikelijk doodop van haar cursus en net als anders was ze ook opgewekt en opgelucht dat de les achter de rug was. Ze dronken samen een fles wijn en praatten en lachten volop.

Maar de volgende dag bracht Nancy aan het einde van de maaltijd het gesprek op Carolee, op Carolee en Tom en haar verontwaardiging; ze vond dat Delia even verontwaardigd moest zijn.

Delia probeerde een ander onderwerp ter sprake te brengen; ze vertelde Nancy dat ze er niet meer over wilde praten en dat ze er niet meer over kón praten, maar Nancy bleef er zelfs in het appartement over doorgaan. Het was voor Nancy niet voldoende dat Delia zei dat ze niet meer met Tom zou samenleven en dat ze, net als haar dochter, zijn gedrag verwerpelijk vond. Nancy wilde dat hij werd gestraft, dat hij werd ontmaskerd door een officiële scheiding, en ze bepleitte dan ook dat die er zou komen. Ze kon niet geloven dat Delia zo weinig agressiviteit aan den dag legde en niet kon zeggen wat ze ging doen.

Op woensdag schreef Delia voordat ze naar de cursus ging

Nancy een briefje dat ze er niet meer over wilde praten, dat ze zelf wenste te bepalen hoe ze het dilemma zou oplossen. Kon Nancy zich misschien voorstellen hoe pijnlijk het was dat met een ander te moeten bespreken? Ze verzocht haar haar eigen verdriet voor zichzelf te houden.

Daarna verliep alles vlotter, maar soms waren er nog momenten van spanning als ze allebei stilvielen en sterk beseften wat er niet werd besproken. Toch had Delia het idee dat ze tegenover haar dochter een noodzakelijke stap had gezet – noodzakelijk voor zichzelf. En toen Nancy vertrok, vatte ze met hernieuwde vastberadenheid haar eenzame bestaan weer op.

Nog vastbeslotener probeerde ze de Franse taal onder de knie te krijgen. Ze had geconcludeerd dat haar lerares bij de Alliance een raciste was. Ze bracht de meeste van hun gesprekken onverbiddelijk op de immigratie en de grote kwaden die daaruit voortkwamen, op de werkschuwe Afrikanen die op de zakken van de vlijtige Fransen wilden teren. Ze stak tirades en lange verhandelingen af.

Hoorde je zo met elkaar te converseren?

In de gebrekkige, rudimentaire gesprekken die zij en de andere cursisten er na de cursus in de wandelgangen en op de trottoirs over voerden, waren ze het erover eens dat het zo niet hoorde. Langzaam maar zeker begonnen ze hun lerares tegen te spreken en met haar te redetwisten. Delia werd echter belemmerd door haar geringe woordenschat en doordat ze maar moeizaam met andere tijden dan de tegenwoordige tijd en de *passé composé* overweg kon. Haar Frans was stijf, aarzelend en beperkt – misschien vergelijkbaar met dat van een beleefde, welopgevoede zevenjarige. Madame walste steeds weer over haar heen.

Delia besteedde meer tijd aan haar talenstudie, vastbesloten om aan het einde van de zomer tot een echt debat in staat te zijn. Dát werd haar bezigheid, in plaats van dat ze zich schaamde en treurde om Tom en het einde van haar huwelijk. In haar ogen was het een wonder, maar soms vergat ze het allemaal, als ze een uur of langer op een oefening ploeterde of langzaam uit een krantenartikel probeerde wijs te worden. Ze kon zich zo langzamerhand weer voorstellen dat haar leven doorging en haar nieuwe genoegens zou bezorgen.

Vanaf eind mei kwamen de brieven van Tom. De eerste was kort. Hij vroeg of ze misschien een mogelijkheid zag om in haar leven 'een deur voor hem open te houden'.

Ze wist niet wat ze daarop moest antwoorden. Een ogenblik was ze buiten zichzelf van vreugde, zo gelukkig dat ze haar hart kon horen bonzen toen ze de brief neerlegde. Bijna meteen daarna voelde ze zich door diezelfde vreugde vernederd. Twee dagen lang luisterde ze vrijwel alleen nog naar muziek; ze dronk er wijn bij en huilde. Ze schreef niet terug. Ze wist niet wat ze moest zeggen.

Hij schreef opnieuw, en uitvoeriger. Hij had een fout gemaakt. Carolee was een erg leuk meisje, maar zoals Delia al had gezegd: een meisje. Hij had nu geen contact meer met haar – hij moest eerlijk toegeven dat dat evenzeer door haar als door hem was besloten.

In haar antwoord wees ze erop dat hij al eens eerder had gezegd dat het voorbij was.

Hij schreef dat hij toen had gelogen omdat hij zo vreselijk bang was haar kwijt te raken.

Toen ze dat las was Delia eerst ongelovig, vervolgens geamuseerd en vervolgens woedend. Ze schreef Tom een lange brief terug waarin ze zei dat ze hem nooit meer zou kunnen vertrouwen, dat ze hem verachtte en dat ze van hem bevrijd wilde zijn.

Hij schreef opnieuw. Hij zei dat hij begreep hoe ze zich voelde, dat hij wist dat hij voor de zoveelste keer iets onvergeeflijks had gedaan; hij hoopte echter vurig – al besefte hij dat hij niets te hopen had – dat Delia hem kon vergeven, voor de zoveelste keer.

Toen bracht hij de campagne ter sprake, de campagne voor zijn herverkiezing, die al was begonnen. Bij het lezen van die passage verscheen er een bittere lach op Delia's gezicht. Dát was dus de onderliggende reden van de flikflooierij en de spijtbetuigingen.

'Het wordt niet zo lastig,' schreef hij, 'maar mijn tegenstander is een goede campagnevoerder, en het zal zeker in mijn nadeel werken als jij me niet terzijde staat en de geruchten op gang komen. Ik heb je nodig, zoals altijd.

Ik zou niet weten hoe ik het je zou moeten vergelden als je in staat zou zijn dit voor me te doen, maar ik verheug me erop bij je in het krijt te staan en alles voor je te doen wat je van me vraagt. En wat ik natuurlijk het allermeest hoop, is dat jij het over je hart zult kunnen verkrijgen om me te vragen weer terug te komen – op jouw voorwaarden. Naar zo'n verzoek zou ik me dolgraag schikken.'

Nadat ze een paar dagen had nagedacht, schreef Delia terug met de mededeling dat ze samen met hem campagne zou voeren.

Zelfs op dat moment wist ze niet precies wat haar diepste motieven waren om op zijn verzoek in te gaan. Ze wist niet of ze een eenmalig gebaar van goede wil wilde maken of een verzoening op gang wilde brengen. Misschien wilde ze alleen macht over hem uitoefenen, al was het maar voor even. Dat leek haar goed mogelijk, zoals het haar ook goed mogelijk leek dat ze hem ondanks haar emotionele verwarring werkelijk politieke hulp wilde bieden.

Ze wist in elk geval wel – of dacht te weten – dat ze hem niet in zijn politieke carrière wilde straffen voor wat hij haar persoonlijk had aangedaan. Ze geloofde in hem, in zijn strijd. Het was zijn allerbeste kant, een kant waarbij ze zich graag wilde aansluiten. Ze wilde in dat opzicht geen wraakzuchtig mens zijn.

In haar brief probeerde ze hem dat alles uit te leggen. Ondanks haar verwarring over haar eigen bedoelingen was ze zo eerlijk mogelijk.

Zijn volgende brief had een openhartige en opgewekte toon. Hij bedankte haar en hij haalde met voelbaar plezier herinneringen op aan voorvallen uit eerdere campagnes die ze samen hadden gevoerd.

Zij was in haar antwoord ook minder terughoudend en schreef voor het eerst over haar leven in Frankrijk, over de buurt en de lessen.

Daarna correspondeerden ze tot het einde van de zomer op een ontspannener toon. Hij schreef over hun wederzijdse vrienden in Washington; velen van hen praatten niet meer met hem. Zij schreef over Nancy en vertelde hoe diep hij haar had gekwetst en hoezeer ze van slag was. Hij vertelde haar dat hij Nancy en de jongens drie of vier keer had geschreven. Brad had een vriendelijk briefje teruggestuurd, maar Evan en Nancy hadden geen van beiden gereageerd. Uiteindelijk had hij ze allebei opgebeld. Nancy had meteen opgehangen toen hij zijn naam noemde. 'En kun je het haar kwalijk nemen?' schreef hij. Hij had een kort gesprek met Evan gevoerd, die, zo schreef hij, 'buitengewoon eerlijk voor zijn gevoelens uitkwam'.

Delia probeerde de *subjonctif* onder de knie te krijgen. Ze vond het bijzonder toepasselijk dat ze in deze vreemde stad op de aanvoegende wijs zat te zwoegen terwijl ze in de nabije toekomst onder vreemde omstandigheden moest leven, als een soort aanvoegsel, terwijl alles wat vroeger reëel voor haar was geweest een voorwaardelijk karakter had gekregen. Ze stelde zich voor hoe ze tijdens de campagne naast Tom zou staan, zo op het oog als liefhebbende echtgenote. En ja, daadwerkelijk als liefhebbende echtgenote. Want hield ze soms niet van hem? Was ze niet nog steeds met hem getrouwd? En toch stond ze zichzelf niet toe van hem te houden of zich als echtgenote te gedragen. Bestond er een werkwoordsvorm die uiting kon geven aan dat gevoel?

Om Tom te vermaken en misschien ook om hem te kwetsen beschreef ze dit in een brief aan hem: hoe ze zowel in haar cursus als in haar leven probeerde zo'n vreemde vorm onder de knie te krijgen.

En hij schreef haar terug, waar ze op had gerekend – had ze niet een reactie uitgelokt, zodat ze nog eens nee kon zeggen? –, en vroeg haar of ze niet oprecht wilde zijn wat ze bereid was geweest te veinzen.

Delia's cursus bij de Alliance was voorbij. Ze zou nog maar vier dagen in Parijs blijven. Ze was al begonnen haar bagage in te pakken. In haar appartement lagen stapels met boeken, met keurig opgevouwen kleren en met alle kleine spulletjes die ze had aangeschaft.

In het raam van de woonkamer van de conciërge hing al wekenlang een briefje met de mededeling dat er in het pand een appartement te koop was. Na haar gebruikelijke ontbijt te hebben genuttigd – koffie en een croissant van de bakker in het naburige pand – liep Delia de trap af naar het appartement van de conciërge en belde aan. Ze vroeg of ze de te koop staande woning mocht bekijken. De conciërge had het druk – Delia hoorde dat ze het gezin tijdens het ontbijt had gestoord. Terwijl ze stonden te praten kwam een van de kinderen naar het kralengordijn dat in de deuropening naar de keuken hing en sloeg kauwend op een groot stuk stokbrood zijn moeder en Delia gade – die maffe vrouw die het Frans van een klein kind sprak. De conciërge rommelde wat in de bovenste la van een bureau in de gang en haalde een sleutel tevoorschijn. '*Troisième étage, numéro deux*,' zei ze, en ze draaide zich om en stapte weer door het rammelende gordijn.

Delia drukte in de donkere hal op de lichtschakelaar, en het licht ging aan. De timer begon te tikken. Langzaam beklom ze de smalle treden van de stenen wenteltrap, zich vasthoudend aan de ijzeren leuning aan de muur. Ze kwam langs haar eigen deur op de eerste etage en ging nog twee trappen verder naar boven. Precies op het moment dat ze bij de deur van nummer 2 kwam hield de timer op met tikken en werd het weer donker in het trappenhuis, maar door het vuile dakraam boven in het pand viel genoeg licht om het Delia mogelijk te maken het sleutelgat te vinden en de sleutel in het slot te steken.

Ze liep naar binnen en trok de deur achter zich dicht.

In het lege appartement kon je de stilte bijna horen. De vloeren waren kaal, er was geen meubilair. Delia stond in een klein halletje, net zo'n halletje als zij beneden had. Toen ze de woonkamer in liep zag ze dat hij kleiner was dan de hare en dat dat kwam doordat de ramen uitkwamen op een balkon dat een deel van de ruimte in beslag nam, een balkon dat uitkeek over de binnenplaats van het pand. Ze liep de woonkamer door en ging de kleine, moderne keuken in; alles was maar de helft of zelfs een derde van wat in Amerika gangbaar was. De plattegrond was tot dusver identiek aan die van het door haar gehuurde appartement, maar de plafonds waren op deze etage veel lager en niet zo druk versierd. Delia vond dat het appartement er daardoor vriendelijker uitzag.

Ze liep de lange gang in, langs de wc en de kleine tweede slaapkamer, waarin Nancy beneden had gelogeerd. Ze opende de deur van de grote slaapkamer achter in het appartement. Net als beneden keken de ramen uit op de luchtkoker, maar van hieruit kon je als je naar boven keek de lucht zien. In de hele woning hing de heerlijke botergeur van de patisserie die op de begane grond in het naburige pand was gevestigd, een geur die 's ochtends ook tot haar lager gelegen appartement doordrong.

Door de lange gang liep ze terug naar de woonkamer en bewonderde het visgraatmotief van de oude parketvloeren. Ze opende een van de balkondeuren en stapte het balkon op. Het was ongeveer een meter tachtig diep en had een ijzeren balustrade. Vanuit de woonkamer kwamen drie dubbele deuren op het balkon uit. De luiken, waarvan de verschoten blauwe verf afbladderde, waren opengeklapt tegen de stenen muren. Op de binnenplaats onder Delia kwam een man met een aktetas door een van de gangen naar binnen. Terwijl zijn voetstappen weergalmden liep hij naar de deuropening die toegang gaf tot het hoofdgebouw en de enorme dubbele deuren aan de straatkant, en verdween erin.

Delia keek omhoog. De lucht had een diepe, nazomerse kleur blauw. Ze bedacht wat ze over een week zou doen: de optredens met Tom, de interviews. Ze bedacht dat ze daarna alleen in dit appartement zou kunnen wonen. Ze wist dat het een soort morele chantage was om Tom te vragen het appartement te kopen. Ze zou van hem profiteren en gebruikmaken van zijn wens om haar terug te krijgen, van zijn zondebesef en zelfs van zijn katholieke geloof. Maar ze wilde het. Ze kon zich voorstellen dat ze het zou doen.

Evan haalde haar op bij de terminal voor internationale vluchten en bracht haar naar Williston, waar hij sinds het einde van zijn zomerstage alleen had gebivakkeerd. Onderweg in de auto viel ze in slaap. Dat wilde ze niet; ze had gehoopt tot een uur of tien wakker te kunnen blijven om weer op de Amerikaanse tijd ingesteld te raken. Ze werd wakker toen Evan de oprijlaan op reed. Het verraste haar hoe blij ze was het huis terug te zien en de vertrouwde kamers in te lopen.

Nadat hij al haar bagage naar boven had gesjouwd en zij had uitgepakt wat ze voor die nacht nodig had, besloten ze een hapje te gaan eten in het café van het hotelletje aan de rand van de campus. Delia dacht dat ze buiten de deur makkelijker wakker zou kunnen blijven, en ze verlangde hevig naar een Amerikaanse hamburger. Het café was befaamd vanwege zijn hamburgers.

Verspreid over de grote gelagkamer zaten slechts enkele stellen, die meer van haar leeftijd dan die van Evan waren. Het was weliswaar vrijdag – normaal gesproken een drukke avond – maar de studenten waren nog niet terug van hun zomervakantie.

Ze namen plaats aan een van de lege houten tafels. Delia bestelde haar hamburger en Evan een Reuben-sandwich. Terwijl ze daarop zaten te wachten, bracht de serveerster Delia wijn en Evan bier. Het bier zat in een beslagen pul met inkepingen in de vorm van duimafdrukken in het dikke glas.

'Proost,' zei Evan, en hij nam een slok.

'Op jou,' zei Delia, en ze hief haar glas.

'Waarom op mij?' Hij zette zijn glas met een tik op het met kunststof gelamineerde hout van de tafel.

'Omdat je me hebt opgehaald en mijn chauffeur bent geweest. Omdat je je bezigheden voor mij hebt onderbroken. Omdat je zo'n goede zoon bent.'

'Tja. Ik maak me namelijk zorgen om je.'

Ze hief haar hand op. 'Moet je niet doen.'

Hij boog zich voorover en legde zijn ellebogen op de tafel. 'Mam...' begon hij.

'Niet doen, Evvie.' Ze schudde haar hoofd.

'Wat niet?'

'Je zorgen maken. Het gaat goed met mij.' Ze nam een slokje wijn. Die was zo koud dat hij bijna geen smaak had. 'Een tijd geleden ging het niet goed met me, maar nu wel.'

'Maar je gaat toch niet echt...' Zijn gezicht was pijnlijk vertrokken.

'Campagne voeren, bedoel je?' Direct nadat ze met Toms verzoek had ingestemd, had ze alle kinderen geschreven. Evan en Nancy hadden allebei laten weten dat ze het er niet mee eens waren, Nancy in een lang, moeizaam trans-Atlantisch telefoongesprek waarbij een kleine vertraging in de verbinding alles extra lastig maakte. Evan had haar een opgewonden brief gestuurd.

Hij slaakte een vermoeide zucht, alsof ze iets achterhield. 'Ja, en?' zei hij.

Even later zei ze: 'Ja, dat ga ik doen.'

'Nou, eerlijk gezegd snap ik daar niks van.' Hij klonk geprikkeld. 'Nan snapt het ook niet.'

'Jullie vinden dat ik het niet moet doen.'

'Mam...' Hij schudde zijn hoofd, zijn ogen groot van ongeloof. 'We wéten dat je het niet moet doen. Volgens mij weet je dat zelf ook.'

'Nee. Dat weet ik niet. Eigenlijk vind ik dat ik het wel moet doen.'

Hij maakte een grimas.

'Het is niet... Het zal niet meevallen, maar het punt is, ik gun het je vader. Dat hij wint. Het is alles voor hem. Ik wil dat hij wint.'

'Nou en? Laat hem maar zonder jou winnen dan.' Bij het laatste woord sloeg Evan zacht met zijn vuist op tafel. Hun glazen sprongen een stukje op, en een man aan een tafel aan de andere kant van de gelagkamer draaide zich hun kant uit.

'Maar met mij erbij maakt hij veel meer kans.'

Evan boog zich opeens over de tafel heen. Hij sprak op gedempte toon. 'Het is een truc, mam, heb je dat niet door? Om jou erbij te betrekken, om je terug te krijgen. En als hij je terug heeft, begint alles weer van voren af aan. Hij zal je gewoon dat soort dingen blijven aandoen.' Hij schudde zijn hoofd. 'Hier ligt een kans voor je, heb je dat niet in de gaten? Je kunt opnieuw beginnen. Je bent nog niet zo oud. Je kunt een nieuw leven beginnen. Je kunt gaan werken. Je zou zelfs een ander kunnen vinden. Iemand die... beter voor je zou zijn dan pap.'

'Evan.' Ze bracht haar hand over de tafel naar de zijne toe. 'Ik weet het... In jouw ogen moet het simpel lijken. Ik bedoel, hij hééft me slecht behandeld.' Ze glimlachte, maar hij reageerde niet.

'En hij heeft me pijn gedaan,' zei ze. 'En Nancy ook. En Carolee.'

Zijn uitdrukking veranderde. 'Carolee kan de kolere krijgen,' zei hij.

'Ja, daar kan ik in meegaan.' Ze leunde achterover. 'Carolee kan de kolere krijgen.' Het deed haar genoegen om dat te zeggen.

Hij reageerde met een snel lachje en enigszins opgetogen; zoals al hun leeftijdgenoten in Amerika waren hij en de andere kinderen de afgelopen jaren zulke taal gaan gebruiken, maar Delia zei zulke dingen nooit.

Een ogenblik later begon ze opnieuw. 'Het punt is dat ik van hem hou.'

Evan keek haar opeens niet meer aan.

'Ik denk niet dat ik nog met hem kan samenleven, maar ik wens hem geen narigheid toe, lieve schat. Ik hou van je vader. In heel veel opzichten is hij een bewonderenswaardig mens.'

Vervolgens kwam hun eten; Delia's hamburger rook verrukkelijk naar vet en bloed. Ze bestelde nog een glas wijn bij het serveerstertje, dat eruitzag of ze nog te jong was om alcoholische dranken te mogen schenken. Om überhaupt te mogen werken, zelfs. Een poosje gaven ze ketchup, mosterd, zout en peper aan elkaar door.

Al etend en drinkend vertelde Delia over Frankrijk. Ze vertelde welke Amerikaanse dingen ze naast hamburgers en haar kinderen nog meer had gemist. Haar wijn werd gebracht.

Ze wees naar een plek op haar eigen gezicht en zei tegen Evan: 'Mosterd.'

Hij pakte zijn servet en veegde langs zijn wang. Vervolgens keek hij haar een ogenblik roerloos aan. 'Je zegt dus dat je niet getrouwd blijft?' vroeg hij.

Ze legde het restant van haar hamburger neer. 'Op een andere manier dan vroeger, in elk geval.'

'Wat bedoel je daarmee?'

'Dat weet ik niet. Gewoon... dat het anders zal zijn. Ik kan me nu eenmaal niet voorstellen hoe we samen zouden moeten leven.'

'Nou, dat is in elk geval een hele opluchting.'

'Wíl je dat we uit elkaar gaan?' Ze was gechoqueerd.

'Dat wil ik niet per se.' Hij had zijn sandwich ook neergelegd. Hij keek even naar de tafel en toen weer naar haar. 'Ja, dus. Goed. Dat wil ik.'

'Maar betekent ons gezinsleven dan niets voor je?'

Hij snoof. 'Doe normaal, mam. Pap had met "ons gezinsleven", zoals jij het noemt, toch al weinig te maken, en hierna heeft hij er helemaal niets meer mee te maken.'

Natuurlijk, dacht Delia. Natuurlijk keken zij er allemaal zo tegen aan. Ze was door deze openbaring even van haar stuk gebracht: terwijl hun gezinsleven voor haar bestond uit de momenten die ze samen met Tom hadden doorgebracht, beschouwden Evan en de anderen hun gezamenlijke bestaan als iets wat alsmaar was doorgegaan, en dat betekende dat Tom er meestal niet bij was geweest.

'Kijk, ik bedoel het zo,' zei hij. Hij had zijn bord aan de kant geschoven, hij had zijn sandwich nog maar voor de helft op. 'Je kunt je toch niet voorstellen dat Nancy en ik ooit weer gezellig bij jullie zouden zitten? Dat jullie weer bij elkaar zouden zijn? Dat jullie zouden doen alsof alles weer goed was? Alsof pap niet iemand is die... weer zou kunnen doen wat hij jou heeft aangedaan.'

'Hij heeft het míj niet aangedaan.' Delia hief bij het uitspreken van deze woorden haar hand op en liet hem op haar boezem rusten.

'O, en wie heeft hij het dan wel aangedaan?'

'Hij heeft het gewoon gedaan. Zo zit het. Hij heeft het gedaan omdat hij niet in staat was het te laten. Zo zit hij nu eenmaal in elkaar. En dat is heel treurig. Maar ik hou al heel lang van hem en...'

'Weet je, jij brengt iemand ertoe.' Hij had zijn hand opgeheven en zijn wijsvinger uitgestoken. Het scheelde weinig of hij bewoog hem dreigend op en neer. 'Dat weet je, hè?'

'O, Evan.' Ze maakte een grimas. 'Dat is gewoon...'

Hij viel haar in de rede. 'Dat dóe je gewoon.' Opeens vond ze dat hij klonk als een klein kind. Een scheldend kind op een speelplaats.

'Dat zeg je niet, Evan. Het slaat nergens op.'

Vervolgens keek ze hem aan. Ze voelde zich beledigd. 'Denk je dat ik dit had kunnen tegenhouden? Denk je dat echt? Dat ík het op de een of andere manier heb laten gebeuren? Of dat ik het mogelijk heb gemaakt?'

'Ik denk dat als jij hem had gezegd dat je zou opstappen zo gauw hij naar een ander zou kijken – ja, dat het dan niet was gebeurd.' Hij draaide zich half om op zijn stoel, met een starre, onverdraagzame trek op zijn gezicht.

'Maar dat heb ik de eerste keer natuurlijk ook gezegd.'

'En ben je toen opgestapt?' Hij sprak opnieuw met stemverheffing.

Ze wachtte even voordat ze hem antwoord gaf. Ze zei: 'Dat was niet nodig. Hij maakte het uit en vroeg me hem te vergeven.'

'En dat heb je gedaan.'

'Ik hield van hem. Ik was er zeker van dat het niet weer zou gebeuren, want het was voor ons allebei erg traumatisch.'

'Maar het is wel weer gebeurd, hè?' Hij leek het bijna prettig te vinden om dat te zeggen.

Delia keek hem een ogenblik aan. Toen zei ze: 'Wat weet jij hiervan?'

'Wat Nancy me heeft verteld. Wat ik heb gehoord.'

'Ik weet zeker dat veel daarvan overdreven is.'

'Maar hij heeft steeds andere vrouwen gehad, dat is toch waar, hè?'

'Hij heeft er in de loop der jaren een paar gehad, ja.' Ze dronk wat wijn.

'En jij wist daarvan.'

'Nooit terwijl het speelde. Nee. Ik wist het niet.'

'Maar later wel.'

'Ik hoorde het. Ik hoorde waarschijnlijk een deel van wat jij hebt gehoord. En ik praatte er met hem over.'

'En je was bereid ermee te leven?'

'Nee.' Ze werd opeens kwaad. 'Hoor eens, Evan. Dit gesprek zint me helemaal niet. Op de een of andere manier gaat dit jou eenvoudigweg geen barst aan. Maar ik wil je wel vertellen dat als ik achter een van die affaires kwam, dat altijd pas na afloop gebeurde. Toen ik achter de eerste kwam, vertelde hij me dat er nog een paar andere waren geweest. Maar voor mijn gevoel was het nooit... bedreigend voor me. Of voor ons. Het was anders dan die laatste kwestie, met Carolee. Het was... Naar mijn gevoel was het een zwakte. Waarvoor hij van tijd tot tijd bezweek.'

'Dus als jij er maar niet van hoefde te weten, was het best.'

'Het was helemaal niet "best"! Het was in de verste verte niet best!' Zij was nu degene die met stemverheffing sprak; ze zweeg en keek om zich heen, maar het leek niemand te zijn opgevallen. Ze boog zich naar voren, met haar handen onder haar kin. 'Mijn hart brak. Mijn hart brak telkens weer. We worstelden ermee. We vochten. Maar we wilden man en vrouw blijven. Dat wilden we allebei.'

Evans gezicht was ondoorgrondelijk. Koud.

'Kijk, Evvie,' zei ze. Ze sloeg een zachtere toon aan. 'Als jij ooit trouwt, dan hoop ik, dan wens ik je toe, dat er maar één... dat jullie allebei voortdurend gek op elkaar zullen zijn. Dat geen van jullie beiden de ander zal kwetsen of pijn zal doen. Voor onszelf en voor jou wou ik dat papa en ik het zo hadden gedaan.'

Zijn blik ontmoette even de hare. Daarna keek hij naar zijn handen, die zijn glas omvat hielden.

'Dat is ons niet gelukt. Maar we hadden... Verder hadden we heel veel. En dat heeft ons bij elkaar gehouden. Daar hebben we veel aan gehad.'

'Tot nu dus.'

'Ja.'

Ze zwegen. In het café stond een jukebox, en iemand had een stel liedjes van Frank Sinatra uitgekozen. Op dit moment weerklonk 'Laura'.

'Maar je doet toch aan de campagne mee,' zei Evan.

'Ja.'

Hij zuchtte. 'Oké dan.'

'Ik hou nog altijd van hem, Ev.'

Hij haalde zijn schouders op. Ze aten hun bord leeg. Ze bespraken andere dingen. Wanneer de colleges weer begonnen. Welke vakken hij volgde. Wat ze van Brad had gehoord.

Toen Delia had betaald en ze opstonden, lachte hij haar toe – bijna treurig, vond ze. 'Nou, dan zie ik je in november wel weer.'

De volgende ochtend vroeg laadde hij zijn spullen in zijn auto en vertrok naar zijn universiteit in New Hampshire.

In de trein naar New York kon Delia zich niet voorstellen hoe het zou zijn om Tom weer te zien en bij hem te zijn. In feite was ze bang, en terwijl ze het droge septemberlandschap en de uitgeleefde, stoffige steden voorbij zag flitsen besefte ze dat haar hartslag van tijd tot tijd versnelde en dat ze buiten adem was. Ze had een boek bij zich, maar deed zelfs geen poging erin te lezen. Ze zag hoe buiten het raam het landschap veranderde – de moerassen, vervolgens het staalblauwe water en vervolgens de achterbuurten van steeds andere kleine stadjes in New England – en werd door herinneringen besprongen.

Ze herinnerde zich dat Tom haar had beloofd dat hij nooit meer contact met Carolee zou hebben. Hij had zijn gezicht van haar afgewend en liet schijnbaar verslagen zijn schouders hangen. Ze herinnerde zich hoe hij tegenover haar in de keuken in Williston had gezeten nadat ze had ontdekt dat hij had gelogen, nadat ze hem telefonisch had meegedeeld dat het voorbij was, dat ze opstapte en bij hem wegging. Voor haar gevoel had ze daar uren gezeten, terwijl de tranen over haar wangen liepen en hij vertelde dat hij zijn best had gedaan, maar Carolee niet kon opgeven. Terwijl ze bespraken wanneer hij had gelogen en wanneer hij de waarheid had gesproken. Terwijl ze zei dat ze niet kon geloven dat hij een vrouw had gekozen die zijn dochter had kunnen zijn. Dat hij niet inzag, of niet wilde erkennen, dat er wat scheef zat, dat het oneerlijk was tegenover Carolee. 'Natuurlijk aanbidt dat meisje je. Dat is een logisch gevolg van dat verschil, van die voorsprong die jij op haar hebt.' Doordat ze zo lang had gehuild, klonk haar stem hees en gebarsten.

'Ze is geen meisje meer, Delia.' Hij klonk kalm en redelijk. 'Toen jij zo oud was als zij, waren wij al ruim vijf jaar getrouwd. Jij was toen ook geen meisje meer.'

'Maar jij was geen dertig jaar ouder dan ik,' zei ze op schelle toon. 'Jij had niet zo'n voorsprong op me... waarmee je me kon verblinden. Wij waren onszelf.'

'Bij haar ben ik mezelf,' zei hij, en Delia lachte, al huilde ze tegelijk.

Delia huilde om wat er met haar leven was gebeurd, omdat ze zo dom was geweest, omdat ze al zo oud was, omdat ze ijdel was geweest. Tijdens hun gesprek had ze gegild en gejammerd. Hoe was het mogelijk dat ze zoveel tranen had? Ze voelde dat haar ogen en zelfs haar lippen gezwollen waren. Op een gegeven moment was ze bijna in haar eigen pijn gestikt en was Tom naar haar kant van de tafel gelopen om haar op haar rug te kloppen. Haar afschuwelijke rug! Haar oude, knokige schouders! Ze kromp voor hem ineen. Ze wilde niet dat hij haar aanraakte, dat hij medelijden met haar had.

Toen ze gekalmeerd was en ze weer tegenover elkaar zaten, zei hij op zachte, tedere toon dat hij haar boven alles toewenste dat ze net zo gelukkig zou worden als hij. Delia had daar vaak over nagedacht, met grotere bitterheid dan over bijna wat ook.

En desondanks was ze simpelweg blij toen ze hem in de lobby van het hotel in New York zag. Hij was Tom. Hij was zo zichzelf, zo onveranderd. Ze vond hem zo mooi.

Toen haar oog op hem viel, stond zijn gezicht ernstig; hij

stond dicht bij de glazen deuren van de lobby naar de voetgangers te kijken die onder hun zwarte paraplu's voorbijsnelden. Hij droeg zoals gebruikelijk een duur pak en een licht overhemd. In zijn blonde haar glansde meer zilver dan ze zich kon herinneren. Toen hij zich omdraaide en haar zag, lichtte zijn gezicht op in een glimlach. Of misschien lachte zij als eerste en reageerde hij daarop, dat wist ze niet precies. Misschien hadden ze allebei tegelijk hetzelfde gevoel van vertrouwdheid en onveranderlijke liefde, ongeacht wat er tussen hen was gebeurd. Ze huilde. Ze huilde onder zijn eerste omhelzing, ze huilde toen ze vreeën.

Daarna gingen ze naar beneden en maakten een stevige wandeling door de fijne motregen; ze hielden elkaars hand vast en zeiden nauwelijks een woord. Allebei waren ze overrompeld door het gemak en de heftigheid waarmee ze hadden gevreeën. Misschien had Tom net als Delia niet gedacht dat ze nog zouden vrijen en misschien vroeg hij zich ook af wat het betekende.

Ze zagen een bar die hun met zijn zinken tapkast en fonkelende verlichting wel wat leek. Goed beschouwd deed hij Delia aan Parijs denken. Het was er rustig op dit tijdstip – even na vieren. Ze gingen aan de bar zitten en keken toe hoe voor hen een knappe jonge vrouw hun oesters openbrak. Delia had het gevoel dat er iets was veranderd. Ze had greep op haar eigen leven, dacht ze. Misschien zelfs op wat zich tussen hen afspeelde.

Ze zei: 'Het wordt voor mij van bijna essentieel belang om aan al dit gedoe te kunnen ontsnappen, om het zo nu en dan even heel ver achter me te kunnen laten.'

Hij begreep haar niet goed. 'Washington?' vroeg hij.

Ze lachte. 'Ik betwijfel of ik, als deze campagne voorbij is, ooit nog een voet in Washington zal zetten.'

Hij keek haar strak aan en wendde vervolgens zijn blik af. Een gevoel van opgetogen zorgeloosheid kwam over haar. Ze was zo vrij geworden! Hij had haar zo diep gekwetst dat ze kon doen wat ze wilde en kon zeggen wat ze wilde.

'Nee, ik bedoel dat ik echt ver weg wil zijn,' zei ze. 'Ergens waar ik niet door journalisten kan worden gebeld, waar ik geen uitnodigingen kan krijgen en waar ik kan verdwijnen – van de Amerikaanse aardbodem, in elk geval.' Ze legde haar hand op haar boezem en sloeg een theatrale toon aan. 'Waar ik kan ontsnappen aan de begrenzingen van jouw bestaan.'

'Delia.' Hij zat aan de bar naar haar toe gekeerd, en nu boog hij zich naar haar toe en pakte haar bij haar elleboog. 'Jij zult altijd een plaats in mijn leven hebben, Delia. Je zult altijd een centrale plaats in mijn leven innemen.'

'O Tom, alsjeblieft,' zei ze, op plotseling ongeduldige toon. En vervolgens bedacht ze dat ze een uur geleden, tijdens het vrijen, stilletjes had gehuild. Dat hij ook had gehuild. Ze kreeg een brok in haar keel. Even zaten ze zwijgend tegenover elkaar. Ten slotte zei ze op zachte toon: 'Het gaat hierom: ik wil graag terug naar Parijs. Ik wil in elk geval een deel van mijn tijd in Parijs doorbrengen. Ik spreek de taal nu enigszins, en daar kan ik verdwijnen.'

'En dat wil je: verdwijnen?' Zijn toon was verbaasd, zijn gezicht, dat en profil in de spiegel achter de bar zichtbaar was, stond verdrietig.

Delia was ook verbaasd, omdat hij hier verdrietig van werd. Omdat zij hem verdrietig kon maken. Ze wilde hem opvrolijken. 'Nou, als alternatief voor mezelf wegcijferen is het toch heel aantrekkelijk. Weer eens iets anders.' Ze maakte een wuivende handbeweging. 'Weg naar Parijs.'

'Dat is niet leuk, Delia.'

Ze draaide zich om en keek hem recht in de ogen. Zijn gezicht stond somber, zijn mond was smal en strak. Ze rechtte haar schouders. 'Ah,' zei ze, op gedempte toon. 'Dus jij mag ervoor zorgen dat ik dood wil, maar ik mag daar niet met je over praten.'

'Jij wílt niet dood,' zei hij fel. Hij pakte haar handen, bracht ze naar zijn mond en kuste ze.

Delia vlijde zich tegen hem aan, met haar voorhoofd tegen zijn kin. Toen ging ze met een ruk rechtop zitten. 'Nee. Niet meer. Maar ik wil wel verdwijnen.'

'En als ik nu eens niet wil dat jij verdwijnt?' vroeg hij.

Ze dacht even na, want ze wilde er zeker van zijn dat ze niet vanuit bravoure sprak. Toen zei ze: 'Nou, daar heb jij niets meer over te zeggen.'

De jonge vrouw zette de oesters op hun bedje van ijs voor hen neer. Tom besprenkelde ze met citroensap en ze aten er langzaam van, genietend van de zilte, zweterige, dierlijke smaak. Tom bestelde nog twee glazen martini. Delia beschreef het appartement in Parijs, en Tom zei dat hij dacht het wel te kunnen regelen.

De daaropvolgende drie ochtenden ontwaakte Delia naast Tom in steeds andere hotels. Ze dronken koffie op hun kamer en voerden nietszeggende, tedere gesprekjes terwijl ze in de weer waren met wassen, aankleden en het pakken van hun bagage. Delia was op die momenten gelukkig. Gelukkig als aanvoegsel, dacht ze, maar het gevoel begon haar te bekruipen dat ze dit nooit helemaal zou kunnen opgeven. Op een van die dagen vreeën ze voordat ze goed en wel wakker waren, en na afloop was Delia nog helemaal in de ban van de sensatie die ze had ondergaan toen ze ontwaakte en hij al in haar was: dat ze een deel van elkaar waren, dat ze één waren.

Toen ze uitgevreeën waren stak Delia zich in wat ze als haar vaste kostuum beschouwde. Ze gingen hun kamer uit en werden direct omringd door Toms staf en vervolgens door Toms aanhang. Ze werden simpelweg de kandidaat en zijn echtgenote.

Het was Delia's taak om er zo aantrekkelijk mogelijk uit te zien, Toms toespraken aandachtig en verrukt aan te horen en opgewekt antwoord te geven op de vragen die haar werden gesteld. Op de eerste dag handelde ze één evenement in haar eentje af, een lunch met politiek actieve vrouwen uit de hele staat. Toms tekstschrijvers hadden haar daarvoor van een tekst voorzien, die ze voordroeg nadat ze er wat kleine aanpassingen in had aangebracht.

In de loop van die week begon het Delia langzaam te dagen dat alle journalisten die haar vragen stelden wisten dat Tom en zij uit elkaar waren geweest, en dat een aantal van hen waarschijnlijk ook van Carolee op de hoogte was. Het drong tot haar door dat Tom, gezien zijn achteloosheid daarover, moest hebben geweten dat dat het geval was. Dat hij – anders dan zij – had begrepen, móest hebben begrepen, dat wat hij van haar verlangde mede deze beproeving inhield.

Ze dacht aan de vriendinnen die haar 's winters hadden verteld hoe indiscreet hij was geweest, dat hij veelvuldig met Carolee in New York en Washington was gesignaleerd. Een van hen, Madeleine Dexter, was hen tegen het lijf gelopen toen ze een restaurant in Washington uit kwam. Ze zei dat hij haar, ondanks alle signalen die ze had uitgezonden dat ze er niet van uitging hem te moeten begroeten, aan Carolee had voorgesteld en duidelijk had verwacht dat zich een vriendschappelijk gesprek met haar en haar man zou ontspinnen. 'Is hij soms gek geworden?' had ze Delia gevraagd.

De vragen waren niet brutaal of agressief – de tijd waarin dat zou gebeuren moest nog komen –, maar hielden wel aan. En ze werden gesteld op een licht geamuseerde, maar scherpe toon die aan Delia overbracht: *We weten allebei heel goed waar het eigenlijk over gaat, nietwaar?* 'Is het niet moeilijk om het politieke handwerk weer op te pakken nadat u er zo lang uit bent geweest?' 'Wat kan de Amerikaanse vrouw van de Franse vrouw leren op het gebied van glamour?' 'Hoe vaak denkt u in Washington te zullen zijn als de senator herkozen wordt?'

'Wannéér hij herkozen wordt,' verbeterde zij, en er werd gelachen. Dit was de tweede dag. Ze stond, na een ontbijt met plaatselijke zakenlieden waar Tom had gespeecht, in een hotellobby met drie of vier journalisten te praten. Tom stond achter haar, iets opzij. Ze voelde dat zijn blik voortdurend op haar rustte. 'Mijn antwoord daarop is dat ik altijd het merendeel van mijn tijd in Williston heb doorgebracht. Ik woon in deze staat, net als de senator en onze kinderen, en ik hoop dat ik dat nooit zal vergeten.'

Later op die dag stelde een jonge journaliste in een zo kort rokje dat Delia haar onderbroek kon zien nadat ze was gaan zitten – ze zag zelfs dat het een gestreept broekje was –, de vraag bijna op de man af: 'We hebben u aan het begin van de campagne moeten missen, en ik weet dat er vragen over uw afwezigheid zijn gerezen. Zou u daar misschien op willen reageren?'

Ze zaten in de zitkamer van de hotelsuite die Tom en zij hadden betrokken. Eerder had een fotograaf Delia op de gevoelige plaat vastgelegd als ze aan het woord was, maar hij was vertrokken naar een andere locatie waar iets met nieuwswaarde plaatsvond. Voordat Delia antwoord gaf keek ze een ogenblik uit het raam, naar de regen. Toen draaide ze zich om en wierp de jonge vrouw een vlak lachje toe.

'Welnu, uiteraard ben ik instinctief geneigd te zeggen dat dat een privékwestie is, dat het volstrekt niets te maken heeft met de opmerkelijke staat van dienst van mijn man, met de grote... kwaliteiten waaruit hij in zijn tweede ambtstermijn zal kunnen putten. Weet u, we zouden het moeten hebben over de economische situatie in de staat, over de oorlog en wat de oorlog betekent voor sociale programma's.' Ze haalde haar schouders op. Ze lachte de journaliste toe – vriendelijk, hoopte ze. 'Maar ik begrijp dat de mensen er belang in stellen om dit soort dingen over de senator en mij te weten. Dat het, om zo te zeggen, onderdeel is van het totaalpakket.'

De jonge vrouw knikte en schreef verder in haar notitieboek. Ze had een eigenaardig kapsel, met een pony die Delia aan Mamie Eisenhower deed denken. Was dat bij jongeren weer in de mode?

Delia haalde diep adem en ging verder. 'Laat ik dus zeggen dat ik vind dat het huwelijk een prachtig, maar complex instituut is. Ik denk dat er in elk langdurig huwelijk problemen voorkomen, ups en downs. Ik zou de mensen willen vragen dat te respecteren. Maar ik voer campagne met de senator omdat ik een diepe band met hem heb. Omdat ik in hem geloof. Omdat ik geloof dat hij een tweede ambtstermijn verdient en die op een briljante manier zal vervullen, en omdat ik van hem hou. Omdat ik er trots op ben zijn echtgenote te zijn.'

Pas laat op die avond, toen ze met Tom alleen was, had Delia er met hem over kunnen praten. Ze was het van plan. Maar ze deed het niet. Nadat alle campagnemedewerkers de suite hadden verlaten, en nadat Delia de glazen, het papier en de borden had opgeruimd en de roomservice had gebeld om ze te komen halen, kleedden ze zich uit, namen een douche en keken samen in bed naar het nieuws van elf uur. Er was een leuk item over Toms onverwachtse bezoek aan een eethuis in een stadje dat ze die middag hadden aangedaan, en er was een kort fragment uit zijn speech van die ochtend, waarin hij geestig en innemend overkwam. Tijdens zijn toespraak draaide de camera naar haar toe, en ze lachte. Keurig. Ze wachtten op de laatste peilingen, die een medewerker van Tom al met hen had besproken. Vervolgens keken ze naar sport, want Tom wilde de honkbaluitslagen weten, en naar het weerbericht, om erachter te komen wat hun de volgende dag te wachten stond. Nog meer regen. 'Verdorie,' zei Delia. Toen ze de tv had uitgezet draaide ze zich naar Tom toe, maar hij sliep al. Zijn gelaatstrekken waren verslapt, zijn mond hing een stukje open.

Aan het einde van de volgende lange dag reden ze met de campagnestaf in een soort optocht terug naar het huis in Williston; acht of negen mensen volgden Delia en Tom naar de voordeur. Delia was slechts twee dagen na haar terugkeer uit Parijs naar Tom in New York toe gegaan, en ze was er niet op voorbereid dat het huis als hoofdkwartier voor de campagne moest dienen; ze had daar geen rekening mee gehouden. Nog voordat ze haar jas had uitgetrokken belde ze naar Tony's om pizza's te bestellen. Ze stuurde een van de medewerkers op pad om extra bier en wijn te gaan halen. Ze had een flinke voorraad sterkedrank in huis, en twee flessen wijn die ze na haar thuiskomst voor zichzelf had gekocht. Ze zette de flessen klaar met ijs en water erbij, en verschillende stafleden schonken zichzelf direct een glas in. Ze haalde het grote koffiezetapparaat tevoorschijn en zette, terwijl de koffie doorliep, mokken, melk en suiker klaar. Toen de pizza's kwamen zette ze ze met borden, papieren servetten en bestek op de eetkamertafel neer. Ze zette ook een schaal met fruit neer, al wist ze dat bijna niemand de vruchten zou aanroeren.

In de woonkamer werd het programma voor de week doorgenomen. Tom werd de volgende dag weer in Washington verwacht – hij zou later die avond het vliegtuig nemen. Hij zou er anderhalve dag blijven om aan een paar cruciale stemmingen mee te doen. Aan het einde van de tweede dag zou Delia zich bij hem voegen voor een volgende driedaagse trip, die zou beginnen met een strandpicknick in East Harbor, bij het zomerhuis van een belangrijke geldschieter die, zoals ze zeiden, 'even goede sier wilde maken'. Pamela, Delia's stafmedewerker, vertelde haar dat ze die lui al eens eerder had ontmoet. Toen Delia zei dat ze zich dat niet herinnerde, maakte Pamela een aantekening dat ze haar wat achtergrondinformatie moest geven. Steve Pearson gaf haar een exemplaar van het programma voor de komende dagen, en de tekst voor nog twee korte praatjes die ze moest houden. 'Je mag het naar believen aanpassen,' zei hij, 'maar je weet:' – en hij grijnsde – 'alsjeblieft niets veranderen.' Ze excuseerde zich, terwijl zij doorgingen over de stemming in de Senaat, over de kleine wijziging die Tom in zijn taalgebruik moest aanbrengen als hij daar in het openbaar over sprak.

Ze ging naar boven en nam een warm bad. Ze voelde zich in de steek gelaten. Ze had gedacht dat Tom thuis zou overnachten, en dat ze nog hadden kunnen praten. Maar misschien was het maar beter zo. Ze was uitgeput.

Toen ze tussen de koude lakens gleed, hoorde ze beneden nog hun stemmen en zo nu en dan een lachsalvo. Het stonk in huis naar sigarettenrook, en ze was er vrij zeker van dat ten minste één van de aanwezigen een sigaar had opgestoken. Het kon Tom weleens zijn, die zo nu en dan graag een sigaar rookte.

Het was allemaal heel vertrouwd, en toch anders. Vroeger hadden de kinderen vrij van school gekregen om aan de campagnes te kunnen meedoen. Ze hadden ook hun vrienden en vriendinnen gerekruteerd. Vaak waren er drie of vier kinderen en jonge campagnemedewerkers; alle bedden in huis waren in gebruik, en sommigen sliepen op de bank of op een luchtbed op de vloer. Ze hadden de campagne zowel vanuit hun huis als vanuit de lokale kantoren in de hele staat gevoerd, en telkens wanneer je binnenkwam voelde je hoe het in huis gonsde van activiteit. Overal lagen posters en flyers opgestapeld, post die nog beantwoord moest worden lag op de eetkamertafel gesorteerd en de telefoon stond niet stil. Delia had in de keuken grote koelboxen neergezet en zorgde dat die steeds met cola en bier gevuld waren. De koffiepot stond voortdurend te pruttelen.

Ze had daarvan genoten, van het idee dat hun hele leven en het leven van de kinderen in dienst van de campagne stond.

Dit keer had Tom noch zij het ontbreken van de kinderen ter sprake gebracht, maar in haar ogen symboliseerde het alles wat kapot was gegaan. Ze dacht aan de zorgvuldig geformuleerde brief die Brad haar had gestuurd, waarin hij schreef dat ze, ongeacht wat ze besloten, altijd zijn ouders zouden blijven. Ze dacht aan Nancy, die in haar verdriet wild om zich heen sloeg en Delia er soms de schuld van leek te geven dat zij haar vader was kwijtgeraakt. Ze dacht aan Evan en het gesprek dat ze pas het afgelopen weekend met hem had gehad, aan zijn hevige woede over haar voornemen.

Tom kwam voordat hij naar het vliegveld vertrok nog even boven om Delia welterusten te zeggen. Ze lag nog wakker, met de deur open, zodat het licht van de overloop de kamer in scheen. Tom ging op de rand van het bed zitten. Ze merkte aan hem dat hij gelukkig was. Ze vertelde hem niet over de vragen van de journaliste en hoe kwetsbaar ze zich had gevoeld. Ze liet hem in de waan dat ze zo stil was omdat ze uitgeput was en misschien nog wat last van jetlag had. Nadat hij haar had gekust en was opgestaan, bleef hij nog even in de deuropening naar haar staan kijken. Ze kon zijn gezicht niet zien, maar op een toon die overliep van tederheid en vreugde zei hij: 'Leuk is dit, hè?' Hij klopte zachtjes tegen de deurpost en ze hoorde zijn trouwring tegen het hout tikken. 'Dank je wel.'

HOOFDSTUK ACHT

Meri, december 1993

'Je bent zwanger,' zei Delia toen Meri aanstalten maakte haar jas uit te trekken.

'O ja?' zei Meri. Ze sperde in gespeelde verbazing haar mond en ogen open en keek naar zichzelf, naar de ronding van haar buik onder Nathans elastische wollen trui.

'Of toch niet?' Delia's glimlach verdween. 'O! Wat spijt me dat! Ik dacht...'

'Nee, natuurlijk ben ik zwanger, Delia. Ik maakte maar een geintje.'

'Maar het spijt me wel. Wat bot van me.'

'Kom op, Delia. Ik zie eruit als een tank.' Ze streek met haar beide handen langs haar dikke buik.

'O, je ziet er fantastisch uit, meid.'

Meri snoof en rolde met haar ogen.

'Nee, echt waar. En natuurlijk gefeliciteerd! Dit is spannend.'

'Nou, dank je wel. Bedankt.' Meri legde haar jas op het gestreepte bankje in Delia's hal. Jassen in ontvangst nemen leek de enige functie van dit meubelstuk te zijn.

'Ik heb wijn voor ons ingeslagen, maar misschien heb je zin in cider? Of in thee?' Delia zag er vermoeid uit, met wallen onder haar ogen. Ze was net terug van haar tweemaandelijkse verblijf in Parijs – ze was gisteren in de late namiddag thuisgekomen. Toen Meri van haar werk thuiskwam stond Delia's uitnodiging op het antwoordapparaat. Ze vroeg Meri en Nathan de volgende dag – vandaag – wat te komen drinken, om hen te bedanken omdat ze, in haar woorden, 'op het huis hadden gepast'.

Meri was op de afgesproken tijd in haar eentje bij lichte regen de veranda overgestoken. Nathan was te laat, hij was nog op de campus. Hij was vaak te laat; naarmate het semester verstreek duurde het steeds langer voordat hij thuiskwam.

Meri was de hele dag nerveus geweest over het weerzien met Delia. Zo gauw ze de knop van het antwoordapparaat had ingedrukt en Delia's stem had gehoord, had ze een besef van schaamte voelen opkomen, het gevoel dat ze was betrapt. Ze wist dat Delia niet kon weten wat ze tijdens haar afwezigheid had gedaan – naar alle waarschijnlijkheid kon ze zich niet eens voorstellen dat zoiets mogelijk was, en Meri had alles steeds zorgvuldig precies op zijn plaats teruggelegd. Desondanks koesterde ze het bijna bijgelovige idee dat ze zichzelf wel moest verraden, dat het op de een of andere manier aan haar te zien zou zijn – aan haar gezicht, of aan haar gedrag.

Maar bijna vanaf het moment dat ze Delia zag wist ze dat ze veilig was. Delia was zichzélf, en Meri had hetzelfde geruststellende gevoel als altijd: dat ze door haar werd meegesleept, dat ze bijna door Delia's opgewektheid en energie werd opgeslorpt. Dankbaar omdat dat het geval was voelde ze zich meteen overlopen van warme gevoelens voor de oude vrouw.

'Ja, ik kan beter cider nemen,' zei ze. 'Anders krijg ik de zwangerschapspolitie achter me aan.'

'O ja, ik weet dat ze je tegenwoordig overal in de gaten houden. En ze zijn heel streng.' Delia liep naar de keuken, en Meri liep achter haar aan. Ze keek om zich heen. Het voelde anders in huis nu Delia er was. Het was weer van haar: een eigen wereld.

'Ik heb tijdens alle drie mijn zwangerschappen gewoon doorgedronken,' vertelde Delia. 'Ik nam zelfs bijna elke dag wel een glas of twee. En dan ook nog sterkedrank. Van wijn hadden we toen nog niet eens gehoord. Ik beschouw het achteraf als een geweldige zegen dat ik zo onwetend was.'

De lamp boven de houten keukentafel brandde, het tafelblad was een zee van licht. De planten stonden nog bij elkaar op hun zeiltje. De manden met post waren echter verdwenen.

Glimlachend keek Delia naar Meri op. 'Ik rookte ook,' zei ze. 'We wisten helemaal niks.' Ze had de cider voor Meri uit de koelkast gehaald en schonk hem in een wijnglas. Haar eigen halfvolle glas wijn stond op de tafel naast een blad met crackers en kaas erop.

'En er bestond in die tijd godzijdank ook nog geen zwangerschapspolitie.' Ze zette de glazen naast de crackers op het blad, pakte het op en liep de hal in. Meri volgde haar. 'Wanneer ben je uitgerekend?' vroeg Delia.

'In mei.'

'O, een verrukkelijke tijd van het jaar,' zei Delia. 'Ideaal om een kindje te hebben. In de winter is het zo zwaar, je zit steeds maar aan huis gekluisterd. En 's zomers is het gewoon te klef om zwanger te zijn.' Delia had de haard in de woonkamer aangemaakt, en de gesloten luiken onttrokken de duisternis en de nattigheid aan het zicht. Ze gingen zitten, Delia nam plaats op de schommelstoel bij de haard. Ze reikte Meri haar glas aan.

'Heb je last van jetlag?' vroeg Meri. Ze nam een slok van de koude cider.

'Ik weet het niet.' Delia was naar voren geschommeld. Ze boog zich over het blad en begon de crackers met kaas te besmeren. 'Ik voel me op dit moment opmerkelijk kwiek, maar in de loop van de avond stort ik ongetwijfeld plotseling in.'

Meri liet haar blik door de kamer gaan. Ze zei: 'Dit is zo'n heerlijk huis, Delia. Elke keer als ik binnenkwam wanneer jij weg was heb ik het bewonderd.' Terwijl ze dacht aan de keren dat ze hier alleen was geweest, moest ze onverwachts blozen.

Snel zei ze: 'We hebben nog altijd niets aan ons huis gedaan.'

Dat was zo, en natuurlijk voelde Meri zich daar onprettig bij. Maar toen Delia zei: 'Ach, jullie hebben het druk. Dat komt nog wel. Je kunt niet verwachten dat het van de ene dag op de andere voor elkaar is', voelde ze zich getroost en besefte dat ze deze troost had verlangd. Ze had erom gevraagd.

Ze zei: 'Ja, maar we zitten hier alweer ruim drie maanden.'

'En je werkt en je bent zwanger geworden. Dat moet toch wat tijd in beslag hebben genomen?' Ze sperde schalks haar ogen open en ging vervolgens verder: 'En je hebt voor mijn huis gezorgd, zodat ik voor altijd bij je in het krijt sta.' Ze pakte het bord met de vier of vijf met kaas besmeerde crackers en reikte het Meri aan. 'En je werk?' vroeg ze even later. 'Gaat dat goed?'

Meri lachte. 'Ik vind het heerlijk,' zei ze. 'Het is het meest afwisselende, ik denk zelfs het meest veelzijdige werk dat ik ooit heb gehad. Elke dag weer volkomen anders.' Ze nam een hap van een cracker en de volle kaas. 'Ik heb bijvoorbeeld eind oktober een item over Halloween gedaan, over de commercialisering ervan.'

'O ja, daar is iets van tot me doorgedrongen – al die afschuwelijke kant-en-klare kostuums uit de winkel.'

'Ja, dat speelt ook, maar ik richtte me op de honden.'

'De honden? Wat hebben die nu met Halloween te maken?' Ze was opgestaan en pakte een pook om de haard op te poken, maar keerde zich nu naar Meri toe.

'Daar zou je nog van staan te kijken. Het blijkt dat er een grote markt is voor hondenkostuums. Ik ben naar een hondenoptocht in de stad geweest, en het was verbazingwekkend. Eén hond was als brandweerman verkleed en een andere hond moest een Fransman voorstellen, met een alpino en een streepjeshemd. Ze hadden een rubber stokbrood op zijn rug gebonden.' Het had Meri aan een enorme dildo doen denken, maar dat zei ze niet tegen Delia.

Delia lachte. Ze keerde zich weer naar de haard en pookte het vuur op; in een regen van witte vonken vielen de houtblokken opnieuw op hun plaats.

'Misschien komt het doordat ik in het buitenland heb gezeten, maar ik vind dat volslagen belachelijk,' zei Delia. Ze ging weer zitten, pakte haar glas en nipte van de wijn. Ze zei: 'Evengoed is het heerlijk als je werk soms een beetje gek is. Er is niet veel werk waarin je dat hebt, toch?'

'Ik heb het nog nooit meegemaakt,' zei Meri.

Tien of vijftien minuten ging het gesprek over de afgelopen maanden – over Delia's verblijf in Parijs en over het weer in Williston. Toen werd er gebeld, en Delia ging opendoen.

'Maar je bent doorweekt!' zei Delia's stem.

'Ja, het komt nu met bakken omlaag,' zei Nathan. 'Ik heb het laatste stuk gerend.'

Meri kwam de hal in terwijl Nathan aan de voet van de trap zijn jas uittrok. Hij spreidde hem uit over de trapleuning, waarna ze elkaar kusten. Plichtmatig, want Nathan hield niet van kussen in het openbaar.

Delia liep naar de keuken – om een glas whisky voor hem in te schenken, zei ze. 'Precies wat je nodig hebt om een beetje op te warmen.' En vervolgens riep ze: 'Ga maar op die stoel bij de haard zitten. Jij hebt het harder nodig dan ik.'

Meri en Nathan gingen samen in de huiskamer zitten, Nathan op de schommelstoel. Hij wreef in zijn handen en keek even naar het haardvuur; daarna vertelden ze elkaar over hun dag.

Delia kwam weer binnen en overhandigde Nathan zijn glas.

'Dank je wel,' zei hij. Hij nam een teug en zette zijn glas neer. ' Zo, dus je bent weer terug,' zei hij tegen Delia. 'Hoe was het?'

Delia ging naast Meri op de bank zitten en begon weer te vertellen over Parijs – over het weer, de donkere dagen, de politiek en wat ze op een dag zoal deed. Ze zat nog op Franse les – 'op een heel hoog niveau, dat je het maar weet' – en dat slokte een groot deel van haar energie op. Ook had ze daar meer sociale contacten dan hier, vertelde ze hun, al ging het vooral om mensen die ze in cafés, wijnbars en restaurants ontmoette. 'Ik denk dat ik het daarom zo fijn vind mensen over de vloer te hebben als ik thuis ben,' zei ze. 'Het is zo vertrouwd en lekker Amerikaans, vinden jullie ook niet?'

Een poosje ging het gesprek over de universiteit, die op zoek was naar een nieuwe rector magnificus. Delia vroeg Nathan hoe zijn semester was geweest, en hij vertelde zijn verhaal. Toen hij klaar was, leek ze even stil te vallen en zei vervolgens: 'Mijn man komt met de feestdagen even over. Ik wil jullie er dan zeker bij hebben, temeer omdat jullie van hem hebben gehoord – dat valt bij onze Tom altijd goed. Jullie zullen hem bevallen.'

Meri zag dat er een vergenoegde uitdrukking op Nathans gezicht verscheen. Zij glimlachte ook, ze volgde hem na – het zou geweldig zijn om Tom eindelijk te ontmoeten. Maar doordat Toms naam was gevallen moest ze weer denken aan de brieven die ze had gelezen, aan alles wat ze wist over Delia's leven en haar verhouding met Tom, aan alles wat ze niet hoorde te weten. Terwijl de beide anderen samen in gesprek waren – Delia was heel geanimeerd en Nathan sprong steeds snel op haar woorden in –, beschouwde iets in Meri haar geheim als iets wat ze hun had misdaan. Hun allebei. Ze liet haar blik van de een naar de ander gaan: van Delia's gerimpelde gezicht, waarop de levendige trekken de vermoeidheid wegdrukten, naar Nathan, wiens haar krulde en donker was van de regen. Ze voelde een onoverbrugbare afstand tot hen beiden, en dat maakte haar verdrietig. Maar ze had het nu eenmaal gedaan. Ze had het zichzelf aangedaan.

Als ze het er nu eens uit zou flappen? Wat ze had gedaan, wat ze had gelezen en wat ze wist?

Nathan lachte om iets wat Delia had gezegd, en haar blauwe ogen werden groot van plezier. Natuurlijk was dat niet mogelijk. Het zou nooit mogelijk zijn. Ze zou de kloof tussen hen nooit meer kunnen overbruggen, nooit meer kunnen worden wie ze was geweest.

Op de universiteit waren de colleges bijna voorbij. Opeens gaf iedereen een feestje voor de kerst. De uitnodigingen kwamen telefonisch of per post. Ze moesten een gerecht klaarmaken voor een etentje bij een van Nathans collega's thuis – van hen werd een salade voor twaalf personen verwacht. Op tweede kerstdag hield Jane open huis. Er zouden kerstliedjes worden gezongen met de faculteit. De faculteitsvoorzitter stuurde een stijve, gedrukte uitnodiging voor haar kerstreceptie. Er stond op dat informele kleding was toegestaan.

Informeel of niet, Meri had niets wat ze bij deze gelegenheden kon dragen. Tot dusver was ze er pas twee keer in geslaagd positiekleding te kopen, in beide gevallen een broek met een lelijk voorschootje van stretchstof dat op de plaats van de opbollende buik was gestikt. De ene broek was van ribfluweel, voor als ze er netjes uit moest zien, de andere was een spijkerbroek voor alle andere gelegenheden. Als ze niet met Nathan getrouwd was geweest zou het niet hebben gekund, maar ze mocht van hem naar believen al zijn truien en shirts lenen. Ze droeg afwisselend een stel van de wijdste en grootste truien en shirts op haar beide broeken.

Als enige andere concessie aan haar nieuwe toestand ging ze beha's dragen, iets wat ze normaal gesproken vrijwel nooit deed. Ze had opeens borsten gekregen, tamelijk grote borsten zelfs, en ze had daarvoor, in Nathans woorden, 'pantserbeha's' aangeschaft. Die beha's moesten zorgen dat ze geen last van haar borsten had – zo dacht zij erover.

Ze had de broeken gekocht in een outletzaak in een van de winkelcentra die overal aan de rand van de stad lagen, maar in Williston zelf was een kleine, veel chiquere winkel met positiekleding, en als ze daar lopend of op de fiets voorbijkwam keek ze weleens in de etalage.

Toen ze de tweede vrijdag in december na haar werk naar huis ging, liep ze bijna de hele Main Street af over trottoirs die glommen onder de lichte regen. Veel etalages waren versierd met strengen met kleine witte lichtjes. Aan alle lantaarnpalen langs de trottoirs hingen slingers. De stad maakte zich op voor de feestdagen.

Toen ze in de buurt van de winkel met positiekleding kwam, drong het tot haar door dat ze een kind hoorde, een kind dat in diepe smart een enorme keel opzette. Bij de zijstraat zag ze een jongetje van een jaar of drie op zich af komen, dat achter zijn moeder aan liep. Hij snikte en riep: 'Ik kán niet, ik kan niet meer lopen. Je moet me dragen. Ik ben te moe. Waarom draag je me niet? Ik kan niet lopen. Ik probeer wel. Ik probeer wel, maar ik kan niet.'

De moeder sjouwde met een zo te zien zware boodschappentas en haar gezicht stond bars. Toen ze zich omdraaide en het jongetje op gedempte toon toesprak, veranderde er niets. Hij liet zich niet de les lezen en was ontroostbaar. Meri was op de hoek blijven staan om naar hen te kijken; ze deed alsof ze wachtte tot het voetgangerslicht op groen zou springen. Het kabaal van het jongetje verflauwde pas toen hij en zijn moeder langzaam over Main Street verder liepen.

Hoe kan ze dat uithouden, vroeg Meri zich af. Waarom geeft ze hem niet gewoon een tik?

En toen hoorde ze de stem van haar moeder: 'Jij vraagt om

een flinke tik, juffie.' 'Als je vader straks thuiskomt, krijg je een flinke tik.' Ze herinnerde zich hoe ze die woorden had gehaat: *een flinke tik.* Het klonk gemeen – ze had toen niet kunnen uitleggen waarom. Ze herinnerde zich hoe ze als kind op die tik had gewacht, hoe dat was geweest. Ze draaide zich om en stak de straat over.

De winkel met zwangerschapskleding heette MaDonna. Meri bleef voor de zaak staan. In de etalage stond een etalagepop in een zwart jurkje met schoenen met heel hoge hakken en grijszwarte kousen aan. Alleen een minimale kromming bij haar buik gaf aan dat ze misschien een heel klein beetje zwanger was. Het fantasiebeeld van het stralende moederschap, dacht Meri. Terwijl de vrouw met het jongetje de harde werkelijkheid weergaf.

Ze moest dat voor Nathan onthouden: het opmerkelijke toeval van het contrast. Het was komisch. En verdrietig.

Toen Meri naar binnen ging, weerklonk het belletje bij de winkeldeur. Van achter in de zaak verscheen een kleine vrouw die Meri op voor in de vijftig schatte. Ze droeg een losvallende, grijze, sobere wollen jurk. Haar haar zat strak naar achteren in een knot, het soort knot dat je bij balletdanseressen zag, en ze liep met haar voeten naar buiten gedraaid, vlot en soepel als een danseres. Ze was mager. Ze zag er niet naar uit dat ze ooit zwanger was geweest. Ze begroette Meri op warme toon.

'Ik kijk gewoon wat rond,' zei Meri.

'Uitstekend,' zei de vrouw. 'Laat u het me even weten als ik kan helpen?' Ze nam plaats achter de toonbank. Maar zodra Meri spulletjes van de schappen haalde, kwam ze naar haar toe en bood aan ze in de paskamer te hangen.

Ze was zo hoffelijk dat Meri erop inging. Ze koos vier jurken en verschillende blouses uit, plus een zwarte fluwelen pantalon met het bekende onaantrekkelijke inzetstuk aan de voorkant.

Ze volgde de danseres naar de achterkant van de zaak, waar twee paskamers waren. De vrouw had de door Meri uitgekozen kledingstukken aan een haak gehangen en sloot nu met een groot gordijn de ingang af. 'Laat u het me weten als u meer hulp nodig heeft?' klonk haar stem terwijl ze zich verwijderde.

Meri was alleen met haar felverlichte spiegelbeeld.

Nathan en zij hadden thuis geen passpiegels. De beste indruk van hoe haar hele lichaam er in deze nieuwe gedaante – die van zwangere vrouw – uitzag, had ze opgedaan in de glazen wand in de keuken. Daar zag ze zichzelf met kleren aan terwijl ze aan het koken of opruimen was; meestal liep ze samen met Nathan heen en weer voor haar spiegelbeeld, want ze deden deze klusjes samen.

Maar dit was stuitend, dacht ze terwijl ze in haar ondergoed voor de spiegel stond. Pantservrouw, dat kon je wel zeggen. Ze was ontzagwekkend. Niet eens zozeer haar buik – die was wel dik, maar niet lachwekkend dik. Het zat 'm in de rest. In haar heupen, die tot dusver altijd smal en krachtig waren geweest. In haar bovenarmen. In die gigantische borsten, samengeperst in de beha. Ze had een gleuf tussen haar borsten, iets wat ze absoluut nooit had gewild en die ze nu alleen beschouwde als een plek waar zich zweet en kruimels konden ophopen.

Met een wanhopig gevoel begon ze een van de door haar uitgekozen jurken aan te trekken. Ze kon hem nauwelijks over haar hoofd krijgen – hij zat te strak bij haar rug en haar armen. Terwijl Meri daar zo stond, op haar sokken met de stof van de jurk rond haar kin en haar borst, besefte ze dat er waarschijnlijk wel zoiets bestond als een zwangerschapspanty, die ze zou moeten kopen als ze deze of andere jurken ging dragen. Nee.

Nee. Ze trok de jurk uit en hing hem terug op het hangertje.

De broek paste. Hij was prima. De zwarte blouse die ze had meegenomen omdat ze hem erbij wilde dragen, was echter te klein. Ze liet hem meenemen, en de danseres kwam terug met een grotere maat in fuchsia, de enige andere verkrijgbare kleur. Meri kon haar eigen aanblik nauwelijks verdragen, maar dit was beter, in elk geval veel beter dan de jurk. Je zag dat ze lange benen had, op dit moment eigenlijk het enige positieve wat je over haar lijf kon zeggen.

Terwijl ze in de motregen met haar tas naar huis liep, dacht ze aan haar spiegelbeeld onder de verlichting in het paskamertje – aan haar bleke, gespikkelde vlees. Vlees dat eruitzag alsof het bedorven was, dacht ze.

Bederf, dat woord duidde aan wat haar nu overkwam. Ze was begonnen aan het biologische proces dat op volledig bederf uitloopt. Ze was opgeëist door de tijd. Door geboorte en dood. Ze was veranderd.

Maar dat gebeurde nu eenmaal. Dat déden vrouwen. Ze dacht aan de moeders die ze had gekend. Haar eigen moeder. Nathans moeder. Lou. Delia. Verschillende vriendinnen van haar. Allemaal hadden ze het idee moeten opgeven dat ze lichamelijk een bepaalde onschendbare identiteit hadden. Allemaal hadden ze moeten leren aanzien hoe hun lichaam veranderde op een manier waarover zij geen zeggenschap hadden. Ze hadden moeten leren hun lichaam te delen met de vreemde die binnen in hen gestalte kreeg. Waarom zou zij anders zijn? Als haar moeder – die weinig verbaal was en niet met de moeilijke kanten van het leven overweg kon – dit aankon, dan kon zij het zeker.

Ze probeerde zich haar moeder als zwangere vrouw voor te stellen. Was ze bang geweest? Was ze net zo onwillig geweest als Meri? Het was een feit dat ze meer dan eens had gezegd: 'Ik wou dat ik jullie nooit had gekregen.'

Meri dacht aan het huilende jongetje, aan de woede die zijn moeder naar haar idee had moeten voelen. Misschien had ze het met al deze dingen zo moeilijk door haar persoonlijke geschiedenis, doordat haar verleden doorwerkte in het heden. Op die manier zou ze net zo'n leven krijgen als haar moeder.

Dat kon ze niet toelaten. Ze zou het beter doen. Ze moest het beslist beter doen.

Op het feestje van haar werk ging iedereen natuurlijk net zo gekleed als anders. Alleen Shirley, een van de producers, bezat enig stijlgevoel; dat was gewoonlijk zichtbaar aan het feit dat ze een sjaaltje om haar hals droeg, of lange, bungelende oorhangers in had. Jazeker, in september had ze vaak hooggehakte sandalen aan gehad, maar nu droeg ze laarzen, net als iedereen – laarzen, een spijkerbroek en een dikke trui. Ze leken allemaal op de figuren op de cartoons van Koren in de *New Yorker*, dacht Meri: harig, pluizig en onverzorgd. Uiteraard, bedacht ze, gold dat ook voor haar.

Zoals Brian al had gezegd toen ze gisteren de voorbereidende taken verdeelden, was het overdreven om van een feestje te spreken. 'Het wordt een gewone vergadering, maar dan met drank erbij.' En toen de middagvergadering ten einde liep, kwam James op de proppen met een grote kartonnen doos met drie gekoelde flessen champagne en een zak met plastic glazen. Met een knalletje opende hij een van de flessen en ging ermee de tafel rond.

Moest ze een glas nemen?

Hier, te midden van haar collega's, wilde ze meedoen, erbij horen. Ze dacht aan Delia, die had verteld dat ze tijdens haar zwangerschappen had gedronken. Ze besloot dat verhaal als haar vrijbrief voor vanavond te beschouwen. Toen James achter haar langs kwam, hield ze haar glas omhoog. Ze voelde zich echter toch zo ongemakkelijk dat ze behoefte had haar keuze te verklaren. 'Sinds ik zwanger ben is dit mijn vierde glas,' vertrouwde ze Burt Hall toe, die naast haar aan de vergadertafel zat. En vervolgens, toen ze in haar geheugen groef: 'O wacht, misschien mijn vijfde. Of mijn zesde. Of mijn tiende. Maar dat kwam doordat ik nog wat gedronken heb toen ik nog niet wist dat ik zwanger was.'

'Is dat heel erg?' vroeg hij. Burt was een slome duikelaar, lang en veel te mager. Een beetje suf. Soms vergat hij dat hij zijn fietsclips nog om zijn enkels had en hield hij ze de hele dag om. Nu, terwijl hij naast haar zat, was hij zo geconcentreerd bezig een stuk geitenkaas uit te pakken dat hij haar niet aankeek terwijl hij tegen haar praatte. Hij had de buitenste laag plastic met een balpen doorboord en probeerde de plasticfolie weer terug te trekken. Op het punt waar de pen naar binnen was gegaan was de kaas blauw, en zijn vingers zaten onder de witte smurrie.

'Nou, de dokter deed er heel erg moeilijk over,' zei Meri. 'Maar ik denk dat die regel is gemaakt voor mensen die tegen de klippen op zuipen.' De champagne bruiste in haar glas en smaakte zuur en zoet tegelijk.

'Waar het glad is,' zei Brian boven hun hoofden. Hij boog zich over hen heen om een kartonnen blad neer te zetten waarop crackers zorgvuldig langs de rand waren gelegd.

'Heb jij dat gedaan?' vroeg Natalie. 'Wat schattig.'

'Waar?' vroeg Burt, en hij keek om zich heen. 'Waar is het glad?'

'Overal, Burt,' zei Shirley. 'Want het regent. Ook bij jouw huis.'

'Op de klippen,' antwoordde Brian, terwijl hij aan tafel plaatsnam. 'Als je tegen de klippen op zuipt, loop je het risico op je bek te gaan.'

'Vandaar waarschijnlijk de vergelijking,' zei Meri. De champagne was zo koud dat haar neus bij elke slok pijn deed.

Er hadden die dag twee verhalen van Meri in de uitzending gezeten, die allebei betrekking hadden op de feestdagen. Het eerste ging over onveilig speelgoed, het tweede over een plaatselijke atheïst die een proces had aangespannen omdat hij bezwaar maakte tegen de kerststal en de menora in de stad. Hij was een beller, zoals ze dat noemden. Allebei de onderwerpen waren goed gegaan, en Meri was opgewekt. Ze hield van haar werk. Ze hield van haar collega's. Dit was het beste decemberfeestje, besloot ze voorbarig.

Jane was begonnen over verdrinking als methode om zelfmoord te plegen – over beroemdheden die dat hadden gedaan. Meri wees erop hoe heerlijk onduidelijk dat was, aangezien je nooit zeker wist of het opzettelijk was gebeurd. Met z'n allen speculeerden ze over Natalie Wood.

'Ik wed dat het veel minder erg is dan je denkt,' zei Jane. 'Het enige wat echt naar is, is als je de eerste grote hoeveelheid water binnenkrijgt.'

'Hoe kun je dat nu weten?' zei Meri.

'Dat heb ik gelezen.'

Brian lachte. Shirley wierp hem een glimlachje toe en zei: 'Nou, dan móet het wel waar zijn.'

'En ik,' zei hij, 'heb ergens gelezen dat er met Kerstmis en rond de feestdagen meer zelfmoorden worden gepleegd dan in alle andere perioden van het jaar. Als dat waar is, is het misschien een verhaal waar wij wat mee kunnen.' De kurk knalde van de tweede fles.

'Dit is geen vrolijk gespreksonderwerp voor ons feestje,' zei Shirley. 'Het is Kerstmis. Laten we zorgen dat we in kerststemming komen.'

'Kerstmis, het mocht wat,' zei James. 'Ik zit thuis met mijn huisgenoot.'

Het gesprek kwam op hun kerstplannen. Ze hadden het over de uitzending van die dag. Brian vertelde een aantal Jezusmoppen. 'Echt iets voor deze tijd van het jaar,' zei Jane met een rare stembuiging. Ze begonnen over de uitzending van morgen, maar James maakte daar een einde aan. 'De vergadering is voorbij, mensen. Er worden geen plannen meer gemaakt.'

Iemand schonk Meri nog een glas in, en terwijl het gesprek voortkabbelde dronk ze het leeg – vlugger dan het eerste. Ze was eigenlijk een beetje duizelig. Hoe was dat mogelijk? Hoe kon ze nu aangeschoten zijn?

Ze boog zich over naar Jane en zei: 'Hoe kan ik nu aangeschoten zijn?'

'Dat kan heel makkelijk. Je bent geen drank meer gewend.' Jane zei het op zo'n trage en onbehoorlijke toon dat het tot Meri doordrong dat zij misschien ook aangeschoten was.

'Wat heb je vandaag gegeten?' vroeg Jane.

Meri dacht er even over na. Niet veel. Sinds ze niet meer alsmaar misselijk was, at ze ook niet meer alsmaar crackers. En hoewel ze in haar vreugde over het feit dat ze weer gewoon kon eten bij een maaltijd soms flinke porties wegwerkte, at ze als ze het druk had ook weleens helemaal niets, en vandaag had ze het druk gehad. Ze nam een cracker en vroeg Shirley het bord met de beïnkte kaas aan haar door te geven.

Even later maakte iemand als eerste aanstalten om te vertrekken. Meri begon Natalie en James te helpen de glazen en rommel op te ruimen. Vervolgens trokken ze allemaal hun jas aan en wensten elkaar een prettig weekend. Meri voelde zich een bevoorrecht, gezegend mens. Wat waren ze aardig, deze vrienden en vriendinnen van haar.

Buiten namen ze afscheid van elkaar in de koude avondlucht. James bood aan Meri thuis te brengen, maar ze zei dat ze liever wilde lopen.

Ze liep allereerst de donkere campus over, met een ademwolkje voor zich. In snel tempo liep ze over de wandelpaden, stak vervolgens de weg over, passeerde alle etalages op Main Street en liep ten slotte het schaduwrijke stuk over Dumbarton Street. Al wandelend ging ze zich beter en sterker voelen. Toen ze thuiskwam had ze het warm gekregen en was ze weer nuchter.

Nathan was nog niet terug van zijn werk. Ze ging naar boven om haar tanden te poetsen en haar fleece sokken te zoeken. Ze ging weer naar beneden, naar de keuken. Toen ze het licht aandeed en zichzelf in de ramen zag, was ze een paar seconden ontsteld door haar spiegelbeeld – verrast besefte ze dat ze er de afgelopen uren niet bij had stilgestaan dat ze zwanger was.

'Heb je niks waarmee je er niet uitziet als... Barney?'

Meri viel stil en trok haar jas aan over haar fuchsia blouse. Het leek er niet op dat Nathan een grapje had willen maken, waar ze misschien in had kunnen meegaan. Ze keek naar hem: hij zag er in zijn winterjas van tweed zo perfect en zo knap uit – zo totaal niet zwanger – dat ze een steekje van woede door zich heen voelde gaan. 'Het simpele antwoord is nee,' zei ze.

Toen ze in de auto stapten vroeg Nathan: 'Wat is het minder simpele antwoord?'

'Dat is een tikje meer op de man gespeeld. Ik denk niet dat je het wilt horen.'

Tijdens de rit zwegen ze. Meri wachtte op een verontschuldiging van Nathan. Misschien wachtte hij op een verontschuldiging van haar. Ze gingen naar het feestje van de faculteitsvoorzitter; het was bij haar thuis, in een van de negentiende-eeuwse herenhuizen die tegenover de campus stonden.

Toen de deur openging, sloeg het lawaai, het feestgedruis, hun tegemoet. Een student in een wit overhemd en een zwarte pantalon stuurde hen naar de achterkant van de enorme hal, waar een andere student, eveneens in wit overhemd en zwarte pantalon, hun jassen aannam. Nathan kreeg een genummerd fiche, dat hij in zijn zak stak.

Ze gingen naar de bar in een van de beide salons aan weerskanten van de hal. Terwijl ze zich een weg baanden door de groepjes mensen, legde Meri haar handen op haar buik zodat ze er geen stoten tegenaan kon krijgen. Overal om hen heen begroetten mensen elkaar opgetogen en stonden ze in kleine groepjes te kletsen en nieuwtjes uit te wisselen. Nathan kende sommigen van hen – mensen spraken hem aan, en van tijd tot tijd bleven ze ergens staan praten en stelde hij Meri aan zijn gesprekspartners voor. Terwijl ze stond te glimlachen en te knikken, liet Meri haar blik door het ruime, gerieflijke vertrek gaan. De lampen verspreidden een zacht licht, en in hun schijnsel zag iedereen er aantrekkelijk en goed uit. Overal stonden grote, zachte stoelen en banken in groepjes bij elkaar, en aan de muren hingen schilderijen – moderne, levendige, goed belichte doeken. Je kon je met geen mogelijkheid voorstellen dat dit een woonhuis was, zo immens groot was alles en zo onberispelijk en onpersoonlijk was de inrichting.

Meri nam haar Perrier en verwijderde zich van Nathan, die in gesprek was met een collega die sprekend leek op Danny DeVito, maar dan wat forser. Ze liep rond in haar enorme blouse, ging naast groepjes staan en wachtte af tot ze als vreemde zou worden herkend, zodat ze zich kon voorstellen. En de mensen waren aardig. Ze wendden zich naar haar toe en vroegen wie ze was. Meri luisterde echter voornamelijk. Ze luisterde naar de moppen die ze aan het vertellen waren en naar hun lange verhalen – over hoe het was om in New York met een cello op de bus te stappen en hoe het was om in Ecuador maandenlang op een adoptiekind te moeten wachten.

Ze werd verschillende keren onderschept door Nathan, die had vergeten dat ze eigenlijk nog boos op hem was en haar aan iemand wilde voorstellen. Twee keer liep ze bovendien vrouwen tegen het lijf die ze al eens eerder op een feestje had ontmoet.

Een van hen, een jonge collega van Nathan, vroeg Meri of ze aan het einde van het voorjaar mee wilde spelen in een honkbalteam van de vakgroep. 'Je krijgt je kind toch voor het begin van het seizoen?' vroeg ze.

Meri ging naar de salon aan de andere kant van de hal. Ze liep er wat rond en gaf haar mening ten beste over verschillende zaken waarover ze nog nooit had nagedacht. Een man die niet jonger was dan zij kwam overeind en stond zijn zitplaats aan haar af; ze nam plaats en bleek opeens te zijn beland in een groepje dat het seksleven van Bill Clinton besprak. Op een bepaald punt in het gesprek, vlak nadat haar buurvrouw had gezegd: 'Ik begrijp dat die man de slaaf van zijn pik is', besefte Meri dat ze moest plassen. Zoals gebruikelijk. En meteen besefte ze ook dat ze moe was. Ze wilde naar huis. Ze waren al bijna twee uur hier, en Nathan had beloofd dat ze maar één uur zouden blijven. Ze stond op en ging naar hem op zoek.

Er waren intussen wat minder mensen – anderen waren ook uitgegaan van een bezoek van minder dan twee uur. Ze bewoog zich wat vlotter door de kamer die ze was binnengegaan en liep de hal in – en daar stond hij, met zijn rug naar haar toe, tegen de boogvormige opening van de tegenovergelegen salon geleund, gemakkelijk herkenbaar aan zijn lengte en zijn wilde haardos.

In de hal was het echter druk – mensen haalden er hun jas en maakten zich op voor hun vertrek –, zodat Meri zich er een weg doorheen moest banen. Ze zag dat de vrouw die tegenover Nathan stond en met hem praatte, een oudere vrouw in een groene jurk, iemand van de vakgroep was; ze had haar eerder ontmoet, maar kon niet meer op haar naam komen. Ze hield een glas en een servetje in haar hand en keek op naar Nathan, terwijl ze aandachtig naar hem luisterde.

Het ging over – Meri was nu zo dichtbij dat ze hem kon verstaan – het opvangen van klappen.

Welke klappen?

'Natuurlijk is het niemands schuld,' zei hij. 'Of de schuld van ons allebei.' Hij gebaarde met zijn glas. 'Maar vanwege het boek is het voor mij een ramp. De timing had niet beroerder gekund. Het moet aan het eind van de zomer af zijn, en natuurlijk komt de baby aan het begin van de zomer.'

De vrouw vroeg hem of hij al wat opschoot, maar Meri keerde zich van hen af en ging terug naar de andere salon. Ze had een brok in haar keel. Ze deed haar best om een neutraal gezicht op te zetten.

In de andere salon bleef ze zwijgend staan, met haar rug naar de herrie toe gekeerd. Ze keek uit het raam van de faculteitsvoorzitter naar de witte houten kapel aan de overkant van de straat, die glansde in het licht van de schijnwerpers die erop gericht waren. De torenspits priemde de zwarte lucht in. Ze hield zichzelf voor dat dit geen nieuws was, dat ze al wist dat Nathan er zo over dacht. Hij had hetzelfde bijna met zoveel woorden tegen haar gezegd, en zij had het bijna met zoveel woorden tegen anderen gezegd: dat de timing ongelukkig was. Voor hem. En ook voor haar. Misschien had ze het zelfs precies zo geformuleerd.

Waarom mocht hij het dan niet zeggen? Waarom mocht hij dan niet met een vriendin over zijn weerstand en zijn ambivalente gevoelens praten?

Dat mocht hij wel, vond ze.

Maar een ander, dieper liggend deel van haar dacht: dat hoort hij niet te doen, dat hoort gewoon niet.

Soms – meestal 's avonds als ze het eten klaarmaakte – hoorde Meri een geluid aan de andere kant van de muur, een geluid van Delia nu ze weer terug was: het geluid van iets wat op de vloer viel. Het lopen van de kraan, gevolgd door de tik in de leidingen wanneer de kraan werd dichtgedraaid. Het bijna onhoorbare gemurmel van een stem op de radio, onmenselijk gelijkmatig.

Deze avond bleef ze opeens stokstijf bij de gootsteen staan door het zwakke geluid van een diepe mannenstem die iets zei, waarop enkele seconden later de reactie van een zachtere vrouwenstem volgde. Het waren de eerste stemmen die ze aan die kant van de muur hoorde; Delia was sinds haar thuiskomst erg eenzaam geweest.

Het moest Tom Naughton wel zijn; Delia had gezegd dat hij 'even over' zou komen en had hen uitgenodigd de volgende avond wat te komen drinken om kennis met hem te maken. Meri was ervan uitgegaan – had Delia dat niet zelfs gesuggereerd? – dat Tom pas met Kerstmis zou komen. Maar blijkbaar was hij er nu al.

Aan de andere kant van de muur wisselden de stemmen elkaar traag en bijna onhoorbaar af. Meri zette de radio aan – mistroostige muziek van de publieke radio – om ze niet te hoeven horen. Terwijl ze in de keuken met het eten in de weer was, drong het tot haar door dat hun eigen doen en laten voor Delia in haar keuken steeds op hetzelfde zwakke, gedempte volume te horen moest zijn geweest.

Toen Nathan thuiskwam zette ze eerst de radio af. Pas toen kuste ze hem en ze legde haar vinger op zijn lippen met de woorden: 'Sst, moet je eens luisteren.' Zo stonden ze daar met hun armen losjes om elkaar heen, Nathan met een geconcentreerde frons op zijn gezicht. Vervolgens hoorden ze alleen de lach van een man.

'Daar heb je die senator van je, vast en zeker,' zei Meri. 'Tom Naughton, eindelijk in levenden lijve.'

Onder het eten hoorden ze zo nu en dan aan de andere kant van de muur stemmen of gelach weerklinken.

'Je weet wat het betekent dat we hem zo vaak horen?' zei Meri. Ze deden de afwas. Zij droogde af. Ze droogde nu altijd af, omdat ze zwanger was. Nathan waste af en stond ongemakkelijk over de gootsteen gebogen.

'Ik vrees van wel.' Hij wierp een schuinse blik op haar en maakte een grimas. 'Het betekent dat zij heel wat heeft opgevangen sinds wij hier wonen.'

'Het betekent dat we, zonder het zelf te weten, een publiek leven hebben geleid, denk je ook niet?'

'Je kunt ons oude dametje niet bepaald voor publiek verslijten.' Hij overhandigde haar een druipend bord. 'Maar misschien moeten we leren iets minder luidruchtig te zijn. Het zal een nuttige oefening voor ons zijn om ons te leren beheersen.'

'Mijn sterkste kant is het nooit geweest,' zei ze terwijl ze het bord afdroogde.

'Vertel eens.'

'Kom zeg!' Ze gaf hem een mep met haar natte theedoek.

Vanonder de haarlok die over zijn voorhoofd hing lachte hij haar toe. 'Ik weet het – mijn sterkste kant is het ook nooit geweest.'

Ze begonnen te speculeren over de vraag wat Delia kon hebben aangehoord en noemden de mogelijkheden die hun te binnen schoten. De paar luidruchtige ruzies die ze hadden gehad. De nacht waarop Meri in wanhoop over de een of andere kwestie naar de keuken was gegaan en hardop had zitten huilen totdat Nathan ook naar beneden was gekomen om haar over te halen weer naar bed te gaan.

'Maar toen was het al erg laat. Delia lag waarschijnlijk al in bed.'

'Diep in slaap, mogen we hopen.'

Even wijdden ze zich allebei zwijgend aan hun taak. Toen zei Meri: 'Weet je, eigenlijk denk ik dat ze toen al weg was. Als je erover nadenkt was ze er tijdens veel van deze narigheid niet. Ik geloof dat ze toen in Parijs zat.'

Ze herinnerden zich de avond waarop ze hard muziek hadden gedraaid en op blote voeten in de woonkamer hadden gedanst tot ze helemaal bezweet waren. Ze wisten toen nog niet dat Meri zwanger was en er stonden nog onuitgepakte dozen in de woonkamer – dozen die ze heen en weer schoven en in de dans betrokken. Dat moest Delia absoluut hebben gehoord.

De senator deed zelf open en deelde hun mee dat ze Nathan en Meri wel moesten zijn. Voor een man van zijn formaat had hij een merkwaardig lichte stem, dacht Meri: licht en droog, met een wat verdorde klank. Hij was langer dan Nathan, maar een beetje krom. Hij had een krachtige neus, een beetje afgevlakt bij de brug – hij moest ooit gebroken zijn geweest. Meri beviel dat wel. Zijn mond was klein, geamuseerd en bijna zelfgenoegzaam, en zijn haar was net zo wit als dat van Delia. Borstelige witte wenkbrauwen stonden boven zijn diepliggende, lichte ogen, die grijs of groenachtig waren. Hij droeg een pak met stropdas, allebei erg duur. Meri was zowel geïmponeerd door de warmte die hij in een eenvoudige begroeting legde – hij nam daarbij haar hand in zijn beide handen en keek haar diep in de ogen – als gegeneerd omdat ze er zo slonzig bij liep. Ze droeg weer een van haar uniformen: de ribfluwelen positiebroek en een dikke wollen trui van Nathan.

Tom Naughton wendde zich tot Nathan en schudde hem op dezelfde manier de hand. Nathan zei: 'Ik zou u overal hebben herkend, meneer.'

Ik niet, dacht Meri, al leek hij wel op de man van de Watergate-foto – hij was alleen ouder, magerder en misschien wat breekbaarder. Maar ze zou zonder meer hebben geweten dat hij een belangrijke figuur was – dat air had hij over zich.

'Wil je mij geen meneer noemen,' zei hij met een glimlach. 'Ik ben Tom. Voor jullie allebei.'

Hij ging hun voor in de hal en nam hun jassen aan, waarmee hij naar de gangkast liep; anders dan Delia, die je gewoon je jas op het gestreepte bankje liet leggen.

En daar kwam ze al, vanuit de keuken, met haar blad in haar handen. 'Kom binnen! Betreed mijn salon,' riep ze, en gehoorzaam volgden ze haar naar de woonkamer. Ze droeg een rode jurk met een strak bovenstukje en een losvallende rok die tijdens het lopen om haar heen wervelde. Ze zette het blad op de lage vierkante salontafel en bleef staan om Meri op haar wang te kussen. Meri voelde een zweem van parfum om zich heen. Delia liep naar Nathan toe en kuste hem ook.

Vervolgens kwam Tom terug. Nathan begon tegen hem over een paper of een artikel van hem dat hij kortgeleden had gelezen.

'Ga zitten, ga zitten,' beval Delia, en toen Meri gehoorzaamde maar de pratende mannen niet, pakte ze Tom bij de elleboog. 'Schat, zorg dat je bewonderaar gaat zitten en iets te drinken neemt.'

Nathan keerde zich naar haar toe, met zijn wolvengrijns op zijn gezicht. 'Meer dan een bewonderaar.' Hij keerde zich weer naar Tom toe. 'Ik ben een fan, ben ik bang.'

'Niets om bang voor te zijn,' zei Delia. 'Vroeger was Tom dol op iedereen zolang hij maar als kiezer stond ingeschreven. Maar nu gaat hij je bedienen. Zorg jij voor het drinken, schat?'

Ze wendde zich tot Meri. 'Wat wil je? We moeten een beetje opschieten. Ik heb jullie klemgezet, ben ik bang. Daarom heb ik jullie gevraagd wat aan de vroege kant te komen. Mijn jongste zoon komt rond zeven uur met zijn héle gezin.' Ze sprak dit op een overdreven toon uit en wuifde theatraal met haar hand. 'Voor een kerstbezoek. Een kerstbezoek van een wéék.' Ze trok haar wenkbrauwen op. 'Ik ben dus blij dat het jullie gelukt is.'

Terwijl Tom in de keuken hun drankjes ging halen – whisky

voor Nathan, mineraalwater voor Meri – liet Delia de schaaltjes met noten en olijven rondgaan die ze had meegebracht. Ze vertelde over de zoon die langs zou komen – waar hij woonde, wanneer ze hem voor het laatst had gezien en hoe oud zijn kinderen waren.

Nathan vroeg wat hij deed.

Ze glimlachte. 'O, hij is nogal een buitenbeentje – zo moet je het zeggen, denk ik. Hij bouwt zeilboten – prachtige, ouderwetse, handgemaakte houten boten. Steeds één boot tegelijk. Er is veel vraag naar en ze zijn erg kostbaar, maar de bouw is zo arbeidsintensief dat hij er niets aan overhoudt.' Het viel Meri op dat ze een blos op haar wangen had en een opgewonden indruk maakte. Maar ze zag er leuker uit – minder streng en voornaam – dan Meri van haar gewend was. 'Zijn vrouw geeft les op een middelbare school, en ik heb zo'n idee dat ze twee keer zoveel verdient als hij. Maar hij is, zou ik zeggen, ons liefste kind. Vind je ook niet, Tom?' zei ze tegen haar man, die terugkwam met de drankjes. 'Is Brad van onze kinderen niet de liefste?'

Tom keerde zich naar zijn vrouw toe. Meri zag hoe zijn gezicht veranderde en een open en warme uitdrukking kreeg. Toen hij Delia aankeek gebeurde er met zijn ogen, waarin hij eerder een koele, opmerkzame blik had gehad, iets wat Meri uit beschrijvingen kende maar wat ze nooit zelf had gezien: ze lichtten op. 'Wat je ook zegt, ik eerbiedig je,' zei hij.

'Ach, wie wil er nu in 's hemelsnaam geëerbiedigd worden?' zei Delia terwijl ze naar Meri en Nathan keek om hen in het gesprek te betrekken. 'Ik wil dat je op zijn minst de indruk wekt dat je over die vraag nadenkt. En uiteraard wil ik dán dat je me eerbiedigt.' Ze wierp hem een glimlach toe, de oogverblindende lach die Delia's gezicht er zo nu en dan volkomen leeftijdloos deed uitzien.

Ze flirten met elkaar, dacht Meri.

'Nou, hij is de liefste. Dat weet je,' zei Tom. Hij wendde zich tot Meri en Nathan. 'Hebben jullie onze kinderen weleens ontmoet? We noemen ze nog steeds kinderen, hoewel ze alle drie een paar jaar ouder zijn dan jullie.'

Meri schudde haar hoofd.

'Nee. Goed.' Hij ging zitten. 'Even heel beknopt dan: Nancy is formidabel en heeft ze angstaanjagend goed op een rijtje. Angstaanjagend goed.' Hij deed alsof hij huiverde. 'Evan is vlot, zou ik zeggen. En geestig. En Brad is een aardige jongen, en dat is hij altijd al geweest. Een goeie jongen. En dat valt soms niet mee, reken maar. Ja, hij is de liefste.'

Delia bedankte hem.

Meri sloeg hen gade terwijl het gesprek op gang kwam en voortkabbelde. Ze kwamen op Clinton, en Tom zei dat hij interessante dingen zou gaan doen als hij de Whitewater-kwestie eenmaal van zich af had geschud.

'Dat is een zorgelijke ontwikkeling,' zei Delia. Ze maakte een grimas. 'Een president die interessante dingen doet.'

Nathan en Meri lachten, en om Toms mond verscheen een wrang lachje. Hij ging echter verder en zei: 'Als er iemand is die de Democraten weer een koers kan laten varen waarbij... de politieke correctheid niet zo vooropstaat, dan is hij het volgens mij wel. En dat hebben we nodig om weer wat voor elkaar te krijgen.' Hij schudde zijn hoofd. Opnieuw verscheen dat kleine, charmante lachje op zijn gezicht. 'Hij is ook een politiek dier. Hij kan een zaal voor zich innemen. Dat helpt.'

Meri bedacht dat dat ook voor Tom moest hebben gegolden, toen hij nog in de politiek zat.

'Hij is al met al nogal een beest,' zei Nathan. Toen Tom met een vragende blik naar hem opkeek, zei Nathan: 'De kwestie-Gennifer Flowers.'

'Die hij trouwens goed heeft aangepakt,' zei Tom. 'Al had hij nog meer nadruk op het onderscheid tussen publiek en privé kunnen leggen. Het zou erg heilzaam voor de politiek in dit land zijn als die grens scherper werd getrokken.' Hij liet de whisky in zijn glas ronddraaien en nam er een slokje van. 'Evengoed is het duidelijk dat hij op vrouwen gesteld is. Maar ik denk niet dat het hem kwaad zal doen. Het is een kwaal die in Washington wel meer voorkomt, ben ik bang. De mensen zijn eraan gewend geraakt.'

Meri had naar Delia gekeken, en ze zag dat haar uitdrukking nu veranderde.

'Weet je nog dat iedereen op een gegeven moment dacht dat Bush ook een maîtresse had?' vroeg Tom. 'Maar de geruchten wilden uiteraard dat ze rijk was en uit een gegoed milieu kwam.' Hij zette zijn glas neer. 'Weet je, het probleem zit hem in die verdomde Democraten, die het met vrouwen uit lagere milieus doen. Ze zijn dol op asocialen.' Hij maakte een blaffend geluid, bij wijze van lach. 'En asocialen zijn dol op publiciteit, en dus komen de Democraten in de problemen. In tegenstelling tot de Republikeinen. Die doen het met vrouwen uit hogere milieus.' Hij gesticuleerde. 'Hogere milieus, waar iedereen keurig naar de kerk gaat en zich gedeisd houdt, zodat niemand er ooit over hoort.'

'Dat is vast niet het enige probleem,' zei Delia. Meri had de indruk dat haar glimlach was verstrakt.

Tom keek zijn vrouw aan, en meteen was het gedaan met zijn spotternij. 'Nee,' zei hij. 'Natuurlijk niet. Maar het is hoe dan ook wel het politieke aspect van het probleem, Dee.'

Even later vertelde Meri over de foto van Tom die ze op haar werk had gevonden, de Watergate-foto. Ze praatten over de hoorzittingen in de Senaat en de Watergate-periode in het algemeen. Over waar ze zich toen zelf mee bezighielden.

Tom schudde zijn hoofd. 'Mijn god, wat een ongelofelijk clubje figuren was het toch,' zei hij.

'Mijn favoriet uit het hele gezelschap was Martha Mitchell,' verklaarde Delia. 'Die Martha, die alles thuis aan de telefoon bekritiseerde. Weet je nog? Dat ze iemand opbelde en met haar grote mond allerlei idiote dingen vertelde? Weet je nog, Tom, dat ze vertelde dat ze door de FBI was ontvoerd? En dat het waar was?'

Tom sloeg haar glimlachend gade.

Delia richtte zich tot Nathan en Meri, en het plezier straalde van haar af. 'Het was allemaal waar, al die verhalen waarvan de mensen dachten dat ze uit haar drankzucht voortkwamen.'

'Ja,' zei Meri. 'En er is in de psychiatrie een fenomeen naar haar genoemd. Het Mitchell-effect.'

'Meri,' zei Nathan hoofdschuddend. 'Een "fenomeen in de psychiatrie"? Het "Mitchell-effect"? Doe me een lol!'

'Ik zal uitleggen wat het Mitchell-effect is en waarom het in de psychiatrie als een fenomeen wordt beschouwd.' Meri maakte met haar bovenlijf een soort buiginkje voor hem en de anderen. 'Je spreekt ervan wanneer een psychiater veronderstelt dat een verklaring die waar is, maar die erg raar klinkt en die niet te verifiëren is, dat die verklaring dan een gevolg is van een geestelijke stoornis. Zoals – ta-da! – wanneer de FBI je drogeert en ontvoert: je moet dan dus wel een paranoïde schizofreen zijn.'

'Die arme Martha toch,' zei Tom. Hij stond op met zijn lege glas in zijn hand en bood aan opnieuw wat in te schenken. Alleen Nathan had zin, en ditmaal gingen ze samen naar de keuken. Terwijl Meri en Delia bespraken wat Delia's andere kinderen dit jaar met de kerst deden, hoorde Meri hoe ze over en weer aan het woord waren.

Toen ze terugkwamen, vertelde Nathan over zijn studenten en hun romantische voorliefde voor de jaren zestig, of beter: de voorstelling die ze zich daarvan maakten.

Tom zei dat hij dat ook bij jongeren was tegengekomen, in het bijzonder als hij een universiteit bezocht. 'Ze willen nergens anders over horen, alsof het een soort gouden eeuw was. De jaren zestig, steeds weer de jaren zestig.'

'Ik was blij dat ze achter de rug waren,' zei Delia. 'Het was zo lastig, om in Washington je weg te moeten vinden. Ik ben toen min of meer fulltime weer hier gaan wonen, en dat was het dan, wat mij betreft. Ik had weer een privéleven.'

'Mis je het niet,' vroeg Meri, 'Washington?'

Terwijl zijn vrouw antwoord gaf, hield Tom zijn blik strak op haar gericht. 'Sommige dingen mis ik wel,' zei Delia. 'Ik had daar een paar heel goede vriendinnen. Die mis ik.' De levendige uitdrukking die eerder op haar gezicht was verschenen, was nu weer weg. 'Maar we zien elkaar zo nu en dan, en we bellen. En we schrijven.' Ze hief haar wijnglas op. 'Inderdaad is mijn wereldje nu kleiner geworden. Maar dat geldt voor iedereen van mijn leeftijd.' Vervolgens leefde ze weer even op. 'Behalve voor Tom, natuurlijk.'

Tom snoof even. Een ogenblik later richtte hij zich tot Meri. 'Je hebt nog niet verteld wat jij in Williston doet, en dat wil ik wel weten.'

Meri antwoordde haastig, alsof het niet zoveel voorstelde. Ze beschreef het programma en de onderwerpen die erin aan de orde kwamen. 'Ik ga vooral over het culturele gedeelte,' zei ze. 'Kunst, de nieuwste boeken, maar ook "cultuur".' Met haar handen vormde ze denkbeeldige aanhalingstekens. 'Alles wat de laatste nieuwe trend is.'

Ze zweeg. Opeens bekroop haar de gedachte dat Tom voor haar van nut kon zijn, dat hij een goede connectie kon zijn op wie ze zou kunnen terugvallen. Ze zei: 'Maar soms laten ze me ook weleens een politiek onderwerp doen. Dus misschien bel ik jou nog weleens. Als je daarmee akkoord gaat.'

'Natuurlijk, met alle genoegen. Help me herinneren dat ik je mijn kaartje geef.'

Meri hoorde de plichtmatige ondertoon in zijn woorden. Op gespeeld gehaaide toon zei ze direct: 'Je kaartje dan graag.'

Hij keek haar strak aan en begon vervolgens te lachen. Meri vond dat hij een geweldige lach had. Net als zijn stem klonk die licht en droog, en Tom hield zijn hoofd iets achterover als hij zich eraan overgaf. Meri had het idee iets te hebben bereikt door hem aan het lachen te maken.

Hij stond op en tastte in zijn achterzak naar zijn portefeuille. Ze had het gevoel dat hij voor de eerste keer vanavond echt naar haar keek, dat ze van een onzichtbare figuur was veranderd in... ja, waarin? Een mens, in elk geval. In een flits vroeg ze zich af hoe het zou zijn om seksuele aantrekkingskracht op Tom Naughton uit te oefenen, iets waar zij in haar huidige toestand duidelijk niet toe in staat was.

Hij was nu voor haar gaan staan en maakte bijna een buiging terwijl hij haar het kaartje overhandigde. Terwijl ze het aannam keek ze naar hem op. Om zijn kleine mond speelde een lachje. Hij erkende de waarheid, bedacht ze: als zij niet had aangedrongen, zou hij zich niet hebben 'herinnerd' dat hij haar het kaartje moest geven.

'Bedankt,' zei ze, zijn glimlach beantwoordend. 'Ik zal er zuinig mee omspringen, als ik het ooit al gebruik.'

'Wanneer je maar wilt,' zei hij.

Pas toen Tom weer naar zijn stoel toe liep drong tot haar door dat Nathan aan het woord was, al een poosje. Ze hoorde hem nu: hij had het over haar. Hij gaf een nieuwe beschrijving van haar werk en vertelde over de schrijfcursus in de gevangenis. 'Je moet bedenken dat sommige van die lui voor moord waren veroordeeld. En zij is daar in Goffstown bij ze langsgegaan en heeft die fantastische interviews gemaakt...' Meri sloeg hem gade. Hij keek heel serieus toen hij verder vertelde over de reacties die de zender had gekregen, over de mensen die financiële bijdragen aan de schrijfcursus wilden geven.

Ze begreep waar hij mee bezig was: hij wilde niet worden gezien als iemand die een dom vrouwtje had, dat volstrekt niet belangrijk was. Ze was tenslotte van hém. Ze was onderdeel van hem. Ze mocht niet frivool zijn, want zo had ze zich gepresenteerd – ze had met Tom geflirt.

En nu deed Nathan het op zijn manier.

Ze waren dus allemaal met Tom aan het flirten, bedacht ze. Raar. Grappig. Ze vroeg zich af hoe het moest zijn als iedereen je aandacht probeerde te trekken.

Nathan keek haar in de ogen, ontwaarde iets in haar blik en zweeg abrupt.

Delia verbrak de korte stilte. Ze maakte zich zorgen over Brad, die aan de late kant was.

'Het zit wel goed, Dee,' zei Tom op geruststellende toon. 'Het is geen zwaar weer. Het is alleen druk op de wegen.' Hij stond op en legde een nieuw houtblok in de haard.

'Gaan jullie met de kerst nog weg?' vroeg Delia.

Meri gebaarde naar Nathan. 'We gaan naar zijn moeder toe. In New Jersey. Het is de eerste keer dat we met de kerst bij haar zijn.' Ze vertrok haar gezicht. 'Om nerveus van te worden.'

Nathan keek haar aan. 'Kom nou, je bent helemaal niet nerveus.'

Ze wachtte een ogenblik. 'Ja, dat is zo.' Ze wendde zich tot Delia en Tom. 'Blijkbaar toch niet iets om nerveus van te worden,' zei ze.

Tom zei tegen Delia: 'Weet je nog hoe onze eerste kerst bij jouw ouders was?'

Delia glimlachte naar hem. 'Daar denk ik liever niet meer aan.'

'Waren jullie nerveus?' vroeg Meri.

'Daar was ik niet pienter genoeg voor,' zei Tom. 'Ik had geen idee wat me te wachten stond.'

'Mijn ouders waren niet echt blij,' zei Delia. 'We hadden hun net verteld dat we ons verloofd hadden, en dat beviel hun absoluut niet.'

'Waarom niet?' vroeg Nathan.

'Ach lieve hemel, waarom allemaal niet?' zei Tom. 'Om alle vooroordelen die je toen had. Ik was arm. Ik was een Ier. Ik was katholiek. Ik kwam niet uit een goed milieu.' Hij nam een grote slok whisky. 'Nu wist ik dat allemaal wel, als je in die tijd iemand was zoals ik, wist je hoe er door anderen over je gedacht werd, maar ik besefte pas goed wat een onaantrekkelijke partij ik was toen ik bij Delia's ouders kwam en daar twee heel lange dagen moest blijven.'

'Volgens mij waren ze niet zulke onaardige mensen,' zei Delia. 'Ze waren alleen bang om mij.'

'Die roomse hond, dat stuk tuig, ging er met hun lieve schatje vandoor,' zei Tom.

Delia rolde met haar ogen.

'Hij zou haar te gronde richten.' Hij glimlachte. 'Ik kon me bekeren, godallemachtig. Dat was een mogelijkheid.' En hij vertelde verder over Delia's ouders, hoe onmogelijk stroef het bezoek was verlopen, dat ze lang en zwijgend hadden getafeld en dat hij weer vroeg was vertrokken.

Meri zag hoeveel genoegen ze eraan beleefden om om beurten over de kwestie te praten en hoe gemakkelijk ze omgingen met wat een heel moeilijke episode in hun levensgeschiedenis moest zijn geweest. Ze vroeg zich af of Nathan en zij ooit zo speels met hun onderlinge verschillen zouden kunnen omspringen. Overeenkomstige verschillen, goed beschouwd: zij was net zo'n figuur als Tom: tuig, een buitenstaander. Nathan was feitelijk net zo'n aristocraat als Delia en stak in dat opzicht net zo lekker in zijn vel.

Opeens weerklonken er buiten stemmen, en voordat ze overeind konden komen hoorden ze hoe de deur openging, terwijl een kinderstem riep: 'Oma?'

Delia stond meteen op. Vlug als een jong meisje verdween ze naar de hal. Tom stond ook op en ging wat trager de hoek om. Vervolgens zag Meri de kinderen in de brede deuropening naar de hal staan: drie kinderen, van wie Meri de oudste, een meisje, op een jaar of twaalf schatte en de jongste ongeveer acht. Ze werkten zich uit hun jas en praatten in hoog tempo, vooral tegen Delia, die achter hen aan het zicht onttrokken was. Eén kind, de jongste, ging op het bankje zitten en begon zijn laarzen uit te wrikken. Nu werden in het gedruis een mannen- en een vrouwenstem hoorbaar.

In de woonkamer stonden Nathan en Meri op. Nathan zei: 'We moesten maar eens gaan, hè?'

'Ja.' Maar ze bleven nog een poosje ongemakkelijk staan luisteren hoe in de hal de familie zich verzamelde; ze wilden het ogenblik van hun hereniging niet verstoren.

Delia kwam terug en liep voor de anderen uit om iedereen aan elkaar voor te stellen. Nathan en Meri maakten met de anderen kennis en begonnen zich bijna tegelijkertijd te verontschuldigen. Tom ging hun jassen halen. De kinderen waren op hun sokken de woonkamer in gekomen; ze pakten de zakken met cadeautjes uit die ze hadden meegenomen en gaven de kleurige pakjes een plaatsje onder de boom.

Terwijl Meri met Brads vrouw – Susan – praatte en vroeg of ze een goede reis hadden gehad, verscheen Tom met haar jas. Meri draaide zich om en liet zich door hem in haar jas helpen. Onhandig en onrustig gingen ze naar de hal. De kinderen probeerden zich niet socialer voor te doen dan ze waren, maar de vier volwassenen liepen met Meri en Nathan mee, Delia voorop.

'Ik ben heel blij dat jullie langs konden komen terwijl Tom er ook was,' zei ze. 'Hij vertrekt vanavond na het eten, dus het was echt een kwestie van nu of nooit. Het is fantastisch dat jullie precies op het goede moment vrij waren.'

'We hadden het niet willen missen,' zei Nathan.

'Wij ook niet,' zei Brad. 'Alleen door een wonder krijgen we hem weleens te zien, dus dit is echt geweldig, al is het dan maar voor heel even.' Hij wierp zijn vader een bijna verlegen lachje toe.

'Waar ga je nu heen?' vroeg Nathan aan Tom.

'O, ik moet morgenochtend eerst voor zaken naar New York. Na het eten komt er een taxi voor me. Die arme jongen zit waarschijnlijk ergens in een bar naar sport te kijken tot het zover is. Hij richtte zich tot Brad. 'Hij heeft me vanmiddag vanuit Boston hierheen gebracht.'

'Nou, dan kan hij betaald naar sport kijken,' zei Brad. 'Helemaal niet zo'n verkeerde klus.'

Terwijl ze de koude nachtlucht in stapten, keek Meri nog even om door het glas in de gesloten deur. Brad en zijn moeder waren achter Tom aan weer naar binnen gegaan, en Brad had een arm om Delia heen geslagen. Hun hoofden waren gebogen en raakten elkaar bijna.

'Ik móet iets eten!' zei Nathan direct nadat ze hun eigen deur hadden geopend. Allebei gingen ze naar de keuken, Nathan gooide onderweg zijn jas op een stoel in de eetkamer. 'Te veel drank op een lege maag.'

Meri bleef in de voorraadkast staan. 'We hebben pasta,' riep ze. 'Fusilli en penne.'

'Laten we penne eten.' Hij was al luidruchtig met potten en pannen in de weer. 'Snel en makkelijk. We kunnen er olie, olijven en kruiden bij doen.'

'We hebben ook citroenen,' zei Meri. 'Dan geef ik er wat meer smaak aan, als je dat wilt.'

Toen ze met de doos pasta, de citroen en de kruiden de keuken in kwam, liep Nathan al met een pan water van de gootsteen naar het kleine fornuis. Hij stak de pit onder de pan aan, en een paar minuten waren ze zwijgend aan de deurtafel bezig.

Nathan zei: 'Dat was een stevige leugen, heb je dat gemerkt?' Hij was begonnen met de olijven te ontpitten.

'Wat? Dat hij vanmiddag was aangekomen?'

'Ja.' Hij keek met gefronste wenkbrauwen naar haar op. 'Terwijl wij zeker weten dat hij er gisteravond al was.' Zijn handen vielen stil. 'Waar zou dat nu goed voor zijn, denk je?'

Meri besefte dat dit het ogenblik was om op te biechten wat ze wist. Om het treurige verhaal te vertellen dat Delia en Tom jaren geleden met veel pijn uit elkaar waren gegaan, dat ze met veel pijn weer tot elkaar waren gekomen en dat ze een nieuwe vorm aan hun huwelijk hadden gegeven – privé, alleen voor henzelf. Om te zeggen: 'Ze zijn zogenaamd alleen nog goede vrienden. Dat denken hun kinderen.'

Maar natuurlijk zei ze dat allemaal niet. Dat kon ze niet. Nathan zou nooit begrijpen hoe ze haar bizarre daad had kunnen begaan en waarom Delia en haar levensverhaal haar zo fascineerden. Waarom ze zichzelf had toegestaan de la te openen, de brieven eruit te halen en ze te lezen. Ze zou er nooit een verklaring voor kunnen geven, omdat ze het zelf niet precies wist. En als ze bijvoorbeeld zei: 'Ik was eenzaam, Nathan. Ik bén eenzaam. Ik ben eenzaam en bang', zou hij denken dat ze zich alleen maar probeerde te verontschuldigen voor wat in zijn ogen een laakbare daad was. Voor wat ook in haar ogen laakbaar was.

En was ze inderdaad eenzaam? Was ze inderdaad bang? Ze wist niet zeker of dat wel de reden was, of het waar was. Want hoe kon ze nu eenzaam of bang zijn? Ze was getrouwd met iemand van wie ze hield. Ze kreeg een kind van hem. Ze woonde met hem in een prachtig huis, ze maakten samen een heerlijke maaltijd klaar. Ze zouden eten en praten, en misschien later vanavond nog vrijen. Ze keek naar hem. Hij stond weer over de tafel gebogen, zijn lange, fijne vingers waren zorgvuldig met de olijven bezig en zijn gezicht stond daarbij ernstig.

'Misschien is het nergens goed voor,' zei ze. 'Misschien vinden sommige mensen het gewoon prettig bepaalde dingen voor zichzelf te houden. Om een geheim te hebben, zou je misschien kunnen zeggen.'

HOOFDSTUK NEGEN

Delia, begin mei 1994

'Spreek ik met mevrouw Naughton?' Aan de andere kant van de lijn klonk een onmiskenbaar Amerikaanse, wat oudere vrouwenstem.

Delia was net binnengekomen. Ze stond bij het tafeltje in de gang van haar Parijse appartement. Buiten regende het, en ze was nat – ze had nog niet de tijd gehad om zich om te kleden. 'Daar spreekt u mee,' zei ze.

'Ah. U spreekt met... U kent me niet, maar ik ben een vriendin van Tom, uw man. Ik ben Alison Miller.'

De naam kwam Delia niet bekend voor. Ze had een droge keel gekregen. Haar eigen stem klonk haar schor in de oren. 'Ja?'

'Het gaat over Tom. Ik ben bang...' En vervolgens, op jachtige toon: 'Hij leeft nog. Het spijt me. Daar had ik mee moeten beginnen. Hij lééft nog.'

Delia ging zitten, met zo'n abrupte beweging dat het toestel net niet viel.

'Maar hij heeft wel een beroerte gehad,' zei de vrouw, Alison. 'Hij ligt hier, in Washington, in het ziekenhuis.'

Delia hoorde nu te praten, ze hoorde iets te zeggen. 'Maar... gaat het goed met hem?'

'Nou nee. Hij ligt op de intensive care. Ze weten niet... Ik denk dat niemand weet hoe het precies met hem gaat. Ik denk... Blijkbaar is het niet zo makkelijk om meteen al te zeggen hoe erg zoiets is.'

'Hij heeft een beroerte gehad?' Het was alsof het nu pas tot Delia's hersenen doordrong, een halve minuut nadat de vrouw het had verteld.

'Ja. Ze doen wat ze kunnen, maar ze kunnen nog niet zeggen hoe hij eruit zal komen.'

'Maar is hij bij kennis?' Ze zag Tom voor zich, of probeerde hem voor zich te zien. Het was belangrijk voor haar om dat te weten, om zich een voorstelling te kunnen maken van wat hem was overkomen.

'Min of meer. Hij maakt de indruk of hij niet helemaal bij is. Misschien, ik weet het niet, verkeert hij in een soort shocktoestand.' Aan het einde van de zin steeg de toonhoogte van haar stem. Toen Delia niet reageerde, zei ze nogmaals: 'Ik weet het niet.'

Delia was even te verbijsterd om te kunnen reageren. Ze hoorde het tikken van de regen op het balkon en de brom van de koelkast in haar keuken. Naast haar in de gang stond haar paraplu langzaam uit te druipen op de vloer. Dat moest ze opdweilen.

Een paar seconden later ging Alison Miller verder. 'Ik denk – en dat wordt hier ook gedacht – dat er iemand moet komen die kan... een familielid. Die de bevoegdheid heeft om beslissingen te nemen.'

'Juist ja. Een van de kinderen zou... weten de kinderen ervan?'

'Nee. Ik... Nee. Ik heb ze nog niet op de hoogte gebracht. Dat zou... Ik heb er alleen aan gedacht om u te bellen.'

Delia schraapte haar keel. 'Neemt u me niet kwalijk,' zei ze. 'Zou u me nog eens kunnen zeggen hoe u heet?'

'Ik ben Alison Miller. Ik ben een vriendin van Tom.'

'En u hebt hem naar het ziekenhuis gebracht?'

'Ik heb de ambulance gebeld, ja, en ik ben met hem meegegaan.'

Delia begon enigszins te bevatten wat er aan de hand was, maar ze begreep niet helemaal wat er van haar werd verwacht. 'Weet u... Ik bedoel, had Tom iets geregeld? Voor het geval zich zoiets zou voordoen?'

'Iets geregeld?' Nu klonk Alison Miller verward.

'Ja. Wat...?'

De stem van Alison Miller klonk opeens droog. 'Ik denk dat hij niets had geregeld, zoals u het uitdrukt, omdat hij er niet bij stilstond dat hij ooit dood zou gaan.'

Delia zweeg.

Op vriendelijker toon zei de vrouw nu: 'Voor zover ik weet is er niets geregeld.' Er viel een stilte. 'Mevrouw Naughton,' zei de vrouw, 'u moet naar huis komen.'

'Naar huis?'

'U moet naar Washington komen. Tom heeft u nodig.'

'Maar Tom en ik zijn niet...'

'Dat weet ik. Ik weet het. Maar verder is er niemand.'

'Maar bent u...?' Doordat haar leven met Tom niet aan de gangbare regels voldeed, was ze op dit ogenblik nergens meer zeker van.

'Nee,' zei de vrouw. 'Nee. Ik niet.' En vervolgens zei ze opnieuw: 'Verder is er niemand.'

Delia moest een ticket voor de eerste klas kopen, want alleen daar was op de vlucht van de volgende ochtend nog plaats. Ze zat naast een beroemdheid, iemand die ze van gezicht kende, erg goed zelfs, maar die ze niet kon plaatsen. Hij dronk snel drie glazen champagne en deed toen het vliegtuig eenmaal in de lucht was een masker voor zijn ogen, kantelde zijn stoel achterover en viel in slaap. Een poosje later begon hij te snurken, naar Delia's idee op een vrouwelijke manier: met kleine, beverige uithaaltjes, alsof elke ademteug een grote verrassing voor hem was, iets om over te juichen. Het was een haperend gesnurk, heel anders dan het gestage, diepe geronk dat Tom voortbracht.

Slapen zat er voor Delia niet in, al had ze tot haar verbazing de afgelopen nacht goed geslapen. En nu, in het vliegtuig, herinnerde ze zich dat ze had gedroomd. Van Tom. Stukje bij beetje kwam de droom terug. Het was een rare droom. Nou ja, waren niet alle dromen raar? Ze was samen met hem op een open plek in een bos. Ze zag het opeens. Het was als een scène uit een Bergman-film, die baadde in een soort bovenaards filmisch licht, zoals bij zijn droomscènes vaak het geval was – een scène vol verlangen en nostalgie. Ze kon niet zeggen wat Tom en zij daar deden, maar ze werd wakker met een gevoel van vreugde. Terwijl ze daar in haar donkere slaapkamer naar het geluid van de regen lag te luisteren, drong echter binnen enkele seconden de realiteit weer tot haar door: dat het gedaan was met hem, dat hij op sterven lag.

Of niet. Ze wist het niet. Dat was immers juist de moeilijkheid.

Direct nadat ze na haar gesprek met Alison Miller had opgehangen, had ze de dokter gebeld – een zekere Ballantyne, ze had zijn nummer van Alison Miller gekregen. Ze moest lange tijd wachten terwijl hij werd opgepiept. Twee keer kwam er iemand aan de lijn die vroeg of Ballantyne haar terug kon bellen, maar Delia zei dat ze bleef wachten.

Toen Ballantyne ten slotte aan de telefoon kwam, was hij vaag. Het was voorlopig beter om niet te speculeren. 'De eerstkomende dagen,' zei hij, 'zal alles duidelijk worden.' Deze woorden troffen Delia; ze deden heel ouderwets en vertrouwd aan. Haar moeder had het wel tegen haar gezegd, en zelf had ze het weleens tegen een van de kinderen gezegd als ze op een bepaalde vraag geen antwoord wist.

Nadat Delia had opgehangen, bleef ze nog lange tijd met haar natte schoenen aan in de gang zitten. Het was te veel, meer dan ze kon bevatten. De vrouw: was ze een vriendin, een minnares? En Tom, die in een volkomen ongewisse toestand verkeerde, waarvan niemand kon zeggen hoe hij eruit zou komen, laat staan wat voor iemand hij dan zou zijn.

Ze had vanochtend voor haar vertrek naar het vliegveld nog eens naar het ziekenhuis gebeld, maar in Washington was het nog nacht en er was verder geen nieuws. De verpleegster of receptioniste die de telefoon opnam had geïrriteerd geklonken, alsof Delia niet zo dom had moeten zijn om op zo'n uur om informatie te vragen. Ze sprak Delia toe alsof ze een klein kind was, en in reactie daarop had Delia zich ook een klein kind gevoeld: beschaamd, maar ook kwaad.

Ze had zichzelf tot rust gebracht door zorgvuldig de tafel op het balkon te dekken voor haar gebruikelijke ontbijt. Ze moest de tafel en de stoel met een handdoek droogmaken. Daarna nam ze een blad met een croissant, pitloze aardbeienjam en sterke zwarte koffie met gekookte melk mee naar buiten. Ze ging zitten en legde haar servet op haar schoot. De troost van het alledaagse, dacht ze.

Op de binnenplaats waren kinderen aan het spelen, die schelle kreten slaakten. Boven Delia was de lucht bleekblauw, en flarden dunne, hoge bewolking trokken snel voorbij. Ze besefte dat ze plezier beleefde aan het muzikale getik van het lepeltje waarmee ze het klontje bruine suiker door haar koffie roerde, en aan het licht tinkelende geluid dat het porseleinen kopje maakte als ze het op het schoteltje zette.

Die frisse, volmaakte, door de regen schoongespoelde wereld leek los te staan van deze wereld – van dit vliegtuig, waar de lucht bedompt was en waar naast haar een onaardige man lag te slapen.

En deze wereld leek op zijn beurt niets te maken te hebben

met de wereld waar ze later vandaag zou aankomen. Met Tom, die beschadigd in een ziekenhuisbed lag. Met het ziekenhuis zelf en het vreselijke bestaan in dat gebouw – de vaste procedures, de verveling, de angst. En met de vragen waarop onder haar leiding antwoorden moesten worden gevonden.

Tom. Tom – zijn gezicht bleef leeg als ze zich probeerde voor te stellen hoe hij er nu uitzag. Ze had alleen bewegende herinneringsbeelden van hem, waarop hij praatte en lachte.

O, in de droom – Delia's lippen openden zich als ze eraan dacht – hadden ze op de radslag geoefend. Wat raar! Maar ze herinnerde zich hoe het voelde; de wilde fysieke overgave waarmee je jezelf erin gooide en ondersteboven ging. Het was eigenlijk net zo wild als seks. Ze herinnerde zich ook dat ze de stilzwijgende afspraak hadden om dit met zijn tweeën in het bos te doen om de kinderen niet in verlegenheid te brengen. Die wisten niet dat zij radslagen konden maken en zouden het niet prettig hebben gevonden om er getuige van te moeten zijn.

Ze boog zich voorover en keek door het raam naar de wattige, zonbeschenen wolkenvelden onder haar.

Tom was rechtop in bed gezet. Hij had zijn ogen open en was bij kennis.

Bij kennis, maar niet aanwezig, dacht Delia: hij leek haar niet op te merken toen ze naar hem toe kwam en haar stem niet te horen toen ze wat zei. Of misschien hoorde hij haar van een grote afstand, vanuit een andere sfeer. Hij keerde zich nu in de richting van haar stemgeluid, langzaam, terwijl zijn blik zich niet op haar fixeerde maar alle kanten uit ging. Het deed haar denken aan de manier waarop heel kleine kinderen op geluid reageren, zonder te begrijpen waar het voor dient en waar het vandaan komt. Tom had diezelfde lege, onvaste blik.

Opnieuw opende ze haar mond. 'Tom. Schat. Ik ben het. Delia.'

Hij fronste zijn wenkbrauwen. Dat was alles.

Hij droeg een ziekenhuishemd met een motiefje erop. Zijn armen, die uit de wijde mouwen staken, lagen er dun en zwak bij. Zijn handen lagen gekromd en nutteloos op het tot zijn buik opgetrokken laken. Zijn haar zat in de war en piekte; Delia kon het niet aanzien en streek het glad. Ze streelde hem over zijn gezicht. Zijn ogen gingen dicht. Hij vlijde zijn gezicht tegen haar hand aan. 'Nnnggg,' zei hij.

'Lieve schat,' antwoordde ze.

Maar toen zijn ogen weer opengingen, fixeerde zijn blik zich nog niet goed op haar. Hij maakte alleen een volkomen verwarde indruk. Door zijn lege blik, de manier waarop zijn gezicht verslapte, en doordat hij blijkbaar niets begreep van wat er om hem heen gebeurde, maakte hij op Delia een dierlijke indruk. Hij deed haar denken aan een groot, treurig en angstig dier.

Het was beter om helemaal niets te zeggen, dacht ze. Ze wist het een en ander van beroertes. Verschillende vrienden en vriendinnen hadden een beroerte gehad, en haar vader was eraan overleden; hij had ruim een week roerloos en sprakeloos in een ziekenhuisbed gelegen. Delia wist dat het denkbaar was dat Tom nergens meer een touw aan vast kon knopen. Dat hij niet begreep waarom zij hier was verschenen en wat ze zei. Dat hij zelfs niets begreep van zijn omgeving – van het ziekenhuis. Had hij enig benul van waar hij was? Snapte hij hoe hij hier was terechtgekomen? Misschien niet. Dat moest wel het meest angstaanjagende van alles zijn.

Ze besloot niets meer te zeggen. Ze zou hier gewoon zijn – aanwezig zijn voor hem. Een geruststellende aanwezigheid zijn, hoopte ze. Maar wel een stille aanwezigheid. Haar woorden zou ze voor de doktoren bewaren.

Ze trok een stoel tot vlak bij het bed en boog zich over naar Tom; ze hield zijn hand vast en streelde hem over zijn hoofd, want dat leek hem op zijn gemak te stellen. Hij bewoog zijn hoofd in haar hand, zijn mond rustte op haar handpalm alsof hij hem wilde kussen. Ze bedacht hoe hij haar verschillende keren een handkus had gegeven. Dan pakte hij haar hand, opende hem en drukte zijn lippen op haar handpalm: hartstochtelijk of bekommerd – en door de jaren heen alsmaar weer bij wijze van verontschuldiging.

Maar nu was zijn gezicht dood – emotieloos – en uit de aanraking van zijn lippen kon je helemaal niets opmaken. Zijn ogen sloten zich weer. Na een paar minuten vormde zich in haar handpalm een plasje speeksel. Ze trok haar hand weg en veegde hem af aan het laken.

Delia had Madeleine Dexter vanuit Parijs gebeld. Ze wist dat ze niet in een hotel of in Toms huis wilde zitten. Madeleine woonde in Georgetown, dicht bij het ziekenhuis. Madeleine was een oude vriendin, een van Delia's oudste vriendinnen in Washington, nog uit de tijd dat Tom pas net Congreslid was. De afgelopen decennia zag Delia haar doorgaans maar één keer per jaar, gewoonlijk in New York, waar ze dan samen naar een toneelstuk gingen dat hen allebei interesseerde of een expositie in het Metropolitan Museum bezochten. Ze verbleven altijd in hetzelfde hotel en dineerden samen. Al pratend dronken ze samen in de regel minstens één fles wijn, gevolgd door een kleinere fles dessertwijn. Ze praatten elkaar bij over hun kinderen, hun huwelijk, hun leven en hoe ze zich voelden.

Madeleine had Tom gekend en was ook erg op hem gesteld geweest, al had ze Delia meer dan eens gezegd – en laten weten dat ze het ook tegen Tom zelf had gezegd – dat ze Tom wel 'levend kon villen' vanwege wat hij met zijn huwelijk had aangericht.

Ze was een van de weinigen met wie Delia kon praten over de problemen van wat Madeleine 'jullie regeling' noemde.

Madeleine was nu alleen. Haar man, die bij het ministerie van Buitenlandse Zaken had gewerkt, was een paar jaar geleden gestorven. Dan, heette hij.

Ze deed open en spreidde haar armen uitnodigend voor Delia uit. Ze was een korte, gezette vrouw met een reusachtige boezem die haar hele lijf tussen haar schouders en haar middel besloeg. Delia had het gevoel of er een groot zacht kussen tegen haar eigen, bescheidener buste aan drukte.

'Ha, Delia,' zei Madeleine terwijl ze zich van elkaar losmaakten. Ze had een rond, vol gezicht, dat nu knapper was dan in haar jonge jaren; toen waren de mannen door haar figuur aangetrokken. 'Laten we er maar geen doekjes om winden,' had ze meer dan eens gezegd. 'Ik was welvoorzien.'

Ze hield nu haar hoofd achterover om door de onderste helft van haar dubbelfocusbril naar Delia te kunnen kijken. 'Daar ben je dan, lieverd. Daar ben je dan, en je hebt een hele last op je schouders.' Ze glimlachte. 'Ja, het is niet niks.'

Delia beantwoordde haar glimlach. 'Je hebt gelijk, ben ik bang. En ik zal hem moeten torsen. En het zou weleens een heel zware last kunnen zijn.'

'Was het heel erg?'

'Dat vond ik wel. Hij leek... helemaal stuk.'

'O gunst toch, Dee.'

'Maar volgens de verpleegsters kun je er nog niets van zeggen. Volgens hen zijn er gunstige tekenen en reageert hij goed. Hij kan alles bewegen, zij het niet perfect. En ik heb de dokter nog niet gesproken. Dus ik weet het niet, echt niet, ik weet nog helemaal niets.'

'Dat moet wel het zwaarste van alles zijn.'

'Nou, niet van alles, maar zwaar is het wel.'

'Maar is hij... wakker?' vroeg Madeleine.

Delia lachte schril. 'Niet merkbaar, volgens mij. Maar ik wil iets anders aantrekken. Ik moet even douchen. Ik ben uitgeput.'

'Natuurlijk, natuurlijk,' zei Madeleine. 'Je weet de weg. Ik ben in de keuken en maak eten klaar voor als je daaraan toe bent. Neem rustig de tijd, schat.'

Delia liep met haar koffer door de lange gang. Het appartement, waar overal dik tapijt op de vloer lag en waar voor alle ramen dubbele gordijnen hingen, absorbeerde alle geluid. Terwijl Delia in de opzichtig ingerichte, luxueuze logeerkamer haar koffer uitpakte, rook ze knoflook en kruiden – dragon, misschien. Verschillende keren moest ze even op de rand van het bed gaan zitten; ze voelde een aandrang om te gaan liggen die niet voor haar honger onderdeed. Maar zodra ze met uitpakken stopte kwam voor haar geestesoog het beeld van Tom op – van de nieuwe Tom –, en aan hem dacht ze liever niet.

De douche kikkerde haar op. In haar peignoir liep ze naar de keukendeur. Madeleines gezicht klaarde weer op toen ze Delia zag, en ze bood haar wijn aan. Op het aanrecht stond naast de gootsteen een geopende fles, met een glas ernaast. Madeleines halflege glas stond op het keukeneiland naast de slakom waarboven ze sla aan het scheuren was.

'Ik drink een glas, en dan zoek ik even een rustig plekje op,' zei Delia. 'Ik ga de kinderen bellen. Ze weten het nog niet.'

'Aha!' Madeleine schonk het glas vol. 'Dan kun je wel wat wijn gebruiken.' Ze reikte Delia het glas aan.

'Ik hou het kort,' zei Delia. 'Ik heb ze toch niet veel te vertellen. Eigenlijk alleen wat er gebeurd is.'

Madeleine zuchtte. 'Ik kan me maar nauwelijks voorstellen dat die bruisende Tom nu geveld is.' Ze schudde haar hoofd. 'Ik dacht dat hij op de een of andere manier gevrijwaard was van wat ons allemaal overkomt.'

'Ik denk dat hij dat zelf ook dacht.' Delia herinnerde zich wat de vrouw aan de telefoon had gezegd: dat hij er niet bij stilstond dat hij ooit dood zou gaan. Ze bedacht dat Madeleine Alison Miller misschien wel kende of wist wie ze was. 'Ik ben zo terug,' zei ze.

Brad was niet thuis. Ze gaf Ellie, zijn oudste dochter, door dat Tom een beroerte had gehad maar het wel zou overleven, en dat ze bij Tom was en in huize Dexter logeerde.

Evan was bezorgd en zat vol vragen waarop Delia geen antwoord kon geven. Ze zei hem dat ze hem zou terugbellen zo gauw ze echt wat wist. Ze zei dat hij misschien wel kon komen, maar dat het haar vooralsnog tamelijk zinloos leek.

Nancy was nog op haar werk. Daarom misschien was haar toon zakelijk en efficiënt. Nadat ze de elementaire informatie over de toestand van haar vader had aangehoord, viel er een stilte. Toen zei ze: 'Jij gaat dit toch niet op je schouders nemen.' Het was niet bepaald een vraag.

Daarom heb ik haar als laatste gebeld, dacht Delia. Ze nam een slokje wijn. 'Ik ben bang van wel.'

'Dat is volkomen misplaatst, mam,' zei Nancy op vlakke toon.

Dat was echt iets voor Nancy, en zo voorspelbaar dat Delia moest lachen. 'Dat is wel het laatste waar ik me op dit moment druk over maak, schat.'

'Het is onmógelijk dat jij zijn... zorgverlener wordt. Of wat dan ook.'

'Nan...' Delia zette haar glas op het nachtkastje. 'Ik weet nu nog helemaal niet wat er mogelijk en onmogelijk is. Laten we niet op de zaken vooruitlopen.'

'Je loopt niet op de zaken vooruit als je nadenkt over de manieren waarop je dit kunt regelen zonder dat jij er direct bij betrokken bent.'

'Ik bén erbij betrokken, vrees ik. Ik heb de bevoegdheid om beslissingen te nemen.'

'Maar die bevoegdheid kun je aan een van ons overdragen.'

Delia gaf haar geen antwoord. Hoewel ze daar zelf al aan had gedacht, al meteen toen ze Alison Miller aan de lijn had, had ze nu het idee dat het haar werd opgedrongen, als een bedreiging. Nee, dacht ze.

'Heb je iemand uitgelegd hoe het tussen papa en jou in elkaar zit?'

'Ik heb nog nergens tijd voor gehad, Nan. Ik ben hier pas net. Ik ben uitgeput.'

'Tja, dat hoort erbij. Je bent vijfenzeventig, je bent de afgelopen decennia alleen voor de wet zijn vrouw geweest, en je zou dit niet moeten doen.'

'Maar ik doe het wel.' In haar eigen oren klonk Delia kinderlijk opstandig.

Nancy gaf even geen antwoord. Toen zei ze: 'Heb je het hier met Evan over gehad?'

'Ja.'

'En wat zegt hij ervan?'

'Hij zegt dat hij afwacht tot ik hem weer bel, als ik meer weet.'

Nancy moest in Delia's toon de zinspeling hebben gehoord op het feit dat Evan zich beter gedroeg dan zij, dat hij het brave en zij het lastige kind was. Een paar tellen zei ze niets. Vervolgens vroeg ze: 'En dat wordt morgen, denk je?'

'Ja, 's ochtends, werd me gezegd. Dan doen ze hun ronde, of zo.'

'En dan bel je mij ook?'

'Natuurlijk, schat. Zo gauw ik weet wat de prognose is. Of in elk geval de algemene stand van zaken.'

'Dan wacht ik ook.' Het klonk onwillig, als een concessie.

Ze namen afscheid. Delia zei nog minstens één keer dat ze zou bellen zodra ze iets wist, en daarop zei Nancy: 'Weet je, mam, ik denk alleen aan jou.'

Haar toon was veranderd, en Delia voelde zich schuldig omdat ze boos was geweest en zich tegen haar dochter had verzet.

'Dat weet ik,' zei ze.

Madeleine had in de keuken gedekt. Ze had twee kaarsen aangestoken, en toen Delia binnenkwam deed ze de plafonnière uit.

Zoals altijd voerden ze een intiem gesprek. Nadat Delia zo goed en zo kwaad als het ging had uitgelegd hoe het met Tom was, nadat ze hadden gespeculeerd en hadden gezegd dat ze met hem te doen hadden, vertelde Madeleine een poos over Dans dood. Ze vertelde uitvoeriger dan ooit hoe moeilijk ze het had gevonden om te wennen aan het feit dat ze weduwe was.

Ze zwegen even, en Delia raakte over de tafel Madeleines hand aan. Twee oude handen, dacht ze. Haar hand zag er boven op die van Madeleine knokig uit. Zelfs Madeleines vingers waren plomp.

Madeleine keek naar haar op. 'Jij zult er in elk geval niet zo aan hoeven te wennen als Tom doodgaat – jullie wonen al zo lang niet meer bij elkaar.'

Delia verschoof haar hand. 'Dat moet je niet zeggen, Maddy. Hij gaat nog niet dood.'

'Ja, maar het is wel het begin van het einde, hè? Zelfs als hij helemaal herstelt, is er wel een bepaald proces ingezet. Zoals bij de gevreesde gebroken heup bij vrouwen.'

Delia ging verzitten. Ze had pijn in haar rug – door de lange vlucht en natuurlijk doordat ze de hele dag met haar koffer had moeten sjouwen. 'Je zult wel gelijk hebben,' zei ze, en ze maakte een grimas. 'De beruchte glijdende schaal.'

Madeleine glimlachte. 'En daar glijden we allemaal vanaf,

nietwaar? Vanaf onze geboorte.' Ze hief de fles op. 'Nog een slok?' vroeg ze.

'Ach, waarom ook niet?' zei Delia. Madeleine schonk in, en Delia dronk. Het was een goede Franse pinot noir. Madeleine moest hem speciaal voor haar hebben gekocht. Ze zette het glas neer en zuchtte. 'Wie weet?' zei ze. 'Misschien mis ik hem als hij doodgaat juist veel meer omdat ik hem niet steeds bij me heb gehad.'

'Dat zou dwaas zijn, schat, en dat ben je volgens mij helemaal niet.'

'Ja, maar voor zover ik dwaas ben – of dwaas was – had het toch altijd met Tom te maken?'

Hun oude gezichten vormden aan weerskanten van de tafel elkaars spiegelbeeld: ze vertoonden dezelfde spijtige en warme uitdrukking. Een poosje later stonden ze op en deed Madeleine het licht aan. Ze ruimden de tafel af en zetten de vaat in de afwasmachine. Terwijl Delia met haar rug naar Madeleine toe gekeerd de tafel afnam, vroeg ze: 'Ken jij hier in Washington een zekere Alison Miller?'

'Ik dacht het niet,' zei Madeleine. 'Hoezo?'

'Zij belde me met het bericht over Tom. Ze was bij hem toen hij die beroerte kreeg.'

'Aha!' zei Madeleine.

Delia draaide zich om. Madeleine had zich ook omgedraaid en keek haar aan. Ze droeg gele rubberhandschoenen die bijna tot haar ellebogen reikten. Ze had haar schort nog voor. Ze zag eruit als een schoonmaakster, dacht Delia. Niet dat ze ooit een schoonmaakster had gezien.

'Inderdaad: "Aha",' zei Delia.

'Het kan zomaar iemand zijn geweest, Dee. Een vriendin, iemand die hij van zijn werk of uit de politiek kent. Tom heeft een heleboel vrienden en minstens evenveel vriendinnen.'

'Ik weet het. Ik dacht dat jij misschien... iets wist.'

Madeleine schudde haar hoofd. 'Dit keer kan ik je niet helpen, lieverd.'

Later wensten ze elkaar welterusten en gingen naar hun slaapkamers, die allebei aan een andere kant van het appartement lagen. Nadat Delia de deur van de logeerkamer had dichtgetrokken, was het doodstil. Ze zou alleen op de wereld kunnen zijn.

Ze ging in bed liggen en bekeek de haar onbekende groenachtige vormen in de kamer, die zwak werden verlicht door het schijnsel van de elektrische klok. Ze dacht aan wat ze over Tom had gezegd en schaamde zich omdat ze zo lichtvaardig had gesproken over de mogelijkheid dat hij zou sterven nu hij zo verward en verloren in het ziekenhuis lag.

Ze bedacht echter dat het probleem was dat zij evenmin als Tom de mogelijkheid onder ogen had willen zien dat hij ziek zou worden of zou sterven. Ze had gedacht dat hij onsterfelijk was, dat hij er altijd zou zijn. Of ten minste net zo lang als zij. Ze had altijd gedacht dat ze nog alle tijd hadden om hun zaken op te lossen en een manier te vinden om weer samen te leven.

Jaren geleden zou ze hebben gezegd dat ze vrede met de situatie had. Ze zou hebben gezegd – en had ook gezegd – dat hun oplossing voor hen werkte, dat de huidige situatie hun allebei beviel. Maar het leek erop dat ze al die tijd had afgewacht totdat er iets zou veranderen en ze weer bij elkaar zouden komen. Omdat ze na dit alles nog altijd het idee had dat ze *bij elkaar hoorden*. Dat hij haar lot was.

Wat een dwaasheid. Haar hoofd draaide heen en weer op het kussen, ze kreunde.

Alles aan dokter Ballantyne was groot. Vooral zijn hoofd, dat volkomen kaal was, al kon hij niet ouder zijn dan een jaar of vijftig. Ook zijn tanden waren groot, met brede spleten ertussen

– het soort gebit, dacht Delia, dat als hij nu een kind was zou worden rechtgezet, wat zijn ouders erg veel geld zou kosten.

Ze spraken met elkaar op de gang, terwijl van alle kanten verpleegkundigen en patiënten voorbijkwamen. Hij torende hoog boven haar uit. Ook zijn stemgeluid was imposant, en Delia voelde steeds de neiging 'sst!' tegen hem te zeggen. In haar ogen was het verkeerd om tegenover iedereen die het wilde horen rond te bazuinen hoe het er met Tom voor stond. Ze moest zichzelf ertoe dwingen haar aandacht te houden bij wat hij zei, in plaats van hoe hij het zei.

Ballantyne vertelde Delia dat Toms beroerte snel was behandeld, zodat hij een goede kans maakte heel behoorlijk te herstellen. Wel was de linkerhersenhelft getroffen, en dat hield in dat zijn taalvaardigheid en zijn spraakvermogen waarschijnlijk min of meer zouden zijn aangetast. Ook kon hij op dit moment de rechterkant van zijn lichaam moeilijk bewegen. De kans was groot dat het beter zou gaan en mogelijk dat het veel beter zou gaan, zei hij – al was het voor oudere mensen moeilijker. Het was van belang snel met de therapie te beginnen en ermee door te gaan zolang er resultaat te zien was. Hij vertelde dat de revalidatie in het ziekenhuis slechts twee weken kon duren. Ze zouden in de planning opnemen dat hij die tijd in het ziekenhuis kon blijven. Voor daarna waren er in de buurt, hier in Washington, uitstekende faciliteiten. Ze moest het daarover hebben met Toms fysiotherapeute, met zijn zorgmanager en uiteraard ook met Tom zelf als hij zover was. Intussen werd er op zijn kamer heel voorzichtig een begin met de revalidatie gemaakt, en kreeg hij medicijnen om de kans op een volgende beroerte te verkleinen.

'Er is dus eigenlijk nog niets duidelijk,' zei Delia.

'Dat is niet waar.' Zijn harde stem klonk wel vriendelijk. En hij had geen haast, waarvoor Delia hem dankbaar was. 'Er is al een heleboel duidelijk. Op dit moment gaat het goed met hem. En het zal nog beter gaan. We weten alleen niet hoeveel beter.'

Een ogenblik later vroeg Delia: 'En is dat alleen een kwestie van geluk – hoeveel beter het met hem zal gaan?'

'Geluk speelt er een rol bij, en wilskracht: het verlangen om weer op te knappen. Maar inderdaad, waarschijnlijk is het voor meer dan vijftig procent een kwestie van geluk.'

Delia steunde met haar rug tegen de muur. Ze veranderde enigszins van houding.

'Ik zal u vertellen waarmee hij ook geluk heeft gehad,' zei de arts. 'Met zijn vriendin.'

Er kwam een vragende uitdrukking op Delia's gezicht.

'Ik heb begrepen dat de vrouw die bij hem was hem hier bijna onmiddellijk naartoe heeft gebracht.'

'Alison. Miller.'

'Heet ze zo? Ik heb haar maar heel kort gezien. Een aardige vrouw. Ze was vreselijk bezorgd. Ze zaten trouwens maar een paar straten hiervandaan in een restaurant te lunchen. Daar had hij ook weer geluk bij.'

Ze zaten dus te lunchen, dacht Delia. Het was mogelijk dat ze gewoon een vriendin was, of zelfs een zakenrelatie. 'Ja,' zei ze. 'Ja, goed, dank u wel.' Ze maakte zich los van de muur.

Hij zei haar dat ze hem altijd kon bellen als ze iets te vragen had – hem en de fysiotherapeute. 'Vermoedelijk heeft zij van nu af aan meer te vertellen over hoe het met hem gaat dan ik.' Hij liet haar nog een laatste keer zijn ver uit elkaar staande tanden zien en sjokte vervolgens de gang in, de hoek om.

Delia ging naar Toms kamer. Hij was er niet, zijn bed was pas opgemaakt. Ze zag dat de eerste bloemen waren gekomen. Verspreid over de kamer stonden vijf of zes bloemstukken die op een uitvaart niet hadden misstaan, en in de kamer hing het bedwelmende, licht bedorven aroma van hyacinten. Ze veronderstelde dat zij de bedankbriefjes zou moeten schrijven. Voorlopig wilde ze daar nog niet aan denken. Zonder een blik op de kaartjes te slaan stapte ze de kamer uit en liep de gang door naar de balie van de verpleging.

De vrouw aan de balie vertelde haar dat Tom enkele onderzoeken onderging. Delia vroeg waar ze Toms zorgmanager kon vinden, en de verpleegster vertelde haar dat de afdeling Maatschappelijk Werk beneden zat, op de tweede verdieping. Toen Delia zich omdraaide en wilde gaan, riep de verpleegster haar terug. Het was haar weer te binnen geschoten dat Toms spullen nog in een kluisje lagen. 'U moest ze maar meenemen,' zei ze. 'Zijn kleren liggen er en dan nog wat er in zijn zakken zat: zijn sleutels en zijn portefeuille. Spullen waar hij nu zelf niet mee overweg kan. Ik ga ze even pakken.' Ze verdween naar een kamer achter de balie.

Toen ze weer terugkwam overhandigde ze Delia Toms sleutels en portefeuille. Zijn kleren zaten in een transparante plastic zak.

Ze had opnieuw het woord genomen. Ze vertelde dat Tom over een dag of twee naar de afdeling Revalidatie zou worden overgebracht. 'En het is beter voor hem als hij daar zijn eigen kleren kan dragen. Dat geeft hun psychologische steun, moet u weten, als ze elke dag worden aangekleed.'

Delia zei dat ze wat spullen voor hem zou komen brengen.

Ze nam de lift naar beneden, naar de afdeling Maatschappelijk Werk. In de lift stond ook een groepje verpleegsters die elkaar lachend vertelden hoe knap een van de coassistenten was. De receptioniste op de afdeling zei dat de maatschappelijk werker die over de nazorg aan patiënten ging op dat moment niet beschikbaar was, maar ze maakte voor Delia een afspraak in de middag.

Nadat ze het kaartje in ontvangst had genomen, ging Delia

met de lift naar de hal op de begane grond. Ze liep de hal door en ging naar buiten, de klamme Washingtonse lucht in. Ze begon bijna onmiddellijk te transpireren. Er waren geen taxi's in de buurt, en omdat in de stroom mensen ook geen taxistandplaats te zien was, ging ze weer naar binnen. De jongeman achter de informatiebalie wees haar op de taxitelefoon aan de muur naast de glazen deuren. Toen de man aan de lijn haar vroeg waar ze heen wilde, noemde ze Toms adres – haar oude adres, het appartement in een herenhuis op Capitol Hill waar ze samen hadden gewoond.

Toen ze er in de taxi kwam voorrijden zag het er nog net zo uit als vroeger, alleen was hier en daar de witte verf op het baksteen verdwenen en scheen er een lichte, geelroze tint doorheen. De voortuin, waar in hun tijd vooral harig vingergras had gestaan en aarde had gelegen, was echter veranderd. Hij stond vol bloeiende, weelderig groenblijvende planten; pastelkleurige tulpen staken hun kop door hun bladeren heen. Tom moest een tuinman hebben genomen.

Delia opende het lage ijzeren hek en liep het tuinpad op. Ze had het gevoel dat ze in de kijkerd liep, alsof ze werd gadegeslagen: de ex-vrouw, die aankwam in het huis waar ze niet thuishoorde. Pas nadat ze drie sleutels aan Toms sleutelring had geprobeerd vond ze er een die in het slot in de glanzend zwarte deur paste.

Toen de deur openging en Delia het huis binnenstapte, voelde ze de vertrouwdheid ervan in een vlaag, als een walm, over zich heen komen. Er hing ook een bepaalde walm – de geur van Tom en zijn levensstijl: etensgeuren, een lichte zweem van sigarenrook, zijn aftershave en andere onbenoembare luchtjes. Het rook gewoon naar Tom.

Ze trok de deur achter zich dicht en liep langzaam door de kamers op de begane grond – de woonkamer die aan de ene kant van de gang lag, de achterkamer die Tom als studeerkamer had gebruikt, de eetkamer en de kleine keuken. Ze waren onveranderd, alleen was een stoel in de woonkamer opnieuw bekleed en waren de ingelijste familiefoto's waar de ronde tafel naast de bank vroeger mee vol had gestaan nu verdwenen. Ook was duidelijk dat Tom de eetkamer nooit voor gezellige avondjes gebruikte: op de enorme tafel lagen stapels papier, de stoelen waren tegen de muren aan geschoven.

Bijna tien jaar lang hadden ze in elk geval een deel van het jaar samen in dit huis gewoond; ze huurden het van de eigenaar, die een klein appartement op de tweede verdieping had. Het huis stond toen in een gevaarlijk deel van de stad, maar meer konden ze zich niet permitteren. Nadat ze uit elkaar waren gegaan had Tom het op een gegeven moment gekocht, en nu was hij huisbaas en had hij boven een huurder. Delia was al bijna twintig jaar niet in deze kamers geweest.

In feite had ze zichzelf verbannen. Tom had haar alleen maar verwelkomd en wilde de eerste paar keer na Carolee dolgraag dat ze kwam – tijdens de Senaatscampagne van 1972, de campagne waarbij ze hem ondanks zijn buitenechtelijke verhouding had willen steunen. Hij had gehoopt dat het huis – waar ze dol op was geweest, bedacht ze nu ze door de ruime kamers liep – haar naar Washington zou terugroepen. Tenslotte hadden ze gepland dat ze het huis in Williston zouden verkopen als Brad, het jongste kind, naar de universiteit zou gaan; Delia zou dan definitief naar Washington komen.

Maar zelfs in die periode had Delia geweten dat de campagne en de manier waarop die hen had samengebracht een respijt van de werkelijkheid betekenden. Een werkelijkheid die zich weer van haar meester maakte nadat Tom had gewonnen en nadat ze voor de laatste keer lachend, wuivend en vechtend tegen haar tranen op het podium had gestaan. Nadat het feest in Williston om de overwinning te vieren voorbij was, nadat Tom daar in bed met haar had gevreeën en nadat hij 's ochtends de deur uit was gegaan, terug naar Washington.

Toen was naar Delia's idee haar krankzinnige periode begonnen, waarin ze niet wist wat ze wilde, of waarin ze in snelle opeenvolging tegenstrijdige verlangens koesterde.

Of in minder snelle opeenvolging. Soms was ze er zeker van dat ze de juiste keuze had gemaakt. Ze bleef vier of vijf maanden alleen in Williston, in de zekerheid dat ze over Tom heen begon te komen. Er verstreek zelfs een heel jaar waarin ze hem niet zag. Maar dan gebeurde er iets en verlangde ze naar hem. Of misschien wilde ze een bewijs dat hij naar haar verlangde, dat ze nog enige macht over hem had. Ze wist het niet en eiste dat ook niet van zichzelf. Ze vroeg hem naar Williston of New York te komen, en dan vielen ze elkaar in de armen en vreeën alsmaar weer. Als ze uit elkaar gingen voelde Delia zich beurs en uitgeraasd; haar gezicht was pijnlijk, haar geslacht gezwollen.

Tom voelde in die jaren dat ze het er moeilijk mee had en was lief voor haar. Hij was ook standvastig in zijn verlangens: hij wilde dat ze weer bij elkaar zouden wonen. Dat ze nooit officieel zouden scheiden. Hij zei dat hij van haar hield en altijd van haar zou houden, en dat ze in weerwil van zijn ontrouw de liefde van zijn leven was. Hij beschreef de ontrouw als een zwakte van hem, die niet voortkwam uit tekortkomingen van haar.

Maar hij had andere vrouwen. Hij ging discreet te werk, veel discreter dan met Carolee, maar hij had minnaressen. Delia wist dat. Ze wist het omdat hij haar vertelde dat hij een ander zou nemen als zij niet bij hem terugkwam. Ze wist het omdat ze soms, als ze hem 's avonds of 's nachts belde, kon merken dat er iemand bij hem was.

Ze maakten daar ruzie over. Hij zei dat hij er natuurlijk mee op zou houden als zij bij hem terugkwam; dan zou hij haar trouw blijven. Maar ze kon niet het een én het ander hebben. Als ze niet terugkwam en voet bij stuk hield, moest hij toch iets met zijn leven.

Ze hadden in deze periode nu eens gemene en dan weer heftige ruzies. Delia ging verder dan Tom – door wat hij had aangericht voelde ze zich vrij om zich te laten gaan. Ze schold hem uit. Ze schold zijn minnaressen uit: zijn dellen en sletten. Ze beschuldigde hem ervan dat hij haar probeerde vast te houden met het oog op zijn carrière, dat hij haar in de campagne had gebruikt.

Zelfs jaren later, toen Delia tot de overtuiging was gekomen dat Tom gedurende alle dieptepunten op zijn manier toch echt van haar had gehouden en dat hij vanwege die oprechte gevoelens met haar getrouwd wilde blijven, dacht ze op cynische momenten weleens dat ze hem waarschijnlijk meer dan eens van pas was gekomen als hij een van zijn liefjes moest afwimpelen. Ze zag het tafereel al voor zich: hoe hij op diep berouwvolle toon begon over de oudere, eenzame echtgenote die hem niet kon en wilde opgeven. *Vanwege haar geloof, begrijp je.* Terwijl juist zijn religieuze overtuiging – en de politieke religie van die dagen – echtscheiding verbood. Maar dat wisten zijn minnaressen niet. Ze zag voor zich hoe de jongere vrouwen aandrongen en dreigden, waarna Tom met zijn onberispelijke excuus op de proppen kwam: dat Delia er jammerlijk strenge opvattingen op na hield en dat ze daarom hun regeling hadden getroffen en zij haar eisen had gesteld.

Deze krankzinnige periode duurde zes of zeven jaar. Daarna werd voor haar alles geleidelijk wat gemakkelijker. Ze had zelf verschillende verhoudingen, en dat hielp. Daardoor was ze minder wanhopig en had ze niet meer zo sterk het gevoel dat Tom de enige man was van wie ze ooit zou kunnen houden – niet dat ze hield van de mannen met wie ze een verhouding had, maar houden van leek dankzij hen een reële mogelijkheid.

Aan een van hen was ze erg verknocht geraakt: aan een weduwnaar, een componist die ze via Ilona had leren kennen. Ze had het idee dat ze van hem had kunnen houden, maar ze kon niet wennen aan de manier waarop hij de liefde bedreef. Het ging altijd zonder passie – *hard*, in haar woorden. Snel. De lome speelsheid die Tom en zij samen hadden aangeleerd ontbrak volledig, de liefdevolle aandacht voor haar lichaam die voor haar een bevrijding inhield. Uiteindelijk kwam er een einde aan hun verhouding en werden ze vrienden, in elk geval voor een tijdje.

Maar een nog belangrijker rol in het vinden van vrede met de situatie met Tom speelde Delia's gevoel dat ze van haar eenzaamheid genoot. Haar nieuwe leven in Frankrijk was daar onderdeel van, maar ook in Williston kostte het haar minder moeite om alleen aan het sociale verkeer deel te nemen. Ze werd niet meer ingeperkt en afgeremd door Toms behoefte om in het middelpunt te staan, zodat zij altijd aan zijn zijde of zelfs aan de zijlijn had moeten toekijken. Ze maakte op een andere manier vrienden en beleefde meer plezier aan haar vriendschappen. Ze merkte dat de mensen haar mochten, iets waarvan ze in het verleden nooit zeker was omdat iedereen zo op Tom gericht was geweest.

Steeds meer maakte Delia zich los van Tom, van zijn leven zonder haar, zijn leven in Washington. Op een gegeven moment stelde ze een lijstje op met spullen uit het huis in Washington die ze wilde hebben, en Tom liet ze door verhuizers naar haar toe brengen.

Ze ging de trap naar de slaapkamers op. Eerst ging ze naar hun vroegere kamer. Hij was geschilderd en opnieuw behangen – de kamer was nu donker en modern. Waren de muren vroeger zachtgrijs geweest en het beddengoed en het meubilair wit, nu was alles bruin en nog eens bruin. De gordijnen en de beddensprei waren in rijke, donkere paisleymotieven uitgevoerd.

Ze ging op Toms bed zitten en belde opnieuw alle drie de kinderen – thuis, om hen niet op hun werk te storen, maar ook om niet met hen te hoeven praten, met name met Nancy; ze kreeg met antwoordapparaten te maken. In de boodschappen die ze insprak herhaalde ze zo nauwkeurig en zorgvuldig mogelijk wat dokter Ballantyne haar in het ziekenhuis had verteld.

Toen ze klaar was, keek ze even om zich heen. Daarna stond ze op en liep over de overloop naar de oude kamers van de kinderen, om te kijken hoe ze er nu bij lagen. De deuren waren dicht. Ze opende er een en toen nog een, en bleef staan om de kamers op zich in te laten werken.

Het meubilair was sinds Tom en zij uit elkaar waren gegaan onveranderd gebleven: het hemelbed met de kanten hemel op Nancy's kamer, de twee identieke bedden op de jongenskamer. Zelfs aan de muren hingen nog dezelfde afbeeldingen. Posters van de Andes, van de Machu Picchu, op de kamer van Brad en Evan, en op Nancy's kamer ingelijste schilderijen en reproducties die Delia had uitgekozen – nadat Nancy rechten was gaan studeren hadden ze haar kamer als logeerkamer gebruikt.

Op beide kamers lagen echter ook vreemde opeenhopingen van spullen, die daar duidelijk in de loop der tijd terecht waren gekomen: lampen, schilderijen die tegen een muur waren gezet, opgerolde tapijten en kleedjes, een steelstofzuiger en kartonnen dozen. Klaarblijkelijk had er in geen jaren iemand overnacht.

Delia wist dat de kinderen niet bij Tom op bezoek gingen. Als ze naar Washington kwamen zagen ze hem wel, maar op neutraal terrein: in hun hotel, of in een restaurant. En de enkele keer dat Tom hen opzocht, overnachtte hij ook in een hotel.

Ze had het er weleens met Tom over gehad; ze had hem duidelijk willen maken dat zij hun afstandelijke houding niet had aangemoedigd, dat zij hun niet had gevraagd partij tegen hem te kiezen. En op zijn beurt had Tom Delia gezegd dat hij haar niet verantwoordelijk hield.

Ze had tijdens het gesprek de indruk gekregen dat hij de afstandelijke houding van de kinderen bijna verwelkomde. Misschien beschouwde hij die als een soort vergeldingsmaatregel voor wat hij had aangericht, voor het feit dat hij was zoals hij was. Hij zei dat de kinderen al vroeg een duidelijke keuze hadden gemaakt en dat hij begreep waarop hun keuze gebaseerd was.

Maar in werkelijkheid waren ze, met uitzondering van Nancy, allemaal gezwicht en weer nader tot hem gekomen. Delia dacht aan de afgelopen kerst, aan de maaltijd in Williston met Brad en zijn gezin. Natuurlijk was Brad de soepelste van de drie, maar evengoed had iedereen een blije en ontspannen indruk gemaakt.

Over de overloop liep ze terug naar Toms kamer. Ze opende de klerenkast. Ze koos snel een aantal kledingstukken uit en legde ze op het bed, alleen broeken en overhemden. Niet een van de dure pakken; er hingen er zo'n acht of tien in de kast. Terwijl ze ze bekeek slaakte ze een zucht. Zelfs toen ze nog geen geld hadden, had Tom met kwistige hand kleren gekocht. Het was een zwakheid van hem – nog een zwakheid. En zij had de problemen die eruit voortkwamen moeten oplossen en de eindjes aan elkaar moeten knopen.

Maar in werkelijkheid had zij ook genoten van zijn verschijning in die chique pakken met dure overhemden, bretels en schoenen. Ook had ze begrepen wat ze voor hem betekenden: dat ze hem naar zijn idee toegang verschaften tot een leven dat hij ambieerde. Hij had haar eens verteld dat hij zich erin had geoefend een nonchalante houding aan te nemen, met zijn handen in zijn zakken, en dat hij de gebaren en gelaatsuitdrukkingen had nagebootst van mensen die hij tijdens zijn rechtenstudie en aan het begin van zijn advocatenpraktijk had ontmoet. En uiteindelijk had hij daar succes mee gehad; hij was echt de man geworden die hij eerst had gespeeld. De kleren waren feitelijk nog het minst belangrijk.

Ze haalde ondergoed en sokken uit zijn commode. Over de overloop liep ze naar de bergkast, en daar, op een plank boven het linnengoed, lagen nog net als vroeger de koffers. Ze herkende er zelfs nog een paar. Ze nam er een mee naar Toms kamer, legde hem op het bed en maakte hem open. Zorgvuldig – professioneel, dacht ze, met iets van trots en genoegen – vouwde ze de kleren op en schikte ze in de koffer.

Ze liep naar de badkamer om Toms toiletspullen te pakken: een haarborstel, een scheermes, scheercrème, aftershave, tandpasta en een tandenborstel. Ze bedacht dat ook als het ziekenhuis hiervoor zou zorgen, hij waarschijnlijk toch liever zijn eigen spulletjes wilde hebben. Ze deed ze in zijn toilettas en legde die in een hoek van de koffer, boven op de kleren. Ze ritste de koffer dicht en zette hem boven aan de trap neer.

Vervolgens ging ze terug naar de slaapkamer en liep naar het bed. Met een plof liet ze zich erop neervallen. Het kwam doordat het hier zo warm en bedompt was, dacht ze. En natuurlijk sloeg de jetlag nog toe; ze was de afgelopen nacht in Madeleines appartement een paar keer wakker geworden en had in de stilte en het donker niet geweten hoe laat het was en waar ze was. Rond halfvijf was ze voor het laatst ontwaakt, en vanaf dat moment had ze wakker gelegen. Ze was echter nog in bed blijven liggen tot even voor zevenen, toen ze Madeleine in de keuken had gehoord.

Ik doe een dutje van een paar minuten, dacht ze nu, terwijl haar ogen dichtvielen.

Ze was bijna te laat voor de afspraak met Toms maatschappelijk werker. Rond de klok van vier ging ze naar Toms kamer. Hij lag in bed. In een hoek van de kamer stond echter een rolstoel, wat wees op recente activiteit.

Zijn ogen gingen open en volgden haar terwijl ze op hem af kwam. Zijn hand ging omhoog alsof hij haar wilde groeten, zijn lippen gingen van elkaar. Hij bracht een klank voort, een klank die met een b of een d had kunnen beginnen; zijn mond en tong moesten uit alle macht werken om deze klank te produceren.

Delia dwong zichzelf om haar blik niet af te wenden. Ze groette hem terug, noemde haar naam en zei dat ze blij was dat hij er weer wat beter uitzag. Langzaam vertelde ze dat ze wat spulletjes van hem had meegebracht.

Hij leek haar niet te begrijpen, en daarom zette ze de koffer op de stoel en maakte hem open. Ze haalde er een overhemd uit, een van zijn mooie, dure shirts van fijne katoen die aanvoelde als zijde, en hield het omhoog. Toen hij het zag slaakte hij een kreet, alsof hij een stukje van zijn verdwenen persoonlijkheid herkende.

Delia bracht de rest van de middag bij Tom door. Ze vroeg allereerst om een bakje, vulde het met warm water en schoor Tom. Vervolgens haalde ze een verpleegster die haar kon helpen om hem aan te kleden. In zijn eigen kleren, gladgeschoren en met gekamde haren, zag hij er opeens weer gezond uit, als een mens en niet als een patiënt. Delia had het idee dat ze daadwerkelijk verschil opmerkte in de manier waarop de verpleegkundigen en verpleeghulpen hem behandelden als ze de kamer binnenkwamen. Ze hielp hem ook met eten en voerde hem lepels van de pap die hij mocht hebben.

Maar het grootste deel van de tijd zat ze gewoon naast zijn bed. Soms zei ze een paar woorden, vaak neuriede of zong ze wat. De tijd kroop voort als een gletsjer. Als Tom indommelde en Delia zich kon ontspannen – ze maakte dan een wandelingetje over de gang of waste op de wc haar gezicht met koud water –, ervoer ze een bijna lichamelijk gevoel van dankbaarheid.

Ze was ook dankbaar vanwege wat haar eerder was verteld door de maatschappelijk werker en de fysiotherapeute die tijdens de bespreking even was komen binnenvallen. Ze had begrepen dat het een goed teken was dat Tom kon eten – sommige mensen hadden na een beroerte geen controle meer over hun mond en moesten opnieuw leren eten. De maatschappelijk werker zei dat hij ook probeerde dingen te benoemen. Allebei deze dingen wezen erop dat een goed herstel mogelijk was. Ze waren op zijn kamer al met oefeningen begonnen: ze lieten hem zijn zwakke kant bewegen en probeerden hem te laten opstaan en op eigen kracht te laten lopen. Over een dag of twee zouden ze hem naar de revalidatieafdeling overbrengen; vrij kort daarop zou Delia moeten beslissen waar en hoe lang hij vervolgens moest worden behandeld.

Toen Delia een taxi belde om naar Madeleine te gaan, liep het tegen achten en was ze opnieuw uitgeput. Het was haar blijkbaar aan te zien, want de chauffeur stapte uit, opende het portier en hielp haar met instappen; daarbij ondersteunde hij haar bij haar elleboog. Of misschien gaf hij gewoon blijk van zuidelijke hoffelijkheid. Terwijl Delia de verkeersopstopping op M Street gadesloeg en naar het geclaxonneer luisterde, kwamen haar gedachten op Washington, op de zuidelijke inslag van de stad, die haar altijd trof als ze er een tijd niet was geweest, vooral omdat er een raciale kant aan zat. De zwarten die overal in de stad in de dienstverlening werkten, zorgden voor een alomvattende sfeer van plattelandse vriendelijkheid. De ziekenhuismedewerkers, het bedienend personeel in de restaurants, de taxichauffeurs – allemaal waren ze beleefd met een glimlach. En nu ze uit de taxi stapte stond daar Madeleines portier in zijn chique uniform, die haar persoonlijk begroette en ook al met een glimlach de deur voor haar open hield.

Al die beleefdheid en vriendelijkheid vormde een contrast met de afstotende, bittere armoede die in een groot deel van de stad heerste. Ze had zich vaak afgevraagd wat voor indruk dat op buitenlandse hoogwaardigheidsbekleders maakte, maar natuurlijk waren ze in andere landen ook aan deze kloof gewend. Misschien was het nog het vreemdst voor iemand die in dit land was opgegroeid, bedacht ze, waar gelijkheid de norm heette te zijn, of in elk geval als wenselijk gold. Ze had het er weleens met Tom over gehad, over alle onvervulde beloften van de burgerrechtenbeweging, over de initiatieven ter bestrijding van de armoede waaraan hij zich aanvankelijk zo geestdriftig had gewijd. Over de ironie van het feit dat Washington zelf de tegenstellingen zo goed illustreerde, als de machthebbers eens bereid zouden zijn hun ogen te gebruiken.

En nu ze de lift in stapte dacht ze aan hun gesprekken; ze had het idee dat ze over alles konden praten. Overal. In bed, aan de keukentafel als de kinderen naar bed waren en in de badkamer, waar Tom soms bij haar kwam zitten als zij in bad zat. Een verwarrende hoeveelheid beelden besprong haar, van een alerte Tom, belust op discussie; van zijn mond waarop dat strakke, ironische lachje verscheen als hij ervan genoot dat hij in het debat had gescoord. Ze dacht aan de ingespannen bewegingen die zijn mond vandaag had gemaakt toen hij haar naam probeerde uit te spreken. Ze bedacht hoe hij haar had gekust en haar lichaam had gestreeld. Haar hoofd was vol van deze gedachten toen ze in de antieke lift langzaam naar boven ging, de inklapbare kooideur openduwde, de lift uit stapte en bij Madeleine aanbelde.

Misschien herkende ze daarom belachelijk lang degene die opendeed niet, al bedacht ze later dat het misschien ook voortkwam uit medeleven met Tom, die niet in staat was alles te plaatsen wat in zijn leven niet klopte en misplaatst was. Maar toen viel alles weer op zijn plaats, en naar ze hoopte klonk er in haar woorden meer plezier door dan ze voelde: 'Kijk eens aan, Nancy!'

HOOFDSTUK TIEN

Delia, mei 1994

Nancy drong erop aan dat ze in het weekend naar Williston moesten. Volgens haar had Delia rust nodig en konden ze thuis beter praten. Delia had zich niet verzet. Inderdaad sprak het idee om thuis te zijn haar aan; ook had ze het gevoel dat ze Nancy's bezoek daar beter kon verdragen dan bij Madeleine of in het ziekenhuis, in de buurt van Tom.

Op vrijdagmiddag namen ze het vliegtuig. Ze waren van plan om op maandagmorgen samen naar Washington terug te gaan. Na een tweede snel bezoekje aan Tom zou Nancy diezelfde avond terugvliegen naar Denver – ze vertelde Delia dat ze al langer vrijaf had genomen dan ze kon verantwoorden.

Thuis in Williston pakte Delia haar koffer uit. Ze haalde de slang van de keukenkraan af en bracht de planten van het plastic matje in de keuken naar hun vaste plaatsen: de *Crassula ovata* naar de woonkamer, de koningsvaren naar zijn standaard in de woonkamer. De hibiscus bleef waar hij was. Ze nam de door Meri gesorteerde post door en bracht een paar brieven naar haar studeerkamer, waar ze ze kort beantwoordde. Ze reed naar de supermarkt in het winkelcentrum en sloeg wat levensmiddelen in, waarbij ze de artikelen op haar lijstje afvinkte.

Ze probeerde zichzelf zoveel mogelijk te doen te geven, want als ze ermee ophield – of het zelfs maar kalmer aan deed –, wilde Nancy meteen met haar praten. Ze drong erop aan dat Delia Tom in Washington in een revalidatiecentrum zou laten opnemen dat zij had uitgezocht, en waar hij, zo zei ze, 'de best mogelijke zorg krijgt, mam. En waar al zijn Washingtonse vriendinnen' – ze beklemtoonde dit woord op een onprettige manier – 'hem kunnen opzoeken. We moeten niet vergeten dat hij in Washington woont. Het is volslagen onzinnig om hem hierheen te laten komen. En we weten allemaal dat jij dan op een volkomen misplaatste manier bij zijn verzorging zou worden betrokken.'

Over welke 'wij' heeft ze het nu, dacht Delia. Wie bedoelt ze daarmee?

'Maar wat voor zin zou het hebben om hem in Washington onder te brengen als dat zou inhouden dat ik nog meer zorgen heb?' vroeg ze. 'Als ik daarom steeds op en neer zou moeten vliegen? Dat zou mij veel meer ongemak opleveren.'

'Als je dat zou doen wel, ja. Maar je moet zien te voorkomen dat het zo gaat. Je moet jezelf onttrekken aan dat... web waarin je gevangen dreigt te raken.'

Dit keer zaten ze te praten in het Peking Palace in Williston, maar eerdere versies van dit gesprek hadden thuis en in het vliegtuig uit Washington plaatsgevonden. Nancy was de afgelopen nacht zelfs in de deuropening van Delia's slaapkamer blijven staan en had maar doorgepraat, hoewel ze toch kon zien, dacht Delia, hoe uitgeput ik was. Zelfs nadat Delia het licht uit had gedaan was ze nog doorgegaan, terwijl ze als een donker silhouet in de deuropening prijkte. Uiteindelijk had Delia haar moeten zeggen dat ze haar slaap echt nodig had.

Maar nadat Nancy was weggegaan, had Delia nog lang wakker gelegen met het gevoel dat ze in de greep van iets gruwelijks was geraakt. Het beangstigde haar dat ze niet wist of ze voldoende weerstand kon bieden aan de macht van haar dochter. Misschien, bedacht ze, was dit het moment waarover ze een paar vriendinnen treurig en berouwvol had horen vertellen: het moment waarop je volwassen kinderen ingrepen en je leven overnamen zonder dat je er iets tegen kon doen. Het moment waarop je niet meer kon weigeren, omdat het overduidelijk was dat alles wat je als iets 'van jou' ervoer iets van hen begon te worden – je bezittingen vielen hun toe, en natuurlijk ook de lasten: jouw leven, het leven van je partner, jouw kwalen, zijn kwalen, jouw dood. Het moment waarop je hun iets verschuldigd was, waarop je moest inbinden omdat dat wel zo eerlijk was tegenover hen, en omdat je niet meer de kracht had om dwars te liggen.

'Het is geen web, schat,' zei Delia. 'Het is het leven. Het leven neemt je te pakken. Het leven verandert. En wij veranderen mee.'

'Mam, dit is jouw besluit.'

Wat had ze een smalle lippen, dacht Delia. Wat had ze een strakke mond. Net als Tom, maar dan zonder het speelse.

'Je bent niet te pakken genomen,' zei Nancy. 'Jij hoeft je helemaal niet met papa bezig te houden. Ik zorg ervoor. Ik heb met de beste instelling voor mensen met een hersenbeschadiging in Washington gesproken. Ik heb alles geregeld. Jij hoeft er niets meer aan te doen. Je bent hem niets verplicht. Dat zou een absurd idee zijn, na wat hij jou heeft aangedaan.'

Terwijl Delia naar het gezicht van haar dochter keek, kwam plotseling de herinnering bij haar terug aan de weken kort nadat Tom zijn verhouding met Carolee was begonnen. Ze had toen, hoe verdrietig ze zelf ook was, steeds weer geprobeerd Nancy's verdriet te temperen en haar te troosten. Zich tegenover haar te verontschuldigen, leek het weleens.

En wat er nu gebeurde – dat volhouden dat haar vader geen recht had op Delia's aandacht en liefde – kwam voort uit hetzelfde deel van Nancy's geest, bedacht Delia. Het was het kleine meisje in haar, dat aanvoerde dat hij moest boeten omdat hij haar had gekwetst en verraden.

Delia was meteen doordrongen van de waarheid van dit inzicht, en merkwaardig genoeg deed het haar goed om er zo over te denken. Daardoor kon ze het idee van zich af zetten dat Nancy macht had, het idee dat haar hart had doen bonzen toen ze afgelopen nacht wakker lag. Daardoor kon ze weer hetzelfde liefdevolle medelijden met Nancy voelen als lang geleden, toen haar dochter volkomen in de greep van haar woede en verwarring verkeerde en zichzelf niet meer in de hand had.

Delia slaakte een zucht. 'Jij bent hem ook niets verplicht, schat.' En omdat ze dacht dat het Nancy misschien goed zou doen, zei ze vervolgens: 'Na wat hij jóu heeft aangedaan. Jou, en Evan en Brad.'

Nancy keek verbijsterd, en Delia merkte dat ze het goed had aangepakt. Voor het eerst merkte ze dat ze in deze situatie de overhand kon behalen. 'Hoor eens, Nan,' zei ze, en ze boog zich over de tafel naar haar dochter toe. 'Als we dat in aanmerking nemen, dat hij een oude man is die lang geleden ons allemaal zo heeft behandeld – om niet te zeggen: ons heeft beledigd –, moet dan degene die daardoor het minst... gekrenkt en verontrust is, nu niet het voortouw nemen? Ik wíl het doen en jij niet. Ik... heb je vader in zekere zin zijn daden vergeven, en jij niet, lijkt me zo.'

Nancy maakte een grimas, maar hief ook haar hand op in een gebaar waarmee ze de waarheid van Delia's woorden leek te erkennen.

'Ik denk...' zei Delia en ze viel stil. Ze wilde voorzichtig zijn. Ze wilde niet te veel doordrukken. Ze wist dat Nancy in staat was zich uit pure koppigheid tegen haar te verzetten.

'Nou? Wat denk je?'

'Ik denk dat, bij nader inzien, hij mij op een veel voorspelbaarder manier heeft gekrenkt. Het was eigenlijk heel banaal. Maar hoe hij jullie heeft gekrenkt, dat was helemaal niet banaal.' Zo was het toch? Hij had Nancy in die kwetsbare fase van haar leven iets vreselijks aangedaan. Carolee en hij samen. 'Dat was erger.'

Maar Nancy ging er niet in mee. 'Het was allebei afschuwelijk,' zei ze, 'wat hij mij heeft aangedaan en wat hij jou heeft aangedaan. Het was allebei onvergeeflijk.'

Een ogenblik later schudde Delia haar hoofd. 'Jij kunt niet voor mij spreken, Nan. Jij kunt niet zeggen wat ik vergeeflijk en onvergeeflijk vind. Ik ben anders dan jij, en ik heb een andere kijk op je vader dan jij.'

Ze keek toe hoe haar dochter met haar eetstokjes speelde en ze precies evenwijdig naast elkaar neerlegde.

Nancy keek op. 'Wat zou jij dan willen doen?'

Delia voelde een zo intense opluchting dat het leek of ze voor het eerst sinds ze het nieuws over Tom had gehoord weer een keer diep kon ademhalen. 'In de buurt van Williston is ook een goed tehuis. Voor mensen met hersenletsel. De zorgmanager heeft me dat verteld. Ik zou graag willen dat hij daarnaartoe gaat. Het zou het er voor mij makkelijker op maken als hij daar zit. Zal ik dat dan maar zo regelen?' zei ze. En snel ging ze verder: 'En als het niet gaat, kunnen we terugvallen op al het voorbereidende werk dat jij in Washington hebt gedaan.'

Nancy's gezicht stond een beetje aarzelend, dacht Delia, een beetje nukkig, maar ze capituleerde, ze ging min of meer akkoord. Ze zei: 'Nou, ik kan je blijkbaar niet tegenhouden als je vastbesloten bent om het zo te doen.'

'Ik denk dat ik inderdaad vastbesloten ben. Dat is het goede woord. En ik wil het zo. Ik overdrijf absoluut niet als ik dat zeg: ik wíl het zo.'

Ze spraken een poos over de praktische kant, over hoe Delia het moest aanpakken. Nancy wilde dat Delia haar van alles op de hoogte zou houden, van al haar vorderingen en beslissingen.

Ze verwachtte dat Delia haar regelmatig zou bellen.

Delia stemde daarmee in. Ze stemde overal mee in. Ja, daar zat wat in, overal zat wat in. Ze bleef een verzoenende toon aanslaan.

Toen ze naar huis reden, zei Nancy: 'Je moet me beloven, mam, dat je het me laat weten als het te veel wordt. Dan bedenken we iets anders.'

'Natuurlijk.'

'Misschien zijn er ook wel goede instellingen bij mij in de buurt. Of bij een van de jongens.'

Delia antwoordde niet. Tom aan Nancy's genade toevertrouwen... Nee, dat was niet mogelijk.

'En ik wil ook dat je in het najaar naar Parijs gaat. Je gaat de dingen waarvan je geniet niet opgeven omdat je paps... mantelzorger bent, of zoiets.'

Parijs. Delia had er de afgelopen periode niet één keer aan gedacht. Het leek wel een andere planeet. Ze dacht aan haar laatste ochtend in Parijs, aan het ontbijt op het balkon en het licht in de lucht om haar heen. Ze dacht aan het telefoontje van Alison Miller, de middag voor die ochtend.

'Misschien kunnen we om de beurt hier in huis zitten en hem opzoeken terwijl jij weg bent, om te zorgen dat alles goed gaat.'

'Ja,' zei Delia.

Nancy parkeerde op de oprijlaan, en ze namen de zijtrap, die naar de keuken ging. Het was donker, want ze hadden er niet aan gedacht de buitenlamp aan te laten, en Delia struikelde ergens over. Nancy greep haar bij haar elleboog en hield die vast terwijl ze het trapje naar de deur op liepen. Toen ze naar binnen gingen, reikte Delia in de donkere keuken naar de lichtschakelaar en deed de lamp boven de tafel aan. Nancy knipperde in het volle licht met haar ogen en zag er uitgeput uit.

Ze wordt zowaar oud, dacht Delia terwijl ze de diepe, verbitterde groeven rond de mond van haar dochter en de rimpels op haar voorhoofd bekeek. Ze sloeg een zachte toon tegen haar aan: 'Nou, het lijkt erop dat we een plan hebben gemaakt.'

Het revalidatiecentrum lag op ongeveer veertig minuten van Williston. Delia reed langzaam over de tweebaansweg en lette nerveus op de wegwijzers en de afslagen die ze had genoteerd toen ze had gebeld om de weg te vragen. Vlak nadat ze een rotonde en een gele boerderij was gepasseerd, zag ze het tehuis liggen op een heuvel aan haar rechterhand, overeenkomstig de beschrijving.

'Het is behoorlijk indrukwekkend,' had de vrouw aan de telefoon gezegd, en dat klopte: het was een groot, oud bouwwerk in georgiaanse stijl. Aan weerskanten ervan stonden bakstenen gebouwen met één verdieping, die deels in het bos lagen dat tot de top van de heuvel reikte.

Delia reed onder een helderblauw afdak bij de voordeur door en parkeerde op een voor bezoekers bestemd geasfalteerd parkeerterrein. Het tehuis had een grote entreehal. Een receptioniste die maar net zichtbaar was achter de blankhouten balie, lachte Delia toe. Ze had loshangend grijs haar. Delia gaf haar de naam die ze had gekregen en ging vervolgens zitten wachten. Intussen keek ze om zich heen.

Alles was in zijn soort van uitstekende kwaliteit, maar het was opzettelijk saai en mocht nadrukkelijk geen aanstoot geven. De kleuren waren grijs en diepgroen – rustig voor het oog, veronderstelde Delia. Aan de muren hingen anonieme pastorale tafereeltjes en ingelijste posters van museumexposities. Hooibergen van Monet. En in de gang hingen bloemen van O'Keeffe.

Toen Delia enkele minuten later met mevrouw Davidson meeliep, was ze zowel geïmponeerd als beklemd door het tehuis. Van veel appartementjes die aan de lange gangen lagen stond de deur open, en mevrouw Davidson groette veel bewoners die zo te zien maar wat zaten te niksen, in afwachting van iemand die een praatje met hen zou beginnen. Mevrouw Davidson was een knappe vrouw van waarschijnlijk in de vijftig, die voor haar functie iets te uitbundig gekleed ging: ze droeg een paars mantelpakje en een grote sjaal in een knoop op haar schouder. Delia vond dat ze eruitzag als de rectrix van een middelbare school.

Ze wees Delia erop dat de bewoners in hun appartement hun eigen meubels, hun eigen wanddecoraties en hun eigen snuisterijen hadden. Delia zag het terwijl ze langzaam langs de deuren liepen: beeldjes op een tafel, een victoriaanse stoel, een stel familiefoto's aan een muur, een Perzisch tapijt op de vaste vloerbedekking van het tehuis. De restanten van levens die elders waren geleefd.

Mevrouw Davidson vertelde dat ze hoopten dat Tom te zijner tijd ook zo'n woning zou kunnen betrekken.

Delia hoorde haar woorden aan en reageerde met beleefde opmerkingen. In het voorbijgaan bekeek ze de bewoners. Ze waren oud, net als Tom, maar in de meeste gevallen ambulant. Op een gegeven moment zagen ze een jongeman die voor hen uit door de gang liep, met naast zich een verpleeghulp die zijn hand vasthield. Delia vroeg mevrouw Davidson waarom hij hier zat.

'Hij is een van onze jongens,' zei ze. 'Dat is de andere helft van onze patiënten. Als het over neurologisch letsel gaat, zijn er twee hoofdoorzaken: herseninfarcten en ongevallen. Er zijn nog een paar andere aandoeningen, een paar andere mogelijkheden. Maar toch vooral herseninfarcten en ernstige ongevallen. En de groep die de grootste kans loopt op een ernstig ongeval – door zonder helm motor te rijden, in een afgraving te duiken zonder te weten hoe diep het is, door te hard te rijden of op een helling in te halen – wordt uiteraard gevormd door jongemannen. We proberen hun meer discipline en meer lichamelijke activiteit te bieden. We hebben hen zelfs in een aparte vleugel ondergebracht; ze kunnen overlast voor de oudere bewoners veroorzaken. Als u wilt kan ik het u laten zien.'

'Nee, nee. Dat is niet nodig,' zei Delia.

Vervolgens liepen ze naar de revalidatie- en verpleegafdeling, waar Tom naartoe zou gaan, in elk geval de eerste tijd. Delia bekeek de ingewikkelde apparaten waarmee hij zijn spieren zou oefenen en de kamers waar hij spraaktherapie zou krijgen.

In de open grote zaal was een verjaarsfeestje in volle gang. Aan het hoofd van de tafel hing een zwijgende oude vrouw scheef in een rolstoel. Haar mond stond open alsof ze in een voortdurende staat van verbijstering verkeerde over wat er van haar was geworden; een puntig feestmutsje was met een elastiekje dat onder haar kin door liep op haar hoofd bevestigd. Rond de tafel zaten een stuk of tien andere bewoners, van wie het merendeel een verpleegkundige of verpleeghulp naast zich had. Enkelen van hen werden gevoerd, de meesten redden zichzelf – sommigen bedreven, anderen onhandig als kleine kinderen. Een groot deel van hen had ook een feestmuts op. Een jonge vrouw in een gebloemd jak stond druk pratend de taart aan te snijden. Op een toon alsof ze kleine kinderen toesprak legde ze uit: 'Er is ijs. Vanille-ijs. En kijk eens! Hier is taart! Er zijn twee taarten. Dit is een chocoladetaart, en dat is een taart zonder chocola. Dus als je geen chocola lust...'

Tijdens haar uitleg weerklonk er enig kabaal, van de patiënten die op haar reageerden in een ander ritme en een andere stijl.

Toen ze de afdeling verlieten en Delia met mevrouw Davidson door de besloten gangen met hun vage bloemengeur liep en vervolgens op mevrouw Davidsons kamer haar verhaal over de financiën aanhoorde, werd ze vooral beheerst door de gedachte dat Tom ontsteld zou zijn. En terwijl ze daar zat en mevrouw Davidson tijdens haar verhaal toeknikte, realiseerde ze zich dat ze een andere Tom in gedachten had. Een Tom die hier met haar zou hebben rondgelopen in een van zijn kostuums, met een mooie das om, met zijn hand op haar rug of haar elleboog, een Tom die haar zo nu en dan zou hebben aangekeken en een opmerking tegen haar zou hebben gemaakt terwijl hij zijn mond heel licht vertrok of zijn wenkbrauwen bijna onzichtbaar optrok.

De Tom van nu was hieraan gewend, aan zijn lotgenoten in zijn nieuwe wereld. Van de dingen die haar zo stoorden zou hij waarschijnlijk niets opmerken. Hij zou ermiddenin zitten. Erbij horen. Hij zou een van hen zijn. De gedachte was bijna onverdraaglijk. Ze wilde niet op deze manier aan hem denken. Ze zou niet op deze manier aan hem denken. Ze kon het niet.

En toen schoot haar iets te binnen uit de brochures die haar waren toegestuurd. Ze onderbrak mevrouw Davidson midden in haar betoog. 'U hebt toch ook een programma voor thuiszorg?'

De daaropvolgende week regelden mevrouw Davidson en de overige stafleden in Putnam de details. Ze pleegden overleg met het ziekenhuis in Washington, waar Tom revalideerde van zijn beroerte. Ze kwamen overeen dat hij daar nog tien dagen zou blijven. Daarna zou hij ten minste een week in Putnam worden opgenomen. Als hij vervolgens net zo goed vooruit bleef gaan als nu het geval leek te zijn, kon hij naar huis, naar Delia. Hij kon dan bij haar wonen en als extern patiënt gebruik blijven maken van de revalidatiefaciliteiten.

Tijdens haar gesprekken met Nancy vertelde Delia hier niets over. Ze had het alleen over de kwaliteit van het tehuis, de programma's en de verschillende zorgniveaus. Ze was nu niet tegen een nieuwe strijd met haar dochter opgewassen. Ze liet Nancy in de waan dat ze het door hen afgesproken plan uitvoerde, dat natuurlijk in Nancy's ogen van haar kant al een compromis was geweest. Ze zou het Nancy vertellen, bedacht Delia, als het een voldongen feit was en Nancy zelf kon zien hoe goed het ging.

In de tussentijd was Delia zelf ook druk bezig regelingen te treffen. Ze maakte afspraken met een taxidienst die Tom, als hij eenmaal bij haar woonde, vijf dagen in de week van en naar Putnam zou vervoeren. Ze belde het studentenuitzendbureau op de universiteit en gaf op dat ze vanaf half juni een zorgverlener voor de middagen nodig had. Ze wilde deze zomer weer in het Apthorp-huis gaan werken, en daarom moest er dan iemand bij Tom zijn – er zat een gat van ongeveer anderhalf uur tussen het moment dat hij uit Putnam terugkeerde en het moment dat zij van haar werk terugkwam. Ook zou ze minimaal een paar keer per week hulp nodig hebben om Tom naar boven te brengen voor een douche, en waren er in en om het huis nog de nodige klusjes te doen.

Ze besloot sollicitatiegesprekken te houden – het was belangrijk dat Tom goed zou kunnen opschieten met degene die voor hem zorgde. Drie jongemannen belden haar naar aanleiding van de advertentie. Ze liet hen op een woensdagmiddag achter elkaar langskomen.

Van tevoren was ze zenuwachtig. Ze kleedde zich met zorg – in een witte linnen blouse, een zwarte broek en sandalen. Voor haar polsen zocht ze armbanden met veel bedels uit – jeugdige sieraden, in haar ogen. Ze wist dat het belachelijk was, maar vond dat ze het moest proberen. Ze wilde hen niet bij voorbaat te veel ontmoedigen met de feiten over Tom. Ze knapte de kamer een beetje op en sloeg cola en chips in, waarvan niet één van de jongens iets nam.

Ze had van tevoren besloten dat ze haar keus zou maken op

grond van twee eigenschappen: fysieke kracht en de ontspannenheid waarvan de jongens tegenover haar blijk zouden geven.

Ze waren echter alle drie erg fors en zeiden alle drie dat ze aan sport deden. Ze veronderstelde dat ze dus alle drie sterk waren. Twee van hen gedroegen zich echter in haar gezelschap stijf en ongemakkelijk, allebei op een andere manier: de een was overbeleefd en kruiperig, de ander te afstandelijk, alsof iemand van haar leeftijd tot een andere diersoort behoorde, alsof ze iemand was met wie je niet zomaar wat kon kletsen en lachen. Het was uitputtend voor Delia om een gesprek met hen te voeren, want zij moest al het werk doen.

Matthew, de derde jongen, maakte een onbeschroomde en nieuwsgierige indruk en had weleens van Tom gehoord. Dat zou Tom bevallen. En al was hij verlegen en bleef hij haar ook nadat ze hem verschillende keren had gevraagd haar Delia te noemen als mevrouw Naughton aanspreken, op zijn jeugdige manier was hij interessant. Ook wist hij nog niet wat hij later wilde gaan doen of worden, en dat stond Delia wel aan. Jonge mensen moesten wat besluitelozer zijn, dacht ze, want ze wisten nog zo weinig.

Ze vertelde hem het een en ander over Tom: dat hij toen hij zo oud was als Matthew ook nog niet had geweten wat hij wilde, dat hij als jongeman door het land was getrokken en allerlei losse baantjes had gehad. Dat hij branden had geblust en in een grensstadje in Texas korte tijd als bokser had gewerkt. Terwijl ze dit vertelde, zag ze even de jonge Tom voor zich, die lange, moedige jongen, die er alleen op uit was getrokken.

'Wat gaaf,' zei Matthew. Hij had een groot vierkant hoofd en een gezicht dat over een paar jaar knap zou kunnen worden als babyvet nu de boosdoener was – dat was nog niet te zeggen.

'Niet echt,' zei Delia. 'Mij deed het altijd aan hanengevechten denken. Ze werden samen in de ring gezet, zodat er op ze kon worden gewed. Hoe bloederiger het toeging, hoe beter het was. Als hij won kreeg hij vijf dollar, en anders niets. Natuurlijk was vijf dollar in de crisisjaren een hoop geld.'

'Maar niets was toen ook niets,' reageerde Matthew.

Delia lachte en Matthew keek zo blij – hij bloosde! – dat dat voor haar de doorslag gaf. Ze maakten afspraken en hadden het over zijn betaling.

Een paar dagen later kwam Matthew samen met een vriend om het huis anders in te richten. Ze brachten de tafel en de stoelen uit de eetkamer naar de kelder en zetten in de eetkamer een tweepersoonsbed uit een van de logeerkamers neer. Ze zetten ook een commode in de eetkamer, en de schommelstoel uit de woonkamer; op zijn oude plaats kwam een oorfauteuil uit Delia's slaapkamer te staan. Delia liet de jongens een paar extra lampen en twee nachtkastjes uit de kelder halen. Ze zetten op het toilet op de begane grond een kastje neer waar Tom zijn toiletartikelen kon opbergen, en Delia haalde alle oude jassen uit de gangkast, om daar Toms kleren te kunnen ophangen.

Bovendien had ze in een zaak met medische benodigdheden een verhoging voor de wc-bril en een blad met opklapbare pootjes gekocht, zodat Tom in bed kon eten als hij moe was.

Om de drie of vier dagen nam ze het vliegtuig naar Washington. Ze zocht dan Tom op, regelde met haar advocaat en Toms advocaat dat zij namens hem besluiten kon nemen en zijn financiën kon beheren en besprak met zijn artsen en therapeuten hoe het met hem ging.

Ze begreep van hen dat hij gestaag vooruitging en zag dat ook met eigen ogen. Als hij een goede dag had liep hij met een stok, als hij moe was gebruikte hij zijn rollator. Hij at goed en kon vast voedsel doorslikken, wat van groot belang was. In een heel traag tempo kon hij eenvoudige teksten lezen. Met zijn rechterhand kon hij blokletters schrijven, maar het resultaat zag er kinderlijk uit. Het praten ging moeizaam, maar hij wist wat hij wilde zeggen en begreep wat anderen zeiden als ze langzaam en in eenvoudige taal tegen hem praatten. De verdere revalidatie zou zich toespitsen op de spraaktherapie; ook moest hij nog sterker worden.

Maar voor Delia was het allerbelangrijkste dat hij in zijn gebaren en zijn gelaatsuitdrukking weer terug leek te zijn. Dat hij haar kon overbrengen dat hij het fijn vond als zij zijn kamer binnenkwam en dat hij soms als vanouds zijn lippen aanspande, quasi-zielig en laconiek. Dat hij zijn arm uitstak om haar haar uit haar gezicht te strijken als ze zich bukte om hem te helpen. Hij was zichzelf. Hij werd weer zichzelf.

Op 31 mei, op de dag af vier maanden na Toms beroerte, nam Delia met hem het vliegtuig naar New England. Een chauffeur haalde hen van het vliegveld af en bracht hen rechtstreeks naar Putnam. Toen ze onder het blauwe afdak stopten en de chauffeur Tom uit de auto kwam helpen, raakte hij in de war. Hij leek opeens de kluts kwijt te zijn. Hij pakte haar bij haar arm.

'Nahuiz,' zei hij steeds weer tegen Delia. Ze had hem verteld dat hij met haar naar huis zou gaan, maar ook dat hij eerst naar Putnam ging.

'Over een weekje,' zei ze. 'Over een weekje ga je met mij mee naar huis.'

'Nu nahuiz.' Nu naar huis. Het was een soort geloei dat hij voortbracht, en Delia voelde tranen opkomen.

Maar toen hij eenmaal in de rolstoel zat viel hij stil, en hij zei niets toen mevrouw Davidson hem begroette, toen hij naar de revalidatieafdeling werd gereden en toen de chauffeur hem op een stoel in zijn kamer zette. Delia praatte intussen steeds tegen hem en legde hem telkens weer uit dat hij hier niet lang hoefde te blijven, eigenlijk maar een paar dagen, en dat hij dan naar Williston mocht.

Hij wilde of kon niet antwoorden. Toen ze bij hem wegging, zat hij in een donkergroene leunstoel op zijn kamer, met een gezicht dat hol was van de uitputting. Hij keek haar niet aan toen ze afscheid van hem nam.

Desondanks was Delia opgewonden, vervuld van dezelfde onstuimige energie waarmee ze de afgelopen weken – met alle heen-en-weergevlieg en alle werk om het huis voor Tom in orde te maken – was doorgekomen. Ze had het gevoel gehad – en had dat gevoel ook nu – dat ze tegelijkertijd in het verleden, het heden en de toekomst leefde – een opgetogen gevoel omdat ze terugkeerde naar een gelukkige periode in haar leven. Ze wist dat ze opgewonden was en dat ze moest proberen te kalmeren, maar daar had ze geen zin in.

Op weg naar huis vroeg ze de chauffeur even te stoppen bij de delicatessenzaak. Daar kocht ze een extra volle roomkaas, olijven en de crackers die ze het lekkerst vond.

Thuis maakte ze een bord voor zichzelf klaar en schonk een glas wijn in. Ze ging er eerst mee naar de woonkamer, waar ze vaak haar minimale avondmaal gebruikte, maar ze veranderde van gedachten toen ze langs de open deur van de opnieuw ingerichte eetkamer kwam. Ze liep de kamer in en zette het bord op het bijzettafeltje naast de schommelstoel. Ze zette de radio aan. In het jazzprogramma waar ze graag naar luisterde speelde een boogiewoogiepianist. In het schemerlicht ging ze op haar schommelstoel zitten. Langzaam, genietend van het ritueel, besmeerde ze een cracker met de zachte kaas en beet erin. Genotzucht, besefte Delia. De kaas was zo vet dat je op het moment dat je hem doorslikte al voor je zag hoe hij je slagaderen zou laten dichtslibben. Ze dronk van de wijn en leunde achterover in de schommelstoel.

Buiten scheen de lucht rozig door de zwarte bladeren van de eik. Ze liet haar blik langzaam door de kamer gaan. Op het bed waren de lakens keurig ingestopt en lagen de kussens netjes op elkaar. Aan de muren waren de antieke landkaarten van haar vader, die andere versies van de wereld, vaag zichtbaar als vreemde organische vormen – een soort amoeben. Over een week zou ze Tom hier hebben. Voor het eerst in meer dan twintig jaar zou hij echt thuiskomen.

HOOFDSTUK ELF

Meri, mei 1994

Toen Meri thuiskwam van een bezoek aan de supermarkt stond de enorme, platte kartonnen doos schuin tegen de erkerramen naast de voordeur. Het was de ochtend na haar laatste halve werkdag – een halve werkdag, want wat had het voor zin om mee te vergaderen over de planning als ze toch niets te plannen had?

Ze las het adres van de afzender. Het was de wieg. Meri had hem besteld uit een van de vele catalogi met babyartikelen die nu al maandenlang ongevraagd met de post meekwamen. Tegen Nathan had ze opgemerkt dat het net leek of de overheid haar baarmoeder aftapte en de posterijen van haar toestand op de hoogte had gesteld toen zijzelf nog niet het flauwste benul had dat ze zwanger was.

Hij had haar lachend verteld dat zijn vader tijdens zijn laatste ziekte had gedacht dat zijn katheter door de belastingdienst was ingebracht, en dat ze langs die weg toegang tot al zijn geld hadden.

'Burgerschap,' had ze gezegd. 'Het is niet zo mooi als het lijkt.'

Maar wat was dit pakket perfect op tijd aangekomen, dacht ze nu, terwijl ze naar binnen ging en de doos op de veranda liet staan. Ze had nog maar tien dagen te gaan, en ze hadden nog bijna niets voor de baby in orde gemaakt. Nathan was zijn semester op de universiteit nog aan het afsluiten en zij had net de tot dusver intensiefste maand op haar werk achter de rug. Naast haar vaste bezigheden had ze geprobeerd een stuk of tien onderwerpen ruim van tevoren op poten te zetten – vooral culturele thema's, want die waren niet zo nauw aan de ontwikkelingen in het nieuws gebonden.

Nadat ze de boodschappen in de voorraadkast had gelegd liep ze terug naar de veranda, waar ze de doos rechtzette en er even aan voelde. Hij was zwaar, maar ze dacht dat ze hem al schuivend wel de deur door kon krijgen. Met gespreide benen zette ze zich schrap en tilde een kant van de doos op de drempel; vervolgens voelde ze haar broek nat worden van een straaltje vocht.

Meri had een enorme buik. Toen ze de afgelopen week de ruimte in was gelopen waar iedereen zijn werkhoek had, had Jane naar haar opgekeken en zich quasi verbaasd laten ontvallen: 'Gut, Meri, dacht ik net dat je echt niet dikker meer kon worden, en wat doe je?' En een paar andere collega's hadden in koor geroepen: 'Nóg dikker worden!'

Meri had haar middelvinger naar hen opgestoken. Maar in werkelijkheid stond ook zij versteld van haar enorme omvang. En van alles wat er verder aan haar veranderd was. Haar naar buiten gestulpte navel was onder de vier positiejurken die ze aan het begin van het voorjaar had gekocht duidelijk zichtbaar – ze had het uiteindelijk niet meer gered met Nathans overhemden en truien. De laatste weken waren haar enkels en voeten zo opgezwollen dat ze alleen nog rubber teenslippers aan kon. Haar reusachtige borsten rustten op haar enorme buik, en op de plek waar ze elkaar steeds raakten had ze zelfs uitslag gekregen. Ze bepoederde de plek met maïzena, die zich onappetijtelijk in haar huidplooien ophoopte, alsof ze een of andere grijze smurrie afscheidde. Als smegma, het allersmerigste woord dat er bestond. In de supermarkt had ze zonet iemand moeten vragen voor haar een pak graanvlokken van een niet al te hoog schap te pakken – ze kon haar armen niet meer ver genoeg langs haar buik omhoogkrijgen.

Ook had ze de afgelopen maand last gehad van incontinentie, een extra slag in het gezicht voor iemand die zichzelf beschouwde als een volwassene die haar lichaamsfuncties beheerste. Telkens wanneer ze moest niezen of hard moest lachen, of soms zelfs alleen wanneer ze een abrupte beweging maakte, liet haar lichaam een straaltje urine lopen.

Ze ging nu naar binnen en liep de trap op naar de badkamer. Ze spoelde zichzelf schoon. Ze haalde een schoon handdoekje uit de kast en ging naar de slaapkamer. Daar gooide ze haar broekje en het oude handdoekje in de wasmand en trok een schoon broekje aan. Ze legde het handdoekje over haar kruis en trok het broekje weer omhoog, zodat het handdoekje als een soort luier losjes op zijn plaats werd gehouden. Ze was eraan gewend geraakt zo met haar lijf om te gaan – zo nonchalant en geringschattend.

Ze liep terug naar de voordeur en schoof de doos verder naar binnen. Ze deed de deur dicht. Ze haalde een scherp mes uit de keuken en sneed op een groot aantal plaatsen de tape door waarmee de doos was dichtgemaakt. Toen ze daarmee klaar was, klapte de voorste flap van de doos langzaam weg en zakte op de vloer. Daarbij werd een van de zijpanelen van de witte spijltjeswieg zichtbaar, waarvan het frame in een stuk plastic zat.

Ze sneed het touw om dit plastic door, evenals het touw waarmee het zijpaneel aan andere delen van de wieg achter in de doos was bevestigd. Ze haalde het paneel uit de doos. Het was niet verkeerd. Waarschijnlijk zou het haar wel lukken om de wieg naar boven te brengen en in elkaar te zetten; ze moest de hele klus kunnen klaren als ze de onderdelen een voor een meenam. Het leek haar een geschikt project voor deze eerste lege dag in haar eentje, een manier om definitief van haar werkende bestaan naar haar nieuwe bestaan met de baby over te schakelen.

Ze tilde het zijpaneel tegen haar heup, pakte met haar linkerhand via de opening tussen de spijlen de rail aan de onderkant vast en hield met haar rechterhand de zaak in balans. Zo droeg ze het paneel naar boven, waarna ze een poosje uitrustte op de overloop. Vervolgens bracht ze het naar de kleinste slaapkamer, die Nathan in de kerstvakantie in een zonnige kleur geel had geschilderd. Ze hadden een commode gekocht, en ook die had Nathan geschilderd – wit, net als de wieg die ze hadden besteld. De babykleertjes en het beddengoed dat ze hadden gekregen lagen in de laden opgeborgen. Een deel ervan kwam van Nathans moeder, en een ander deel van een feestje dat Jane op Meri's werk had georganiseerd – ze had woord gehouden en nooit meer een onvertogen woord tegen Meri gezegd; het feestje was een lief, verzoenend gebaar van haar kant. Meri en Nathan moesten de inventaris van alle babyspullen nog opmaken en uitzoeken wat ze verder nog nodig hadden. De meeste cadeaus waren nog niet eens van hun linten of hun plastic verpakking ontdaan.

Voordat Meri weer naar beneden ging voor het volgende onderdeel, wierp ze goedkeurende blikken om zich heen. De kamer zag er fris en leuk uit, maar met deze kleuren ook een beetje eierachtig. Maar misschien zat dat gewoon in haar humeur.

Toen ze alles in de babykamer had gezet, ook de schroevendraaier en de sleutels die ze volgens de handleiding nodig had, liep ze naar de linnenkast en pakte een schoon handdoekje voor tussen haar benen. Ze voelde dat het handdoekje dat ze aanhad door alle inspanning flink doorweekt was geraakt.

Precies op het moment dat ze met het droge handdoekje in haar broekje op de babykamer terugkwam, bewoog er buiten iets dat haar aandacht trok. Ah, het was Delia, die in het flauwe zonlicht op een van de houten tuinstoelen in haar tuin ging zitten. Meri deed een stapje terug in wat naar haar idee vanuit het gezichtspunt van de oude vrouw het donker van het raam moest zijn en sloeg haar gade.

Ze zat een brief te lezen – de envelop lag op haar schoot, ze had haar bril op en hield het witte stuk papier dicht bij haar gezicht. Na een poosje legde ze de vellen ook op haar schoot en leunde achterover in de stoel. Ze zette haar bril af. Ze bracht haar hand naar de bovenkant van haar neus en streek daar zachtjes langs. Vervolgens zakte haar hand omlaag en zat ze volkomen roerloos, met gesloten ogen en verslapte gelaatstrekken; het zonlicht reflecteerde van de bril op haar schoot.

Ze was al een paar weken thuis. Of tenminste terug uit Frankrijk. Want het was niet echt thuis. Vanwege Toms beroerte had ze het grootste deel van de tijd in Washington gezeten. Meri had haar nauwelijks gezien, en hoewel ze besefte dat dat kinderachtig was, voelde ze zich onwillekeurig verwaarloosd en afgedankt.

Op de middag van Delia's onverwachte thuiskomst was Meri langzaam van haar werk naar huis gelopen; ze had naar het bleke groen van de stevige blaadjes aan de bomen en struiken gekeken. Hier en daar kwam een magnolia in bloei, en Meri snoof in het voorbijgaan de bedwelmende bloesemgeur op. De eerste tulpen kwamen boven de grond.

In een dromerige stemming ging ze naar binnen. Ze begon haar schoenen uit te trekken, en het duurde even voor ze zich realiseerde dat ze uit Delia's kant van het huis stemmen hoorde. Vrouwenstemmen, nu eens harder, dan weer zachter.

Ze was perplex. Kon Delia al zo vroeg terug zijn? Misschien was er iets gebeurd – was ze ziek geworden en had ze eerder dan gepland moeten terugkomen. Maar wie was er dan bij haar?

Meri had dit voorjaar opnieuw voor Delia's huis gezorgd, al was ze er niet zo vaak geweest als in de herfst. Ze had het drukker gehad op haar werk en was later thuisgekomen, maar vooral schaamde ze zich voor haar eerdere gedrag.

Toch had ze nog vaak aan de brieven gedacht, in het bijzonder nadat ze Tom met Kerstmis had ontmoet. Ze had gedacht aan het taalgebruik in die brieven – de taal van het diepe verlangen, van hunkering en verlies – en geprobeerd dat in overeenstemming te brengen met het beeld dat ze zich van Tom en Delia had gevormd in het uurtje dat Nathan en zij met hen hadden doorgebracht: het hoffelijke, onderhoudende, evenwichtige oudere echtpaar, dat flirtte met elkaar en met hun gasten, zelfs terwijl ze vaardig hun bezoek en vervolgens de komst van hun zoon en zijn gezin in goede banen leidden.

Ook voelde ze altijd een soort hunkering wanneer ze Delia's huis binnenging, al kon ze niet zeggen waarnaar. Nog maar een dag geleden had ze een paar minuten in Delia's woonkamer gezeten en gadegeslagen hoe in de late namiddaglucht het verflauwende licht door de nog hoofdzakelijk kale takken van de eik in de voortuin viel; ze had haar handen op haar buik gehad, waar de baby onrustig lag te duwen en te schoppen.

Onder het eten hadden Nathan en zij die avond gespeculeerd wat voor stemmen ze kon hebben gehoord. De volgende ochtend was Meri over de veranda naar Delia's voordeur gelopen en had bij haar aangebeld.

Een lange, slanke vrouw van rond de vijftig deed open. Haar stem klonk kil, met een nerveuze, ongedurige ondertoon. 'Ja?' zei ze. Ze hield de deur maar half open, alsof ze dacht dat Meri iets wilde verkopen of een Jehova was. Ze had een dure zijden blouse aan en was ook chic gekapt, met een zorgvuldig aangebrachte coupe soleil.

Meri vertelde dat ze Delia's buurvrouw was en gebaarde naar haar kant van het huis. Ze vroeg of Delia thuis was.

'Nee,' zei de vrouw. 'Ze is er niet, ze is boodschappen aan het doen. Ik ben Nancy Naughton. Ik ben haar dochter. Kan ik u misschien helpen?'

Meri legde uit dat ze tijdens Delia's afwezigheid op het huis had gepast, dat het haar was opgevallen dat Delia eerder was teruggekomen en dat ze hoopte dat alles in orde was. Ook vroeg ze zich af of ze nu nog voor het huis moest zorgen.

'Ah,' zei Nancy. Meri vond dat ze meer op haar vader leek dan op Delia. Ze was lang en had ook net zo'n langwerpig gezicht als hij. Ze miste echter de charme van haar beide ouders.

Al zei ze nu: 'Komt u anders even binnen.'

Ze deed een stap terug en maakte een uitnodigend gebaar. Meri stapte de drempel over en volgde haar naar de woonkamer.

'Met mijn moeder gaat het uitstekend,' begon Nancy terwijl ze gingen zitten. 'Maar mijn vader, Tom Naughton...' Ze zweeg en keek Meri strak aan. 'Weet u iets van hem?'

Meri knikte. 'Ik heb hem zelfs een keer ontmoet.'

'O,' zei Nancy met opgetrokken wenkbrauwen, alsof dat haar verbaasde. Maar meteen vervolgde ze: 'Ja. Goed. Mijn vader heeft een beroerte gehad, en daarom is moeder veel eerder uit Frankrijk teruggekomen.' Ze zweeg even. 'Om voor hem te zorgen,' zei ze op zwaar ironische toon, alsof de absurditeit daarvan Meri meteen duidelijk moest zijn.

'O!' zei Meri. Ze dacht aan hem zoals hij op de avond van hun ontmoeting was geweest en herinnerde zich hoe hij er op de foto had uitgezien. 'Wat vind ik dat erg.'

Nancy knikte.

'Komt hij er weer bovenop?' vroeg Meri.

'Ach, wie weet?' zei Nancy. 'Daar kan nog geen mens iets over zeggen. Het is mogelijk dat hij zichzelf uiteindelijk weer zal kunnen redden. Maar hij heeft zeker een flinke tijd zorg nodig, en omdat ze technisch gesproken nog man en vrouw zijn, verbeeldt mijn moeder zich dat zij min of meer... verplicht is om hem die zorg te verlenen.'

'Ik begrijp het,' zei Meri, terwijl alles langzaam tot haar doordrong: het nieuws over Tom, het nieuws over Delia en Nancy's houding tegenover dat alles. 'Dus zij – Delia – heeft bij hem in Washington gezeten?'

'Ja. Ze is vanuit Frankrijk direct naar Washington gegaan zonder een van ons iets te vertellen. Afgelopen woensdag, drie dagen geleden. Ze is volkomen daas van de jetlag uit het vliegtuig gestapt en heeft zich er meteen in gestort.' Aan het slot van bijna elke zin drukte Nancy haar lippen op elkaar, bij wijze van lichamelijke interpunctie. 'Toen ik het hoorde ben ik er meteen naartoe gegaan, en ik heb haar overreed om even een paar dagen naar huis te gaan.'

'Ah, ja. Om tot rust te komen.'

'Inderdaad, ja. En, hoop ik, om in te zien hoe dwaas het is dat zij dit op zich moet nemen. Ik bedoel...' Ze zweeg even en keek Meri strak aan. 'Hoe goed kent u mijn moeder?' vroeg ze opeens.

Meri haalde haar schouders op. 'We zijn buren. Mijn man en ik zijn hier afgelopen september komen wonen. Ik ben erg op Delia gesteld, maar ik kan niet beweren dat ik haar goed ken.'

'Maar u weet hoe het zit tussen haar en mijn vader.'

'Tja... ik heb het een beetje geraden. Ik bedoel, het is duidelijk dat hij niet hier bij haar woont.' Meri kreeg een kleur.

Nancy maakte een kleine handbeweging, waarmee ze Meri's conclusies wegwuifde. 'Mijn moeder is erg trouw,' zei ze. 'En dat is heel jammer, want mijn vader is dat niet. Hij is jaren geleden bij haar weggegaan, op volstrekt ongepaste wijze – hij koos voor een veel jongere vrouw. En dat is uiteraard misgelopen. Sindsdien zijn er nog vele andere vrouwen geweest.' Ze trok haar wenkbrauwen op. 'Véle andere vrouwen. Met wie het ook weer is misgelopen. Maar omdat mijn moeder dus zo trouw is, zijn ze altijd goede vrienden gebleven. Ze heeft hem in zijn politieke carrière geholpen.'

Ze trok haar kin in, zodat ze een onderkin leek te hebben. 'Hoe dan ook, u zult denk ik wel begrijpen hoe rampzalig het voor haar zou zijn om in deze onprettige toestand te worden meegesleept – om zijn verzorgster of zijn verpleegster te worden nu hij invalide is.'

'Ja, natuurlijk. Tja.' Wat moest ze zeggen? 'Tja, ik snap dat dat voor u natuurlijk verontrustend is.'

'Nee, het is niet verontrustend, want het is gewoon ondenkbaar.' Nancy haalde diep adem. 'Ik zou u hier niet mee moeten vervelen. Maar zo staat het er op dit ogenblik nu eenmaal voor.'

'Nou, u verveelt me er natuurlijk niet mee,' zei Meri. Er viel een ongemakkelijke stilte. 'Delia is dus weer thuis... voor een flinke tijd?' vroeg Meri ten slotte.

'Nee, nee. Voor een paar dagen maar. Daarna wil ze met alle geweld terug naar Washington. Intussen zit ik steeds te bellen en probeer ik achter haar rug om als een dolle allerlei dingen te regelen. Zo'n krankzinnige situatie is het. Ik probeer de dingen zo te regelen dat zij hem daar met een gerust hart kan achterlaten.'

'In Washington.'

'Ja.'

'Maar in een verpleeghuis dan?' Meri dacht aan het tehuis voor veteranen waar haar vader zijn laatste levensdagen had doorgebracht. Als je er binnenkwam sloeg de stank van urine je in het gezicht, en mannen in rolstoelen riepen er op de gangen bij de balies van de verpleging om hulp – om te worden verschoond en gevoerd. Omdat ze naar huis wilden.

'Ja, of een verzorgingshuis met wat verpleegkundige hulp. In elk geval een tehuis met een revalidatiecentrum voor mensen zoals hij.'

'Maar is Delia...? Ik bedoel, wil zij dat zo? Ik kan me niet voorstellen...'

Opnieuw wuifde Nancy's hand Meri's woorden weg. 'Ik kan een ander goed overreden. Het is ook overduidelijk de enige verstandige keus.'

'Nou dan.' Meri stond op. Nancy stond ook op, en ze liepen de woonkamer uit, naar de hal. 'Sterkte dan maar,' zei Meri. 'Misschien zie ik Delia nog voordat jullie weer teruggaan. Maar zou u haar willen zeggen dat ik langs ben geweest? En misschien kunt u me ook laten weten of en wanneer ik weer voor het huis moet zorgen.'

Terwijl ze bij de deur afscheid van elkaar namen, trof het Meri opnieuw dat Nancy's gezicht iets hards en verbitterds uitstraalde. Maar misschien, hield ze zichzelf voor, kwam dat alleen door de sterke, diepe groeven rond haar mond en gaven die haar ten onrechte een bittere uitdrukking.

Toen Meri het die avond met Nathan had over wat Nancy haar over Toms beroerte en het huwelijk van Delia en Tom had verteld, drong het geleidelijk tot haar door dat ze zich opgelucht voelde. Opgelucht omdat ze eindelijk de dingen die ze door Toms brieven te lezen allang wist met Nathan kon bespreken; opgelucht omdat ze eindelijk eerlijk met hem over de hele kwestie kon praten.

Of in elk geval voor een deel eerlijk kon zijn.

Toen Meri het werk aan de wieg even onderbrak en weer uit het raam keek, was Delia uit haar achtertuin verdwenen. De stoel was leeg. Ze besloot Nathan te vragen wanneer ze haar konden uitnodigen om te komen eten of iets te komen drinken, voor het geval ze langer dan een of twee dagen zou blijven.

Het kostte haar ruim een uur om de wieg in elkaar te zetten. Toen hij klaar was, legde ze het matras erin. In een la van de commode vond ze een stapel met flanel beklede rubberen kussentjes, en ze legde er een op het matras. Ze haalde het plastic van een lakentje. Het was bedrukt met kleine dierfiguurtjes: konijntjes, kangoeroes en schapen. Alleen lieve diertjes, dacht ze. Geen gevaarlijke.

Ze maakte het bedje op en ging er een stukje vandaan staan. Het zag er eigenlijk heel leuk uit. Het zag eruit alsof ze deze baby hadden gepland en zich erop hadden ingesteld, alsof ze helemaal niet zulke luiwammesen waren. Ze ging naar beneden om aan het eten te beginnen.

Toen Nathan thuiskwam, nam ze hem meteen mee naar boven. Hij was onder de indruk, maar ook bezorgd omdat ze zelf de wieg in elkaar had gezet. 'Moet je dat nu wel doen, zo hard werken nu je zwangerschap al zo ver gevorderd is?'

'O, jawel,' zei ze. 'Het was een lichte vorm van lichaamsbeweging. Waarschijnlijk was het goed voor me.'

Onder het eten bespraken ze wat ze verder nog moesten doen. Nathan nam het weekend vrij om zich eindelijk te kunnen concentreren op klusjes die verband hielden met de baby. Meri had een pen en een notitieboekje naast zich op tafel gelegd en schreef tijdens het gesprek op wat er nog gekocht en in orde gemaakt moest worden.

Terwijl ze de tafel afruimden, zei ze: 'Ik heb Delia vandaag gezien.'

'En hoe gaat het met haar?'

'Dat weet ik niet. Ik heb haar alleen maar gezien. We hebben niet gepraat. Ze zat in de tuin toen ik boven in de babykamer was.' Ze zette de vaat op de afdruipplaat. 'Ze zag er vermoeid uit.'

'Dat wil ik geloven,' zei Nathan. 'We moeten haar eens uitnodigen.'

'Je haalt me de woorden uit de mond,' zei Meri. En vervolgens zei ze: 'Ik vraag me af hoe het met hém gaat.'

Toen ze samen met Nathan laat naar bed ging, had ze weer een schoon handdoekje tussen haar benen gestopt. Eerder had ze Nathan uitgelegd wat een geniale vondst dit was. Ze vroeg zich nu hardop af waarom ze er niet eerder aan had gedacht.

'Omdat het er natuurlijk ook niet uitziet,' zei hij.

Ze lachten, en Nathan deed het licht uit. Hij streelde haar gezicht en gaf haar een snelle kus, waarbij ze zijn zwembadluchtje rook – daarna wendde hij zich van haar af en draaiden ze zich allebei op hun zij. Ze hadden al bijna een maand niet meer gevreeën, alsof ze het zo hadden afgesproken. Meri had in elk geval geen interesse.

Misschien kwam het door de inspanning van de afgelopen dag, maar Meri sliep bijna tot vijf uur. In haar leven van de laatste tijd was dat ongekend. Meestal moest ze er vanwege de druk op haar blaas 's nachts verschillende keren uit.

Toen ze wakker werd voelde ze de eerste lichte wee van haar zwangerschap. Terwijl ze dat tot zich liet doordringen, drong ook tot haar door dat het bed doorweekt was. Nathan lag licht te snurken. Het handdoekje tussen haar benen en het laken onder haar waren vochtig en koud. Wat een schande, dacht ze. Wat ben ik een schandelijk iemand.

Ze stond voorzichtig op en voelde dat er vocht uit haar stroomde. Op de badkamer haalde ze het handdoekje weg. Het was doorweekt en er zat een vage, roze bloedstreep op. Een ogenblik was ze verbijsterd, om vervolgens te beseffen dat dit haar vruchtwater moest zijn. Geen urine, dus. Misschien was het gisteren ook geen urine geweest, maar dat wist ze niet zeker. Een poosje bekeek ze zichzelf in de spiegel. Wat ging er nu gebeuren? Wat was hierna de volgende stap? Ze gooide het handdoekje met de veeg bloed in de wasmand. Ze waste haar benen en haar kruis. Ze pakte een schoon handdoekje en deed het tussen haar benen. Ze poetste haar tanden en borstelde haar haar. Ze waste haar gezicht. Terwijl ze zich over de wastafel boog om de zeep weg te spoelen, voelde ze opnieuw een kramp door haar lijf trekken.

Ze werd opeens bang. Ze was hier nog niet aan toe. Omdat ze het allebei zo druk hadden gehad, waren ze maar een paar keer naar zwangerschapsgymnastiek geweest. Ze had nog geen tas gepakt met alle spulletjes die je mee hoorde te nemen. Ze wist niet eens meer wat ze moest meenemen. Ergens in huis lag een boek dat ze hadden gekocht en waar het allemaal in stond. Ze zag het voor zich: een dik, geel boek met op het omslag een gelukkige zwangere vrouw die haar handen teder op haar buik liet rusten. Ze hadden het nú zorgvuldig willen lezen, nu ze klaar waren met hun werk. Ze hadden nu alles willen doen.

Ze ging naar beneden. Ze zocht de boekenkast in de woonkamer af naar het boek dat haar kon vertellen wat ze verder moest doen. Het lag er niet. Ze ging weer naar boven, naar haar studeerkamer. Daar lag het ook niet.

Ze ging op haar bureaustoel zitten voor de volgende wee. Het was bijna halfzes. Ze schreef op hoe laat het was en ging weer naar beneden. Ze moest bijhouden wanneer de weeën kwamen, hoeveel tijd ertussen zat – ze herinnerde zich dat dat belangrijke informatie was, die de dokter nodig had. Ze zette koffie voor zichzelf en nam wat geroosterd brood. Ook at ze een banaan. Tijdens dat alles kreeg ze nog een wee, die leek op een vreselijke kramp. Hij kwam twaalf minuten na de vorige.

Even voor zevenen, toen de weeën nog steeds zo om de tien à

twaalf minuten kwamen, belde ze de dokter en kreeg haar antwoorddienst. Ze vertelde de vrouw aan de andere kant van de lijn hoeveel tijd er tussen de weeën zat en zei haar dat ze dacht dat haar vruchtwater ook was gebroken.

Tien minuten later, terwijl ze net door een volgende wee werd getroffen en haar koffiekopje op het aanrecht zette, belde de dokter terug. Ze vroeg Meri hoe het zat met de weeën en het bloed en wanneer haar vruchtwater precies was gebroken. Meri zei dat het vroeg in de ochtend was gebeurd, in haar slaap. Dat ze in een nat bed wakker was geworden.

Vervolgens zei ze dat ze het niet zeker wist, maar dat het vruchtwater misschien eigenlijk al sinds gisterochtend wegliep. De toon van de dokter verscherpte. Ze vroeg Meri waarom ze dat dacht, en Meri beschreef dat er vocht uit haar lijf was gelopen en dat de handdoekjes overdag en 's nachts steeds nat waren geworden.

De dokter zei dat ze direct naar de kraamkliniek moest komen. 'Ik denk dat we de bevalling op gang moeten brengen,' zei ze. 'Ik heb liever niet dat een baby te lang hoog en droog binnen zit.' Meri zei dat ze er binnen een halfuur zou zijn en legde neer.

Nathan kwam over de kleine trap naar beneden – ze hoorde zijn voetstappen. Toen ze zich omdraaide zag ze hem op blote voeten de keuken in lopen, in pyjamabroek en T-shirt. Zijn haar zat in de war, zijn ogen waren opgezet. 'Wie had je aan de telefoon?' vroeg hij met gefronste wenkbrauwen. 'Wat is er aan de hand?'

In de kraamkliniek ging alles vlug – te vlug voor Meri. Ze moest een lelijk ziekenhuishemd aan en werd onderzocht waar Nathan bij was, waarbij de dokter met haar hand bij haar naar binnen ging. De gefronst kijkende, serieuze, mooie dokter, die de handschoen van haar hand trok en wilde weten waarom Meri haar gisteren niet had gebeld. Meri had het gevoel dat ze iets verkeerd had gedaan, alsof ze een afspraak niet was nagekomen.

De dokter vertelde dat ze wat oxytocine kreeg om het proces te versnellen. Ze deed dat liever niet, de bevalling zou er waarschijnlijk zwaarder door worden, maar ze vond dat het noodzakelijk was. Ze maakte zich zorgen over de kans op infectie nadat het vruchtwater was gebroken – maar voor wie? Voor de baby? Voor haar? Meri wist het niet precies. De dokter had het niet gezegd, en Meri was te geagiteerd en te verward om ernaar te vragen.

Ze kreeg een naald in haar hand en werd aangesloten op een zak met vloeistof die aan een standaard hing. En toen waren Nathan en zij opeens alleen in de verloskamer.

'Hallo,' zei hij. Hij ging naast haar zitten, op de rand van het bed.

'Hoi,' antwoordde ze.

'Spannend, hè?' zei hij.

Ze glimlachte naar hem. 'Nou en of.' Het wás ook spannend. Ze was gespannen. En bang.

Ze liet haar blik door de kamer gaan, en nu pas drong goed tot haar door wat ze zag. Alles leek een volwassen tegenhanger van het babylakentje dat ze gisteren op het matras in de wieg had gelegd: alles was opgeleukt en lief. Het bed met zijn bloemetjeslakens, de leunstoel met zijn streepjesovertrek. Tot de gordijnen aan toe.

'Nathan, wat is diemit?' vroeg ze.

'Wat zeg je nou?' Hij keek ongelovig en vervolgens ook geamuseerd. Hij had een T-shirt, een spijkerbroek en zijn joggingschoenen aan. Zijn haar zat nog steeds in de war.

Meri hief haar hand op en wees naar het raam. 'Nou, ik heb gewoon het sterke vermoeden dat die gordijnen van diemit zijn,' zei ze.

'Kijk, als jij op dit moment zegt dat de gordijnen van diemit zijn, zeg ik dat ook. Maar als ik jou was, zou ik mijn tijd nu niet met de gordijnen verdoen.'

Ze lachte. Vervolgens begon er een wee. 'Daar gaan we dan,' zei Meri tegen Nathan.

Het was de zwaarste, heftigste wee tot dusver, en het lukte Meri niet er stil bij te blijven. Nathan hield intussen haar hand vast. Toen haar gekreun zachter werd verzwakte ook zijn greep, en pas toen besefte ze hoe hard hij haar had geknepen.

'Te hard,' zei ze, toen ze weer een woord kon uitbrengen. Ze wreef over haar hand.

'Het spijt me,' zei hij. 'Maar je maakte me bang.'

'Denk je dan eens in hoe bang ik zelf was,' zei ze. 'Het deed echt pijn, Nate.' Hij gaf haar een kusje boven op haar hoofd. 'Ik ben allesbehalve een held,' zei ze.

'Wel waar.'

'Echt niet.'

Even later wees ze op de standaard en de zak met vloeistof die haar arm in druppelde. 'Heb jij begrepen waarom ik hieraan lig?'

'Omdat je vruchtwater al even geleden gebroken is? Omdat dat niet goed is?'

'Maar waarom dan?'

'Ik denk dat jij en de baby als het ware openliggen voor de lucht. Zodat de bacteriën erbij kunnen. Dat heb ik er in elk geval van begrepen. En ik geloof dat de weeën uit zichzelf niet echt goed op gang kwamen.'

Meri zuchtte. 'Hoe is het mogelijk dat ik het nu al verknal?'

'De kleine zal het nooit weten. We vertellen het hem nooit.'

'Of haar.'

'Of haar.'

Even later zei Meri: 'Maar Nate, als je een kindje hebt mag je toch niet meer liegen?'

'Stond dat in dat zwangerschapsboek?' vroeg hij.

Ze glimlachte. 'Daar hebben we allebei geen flauw idee van.'

'Nou ja, we verknallen het allebei,' zei Nathan.

In het daaropvolgende halfuur werden de weeën geleidelijk heviger en kwamen ze met steeds kortere tussenpozen. Plotseling trok er een zo extreme pijngolf door Meri's rug en buik dat ze het uitschreeuwde en bijna in doodsnood diepe keelklanken voortbracht met een stem die ze nauwelijks meer als de hare herkende. De verpleegster, die vlak voor het begin van de wee was binnengekomen om de hartslag van de baby te controleren, bleef staan en keek naar haar.

Ook nadat de pijn was afgenomen lag Meri nog te hijgen – of eigenlijk te kreunen, want elke ademteug was heftig en diep. Ze had het gevoel dat ze bijna geen tijd had om weer gewoon te gaan ademen voordat de volgende wee kwam en ze dat geluid weer produceerde, nu met verbijsterd opengesperde mond. De verpleegster ging de dokter halen.

Toen de dokter binnenkwam, wierp ze een blik op Meri, die ineengedoken aan het hoofdeinde van het bed lag te brullen, pakte de druppelaar en stelde hem bij.

Daarna werden de tussenpozen tussen de weeën geleidelijk weer langer, maar aan hun overweldigende kracht veranderde niets. Meri lag ze in angst en beven af te wachten, en kreunde nu ook een groot deel van de tijd tussen de weeën door. Bij elke wee bogen haar knieën zich schijnbaar vanzelf. Ze kromp in elkaar en hield zich vast aan wat het dichtst bij haar was: aan Nathan, aan het bed of aan de leunstoel. Ze had het gevoel dat haar ruggengraat zou breken en haar lijf open zou scheuren. Ze kon zich niet voorstellen dat je aan zulke pijn geen blijvend letsel zou overhouden, dat je er niet aan dood zou gaan. Ze was doodsbang.

Ze wist dat ze te hard schreeuwde – ze zag het aan Nathans

angstige gezicht, en de verpleegster sprak haar alsmaar zachtjes toe in een poging haar te kalmeren: 'Meri. Probeer er eens mee op te houden en gewoon te ademen. Gewoon ademen. Hijg maar, dan gaat het vanzelf.'

Maar Meri leek er niet toe in staat, al was ze in de tussenpozen tussen de weeën soms wat rustiger. Maar als vervolgens de brute pijn opnieuw toesloeg en haar in zijn greep hield, zette ze het weer op een brullen, buiten zichzelf van angst en woede.

De uren verstreken, maar telkens wanneer de pijn kwam wist ze niet hoe ze de volgende minuut moest doorkomen. Haar keel werd droog en pijnlijk van het schreeuwen, en ze kreeg ijsschilfers om op te zuigen. Soms liep ze tussen de weeën door even rond, en soms masseerde Nathan haar rug terwijl ze zich schrap zette tegen de muur. Een poos kon ze de weeën beter verdragen als ze op handen en knieën op het bed zat. Ze voelde zich een dier, een beest dat loeide van angst.

Op een gegeven moment constateerde ze dat het licht in het raam was verzwakt en even later dat het weg was. De verpleegster bleef bij hen en controleerde vaak de hartslag van de baby; de dokter kwam dikwijls even binnen. Nadat het achter het raam donker was geworden, kwam er een andere dokter, die het blijkbaar van haar collega had overgenomen.

Het kon Meri intussen echter niet meer schelen wie er bij haar was en wie haar aanraakte. Tussen de weeën door was ze krachteloos, van de kaart, en als ze in de greep van de pijn verkeerde was ze machteloos en niet minder van de kaart. Ze kon zich absoluut niet voorstellen dat het zo door zou gaan, maar dat gebeurde wel. Het ging alsmaar door.

Toen ze aan het einde van een lange wee begon te huilen, richtte Nathan zich tot de verpleegster: 'Kun je haar niet helpen? Kun je haar niet iets geven?'

Nathan. Nathan was haar man. Nathan zou zorgen dat ze

hier een einde aan maakten. Meri voelde op dat ogenblik een geweldige liefde voor hem en een geweldige hoop.

De verpleegster zei: 'Ik vind het vreselijk om dat te doen nu ze er bijna is.' Ze richtte zich tot Meri. 'Meri?' Ze ging harder praten, alsof Meri doof was. 'Meri, nog eventjes volhouden, liefje. Je kunt het wel. Zeker weten.'

'Nee, nee,' zei ze, en ze schudde haar hoofd. En vervolgens brulde ze het uit tijdens een volgende lange wee, een ondraaglijke wee die eindeloos leek te duren. Toen hij achter de rug was, zakte ze op de rand van het bed in elkaar. Uit haar neus kwam slijm, uit haar ogen stroomden tranen. Ze hijgde. De verpleegster hield haar hand vast en sloeg haar arm om wat vroeger Meri's taille was geweest.

'Ik wil dat dit ophoudt,' zei Meri schor. 'Ik wil een ruggenprik.'

'Weet je dat zeker?' vroeg de verpleegster, met een teleurgestelde ondertoon.

'Ja, ja, dat weet ik godverdomme heel zeker!' zei Meri.

De verpleegster ging weg. De dokter kwam en onderzocht Meri nogmaals. Ook zij vroeg of Meri het zeker wist, en Meri, die haar tranen de vrije loop liet terwijl er weer een wee begon, riep: 'Ja! Ja, ja.'

Toen de anesthesist kwam moest Meri gaan liggen; er streek een watje met iets kouds langs haar rug, en toen kwam de naald. Vlak daarna, terwijl ze net tijdens een volgende zware wee op het bed in elkaar kromp, voelde ze hoe haar lichaam ontspande. Het was het allermooiste wat haar ooit was overkomen, het leek wel een wonder. En maar een paar minuten later – zo snel! – was ze echt verdoofd.

Ze lag nog steeds met opgetrokken benen op het bed, en huilde uit dankbaarheid nu des te harder. Nathan, die dat niet begreep, bleef haar handen stevig vasthouden in een poging haar moed te geven. 'Ik hou van je,' fluisterde hij. 'Ik hou van je.'

'Nee, nee, het is goed,' zei ze tegen hem. Maar toen besefte ze dat haar stem die woorden niet vormde, dat ze nog steeds alleen klanken uitstootte. Ze deed haar mond dicht en legde haar handen op haar lippen. Na een korte stilte streek Nathan het haar uit haar gezicht. Ze haalde haar hand van haar mond. Terwijl de tranen nog over haar wangen liepen, zei ze: 'Het werkt, Nate. Het gaat beter.' Hij boog zich opgelucht over het bed heen.

Daarna was het draaglijk. De pijn was nu meer een gevoel van intense spanning, van grote druk. Alleen haar rug bezorgde haar nog een barstende pijn, die haar deed kermen en het haar soms zelfs deed uitschreeuwen. Maar anders dan voorheen waande ze zich niet langer een monsterlijk schepsel. Ze was intussen ook zo uitgeput dat ze in de korte tussenpozen tussen de weeën zelfs versuft wegzakte en korte dutjes deed.

De eerste dertien uur hadden een eeuwigheid geduurd. Terwijl Meri nu eens wegzakte en dan weer wakker werd, verstreken de daaropvolgende drie uur, maar daarvan drong niet veel meer tot haar door.

Vlak voor het einde van de bevalling werd de verdoving stopgezet, zodat ze kon persen. Meri hoorde haar stem weer aanzwellen, maar het persen bood enige opluchting, doordat ze het gevoel had iets tot stand te brengen. Ze zat nu rechtop aan het hoofdeinde van het bed, met wijd gespreide benen en met haar voeten in beugels; daar had ze om gevraagd, om zich te kunnen schrap zetten. Nathan zat achter haar en hield haar overeind. Ze voelde hoe hij tegen haar rug aan drukte en met haar meeboog wanneer ze perste, wanneer ze de baby – dat monster dat haar kapot wilde maken – naar buiten werkte. Ze schreeuwde tegen de baby. Ze krijste: 'Eruit! Eruit! Eruit!' Dit was de vijand. Ze had nog nooit zo'n vijand gehad. 'Eruit!' krijste ze. Ze was razend.

'Ja!' riep de dokter haar toe, 'goed zo! Goed zo!'

Er was een spiegel neergezet waarin Meri zichzelf kon zien: haar onmogelijk uitgezette geslacht, dat nu een stuk vlees was geworden, bloederig en paars, een onherkenbaar open gat. En nu verscheen daarin een plat ding, de wittige, met bloed besmeurde bovenkant van het hoofdje, en Meri brulde en perste. Het bleef waar het was. Het ging terug. Het leek vast te zitten. Buiten zichzelf van woede zette Meri het weer op een persen en een schreeuwen. Ze perste zo hard dat haar ogen er pijn van deden, en Nathan drukte zich tegen haar aan. En toen kwam het naar buiten, het hoofdje kwam naar buiten! Daar lag een bloederig schepseltje, onder de smurrie. Meri begon minder snel te hijgen. Haar lijf wilde alleen nog maar rust.

'Nog eventjes,' zei de dokter. 'Nog één keer, nog één keer voor de schoudertjes. Ja, nu gaat het vlot, nu gaat het vlot.'

Meri perste opnieuw uit alle macht en voelde de baby en de pijn wegglijden. Het was gedaan. Het was voorbij.

Ze liet zich tegen Nathan aan zakken, en hij omarmde haar. Hij kuste haar op haar haar en haar oor en lachte zachtjes van opluchting.

'Het is een jongen,' zei hij. Hij streek het haar uit haar gezicht. 'Kijk lieverd, het is een jongen.'

Maar het kon haar niet schelen. Ze had zich tegen Nathans borst aan gevlijd, en het enige wat ze wilde was daar blijven, slapen en geen pijn voelen. Ze draaide zich niet om. Ze keek niet. Ze had haar ogen gesloten. Het kon haar allemaal niet schelen.

HOOFDSTUK TWAALF

Meri, mei en juni 1994

De herinnering aan de bevalling was een nachtmerrie die de daaropvolgende dagen bleef doorwerken. Meri had het idee alsof ze was vervreemd van zichzelf, en daaruit kwam een gevoel van afstand tot Asa voort.

Bij alles wat ze voor hem deed – en wanneer was ze niet bezig iets voor hem te doen? – had ze het gevoel achter de dingen aan te lopen, een afwezig, uitgeput en krachteloos gevoel. Hij huilde. Hij huilde omdat hij honger had of omdat hij ondanks zijn honger haar tepel niet kon vinden. Hij huilde omdat hij, zodra hij haar tepel had gevonden en een paar minuten had gedronken, weer in slaap viel en vervolgens binnen een minuut of twintig weer uitgehongerd wakker werd. Hij huilde omdat hij meteen nadat hij gevoed was alles weer uitspuugde, een soort wit stremsel dat scherp en zuur rook.

Hij huilde omdat hij slaperig was en nog niet sliep, omdat hij wakker werd, omdat hij nat was, omdat hij in zijn luier had gepoept, omdat hij moest spugen, en omdat hij, zo leek het haar, er niet wilde zijn. Hoe kon dit haar leven zijn, dit slapeloze, uitgeputte gestrompel van de ene mislukte bezigheid naar de andere?

Ze hield Asa voortdurend in het oog, ze kon niet anders. Ze zat naast hem terwijl hij sliep en sloeg gade hoe zijn gezichtje zich plooide en weer glad werd en hoe er kleine stuiptrekkinkjes door zijn lijfje gingen. Hij maakte een heel ongelukkige indruk.

Soms verstijfde hij en rekte zich uit. Soms lag hij helemaal in elkaar gekrompen, met zijn beentjes en zijn aandoenlijke armpjes ingetrokken. Hij had naar verhouding te grote handen – maar tegelijk waren ze zo klein dat Meri er bang van werd. Hij had een paar plukjes droog, zwart en lelijk haar. Zijn hoofd was langwerpig door de druk van de weeën en de bevalling. Zijn navel en zijn penis zaten nog in het verband. Wanneer hij krijste zag je in zijn open mondje alleen maar een tong en tandvlees. Als Meri hem optilde voelde hij slap, alsof hij geen botten had. Het was alsof hij haar met die slapte een standje wilde geven.

Ze wou dat ze een meisje had gehad. Ze wou dat ze nee tegen Nathan had gezegd, dat ze had gezegd dat ze er nog niet aan toe was en het niet aankon. Ze dacht aan de schok van de bevalling en hoe ze daardoor was veranderd en overrompeld. Asa leek net zo onwerkelijk en onbestaanbaar als die bevalling.

In het tweede weekend dat Meri en Asa thuis waren kwam Elizabeth, Nathans moeder, vanuit New Jersey naar hen toe. Meri was zo uitgeput dat ze niet wist of ze dat wel wilde, maar na Elizabeths aankomst was ze dankbaar. Zoals altijd was ze weinig veeleisend, en overdag nam ze de verzorging van Asa bijna helemaal van Meri over. Meri hield in de twee dagen dat Elizabeth er was twee keer een siësta; ze sliep urenlang en had daarna het gevoel dat ze een beetje dood was geweest, met verkwikkend effect.

Terwijl Meri in bed wakker lag hoorde ze hoe vredig het door Elizabeths toedoen in huis toeging; ze hoorde hoe ze onder haar in de keuken bezig was en soms hoorde ze Asa even huilen, maar dat leek buiten haar om te gaan. Ze hoorde Nathan praten op een levendige en opgewekte toon die hij tegen haar niet meer aansloeg, misschien omdat hij te verbijsterd was door wat ze had doorgemaakt en door haar hevige vermoeidheid en haar bloeddoorlopen ogen.

Er stegen etensgeuren op, er kwam eten, Elizabeth bracht Asa voor zijn voeding en haalde hem vervolgens snel weer weg.

Nathan en Elizabeth gingen winkelen en kochten de spullen die Meri en Nathan een tijd geleden al hadden moeten aanschaffen. Ze lieten ze aan haar zien: de kinderwagen op de veranda voor het huis, het rieten mandje met handvatten waar Asa in kon liggen, de kleine draagzak waarin hij kon worden vervoerd. Op de extra badkamer stonden enorme dozen met Pampers en op de badkamer van Meri en Nathan stond een bijna even grote doos met inlegkruisjes voor haar.

Elizabeth was kort, gedrongen en energiek. Door haar besefte Meri nog sterker hoe enorm haar eigen lijf was, dat nog altijd pijnlijk aanvoelde en nog zo dik was dat ze vier maanden zwanger leek. Ook gaf Elizabeth Meri een gevoel van onbeholpenheid – ze leek met Asa zo volkomen op haar gemak te zijn. Ze tilde hem zonder aarzelen op en liep met hem op haar arm door het huis; zijn hoofdje rustte dan in haar hand. Als ze de afwas deed zette ze hem in de draagzak.

Met Asa als inspiratiebron vertelde ze hoe Nathan als baby was geweest. Hij was ook regelmatig aan de borst in slaap gevallen. Hij had ook gehuild als hij bezig was in slaap te vallen. 'Je moet hem dan niet oppakken,' zei ze tegen Meri. 'Daardoor duurt het alleen maar langer. Laat hem gewoon maar, je zult het zien. Laat hem maar, loop de kamer uit, en vijf minuten later slaapt hij als een roos.'

Meri had nog grotere twijfels over andere uitspraken van Elizabeth. Dat baby's soms móesten huilen, dat je ze verwende als je ze hun zin gaf. Dat ze over ongeveer een maand flesvoeding moest gaan geven, zodat Nathan ook een deel van de verantwoordelijkheid op zich kon nemen. Dat het ongezond voor Asa was om hem 's nachts bij hen in bed te nemen, wat Meri en Nathan deden.

Een paar avonden na Elizabeths vertrek vertelde Meri dit aan Nathan terwijl ze met Asa in haar armen naar bed kwam – hij had een schone luier aan en was gepoederd en gevoed.

Nathan keek haar aan – haar en Asa. 'Je weet toch dat je alles niet net zo hoeft te doen als mijn moeder? Je hoeft niets zo te doen als zij.'

'Ja, maar denk je dat ze gelijk heeft?'

'Ik denk dat je niet kunt spreken van gelijk of ongelijk.'

Een ogenblik later zei Meri: 'Wat klink je toch wijs, Nathan.'

Hij lachte schaapachtig. 'Dat is niet de bedoeling,' zei hij. 'Wat weet ik nu helemaal?' Hij haalde zijn schouders op. 'Ik bedoel alleen maar dat alles wat jij doet waarschijnlijk in orde is. Gewoon goed. Even goed als alles wat mijn moeder doet.'

'Ze heeft geweldig geholpen.'

'Dat weet ik. Alleen is ze geen bron van onomstotelijke wijsheid op welk gebied dan ook.'

Asa snoof en pruttelde wat, keerde zich vervolgens een stukje op zijn zij en sliep weer in. Nathan lag te lezen, Meri deed niets. Als ze niet met Asa bezig was, deed ze tegenwoordig vaak niets. Na een poosje zei ze: 'Weet je wat het is, Nate, ze gaat zo ontspannen met hem om. Ze is niet bang.'

Hij legde zijn boek neer. 'En jij wel?'

Ze knikte.

'Ben je bang voor Asa?' Er klonk ongeloof in zijn woorden door.

Ze onderdrukte de tranen die dreigden op te komen. 'Ik ben als de dood,' zei ze.

De dagen na Elizabeths vertrek probeerde Meri een paar van haar trucjes. Ze legde Asa in de draagzak terwijl ze de afwas deed en afruimde. Ze maakte zelfs buiten een wandelingetje met hem. Maar nog altijd wachtte ze op de gevoelens die ze naar haar idee moest hebben. Die ze hoorde te hebben. Bij haar eerste bezoek aan de kinderarts vertelde ze daarover.

'O, maakt u zich toch geen zorgen over wat u hoort te voelen.' Ook de kinderarts was een mooie jonge vrouw. De knapste meisjes specialiseerden zich blijkbaar in verloskunde en kindergeneeskunde, dacht Meri.

'Maar ik voel me zo schuldig. Het is net of hij... van een andere planeet komt.'

De dokter zat over Asa heen gebogen, lachte naar hem en trok haar vinger uit zijn kleine handje weg. Ze keek een ogenblik naar Meri. 'Wie is uw voorbeeld?' vroeg ze.

'Mijn voorbeeld?' vroeg Meri.

'Als moeder, ja.' Ze stond op. Ze hield haar mooie hoofd schuin, glimlachte en zei: 'Wat voor moeder had u?'

Meri lachte bits. Treurig. 'Een wezenloze moeder,' zei ze.

Afgezien van de zorg voor Asa kwam Meri op een dag bijna nergens toe. Als Nathan thuiskwam – vroeg en steeds op dezelfde tijd, want hij had geen colleges meer en probeerde alleen zijn boek af te maken – was hij stomverbaasd. Omdat de vaat nog op het aanrecht en in de oude gootsteen stond. Omdat etenswaren niet waren opgeruimd, het bed niet was opgemaakt en er stapels vuile luiers op de babykamer en in de badkamer lagen.

Meri probeerde het wel. Soms ruimde ze aan het begin van de dag op, deed ze een flinke was en maakte ze de keuken schoon. Maar aan het eind van de dag was alles haar meestal weer door de vingers geglipt. Ze luisterde alleen elke dag steevast van twaalf tot één naar de radio, soms dwars door het gehuil van Asa heen. Ze luisterde naar de stemmen van Jane en Brian, en bedacht dat ze er dolgraag weer bij wilde zijn. Dat ze het item over sportbeoefening door meisjes heel anders zou hebben aangepakt, net als het item over de bouw van een omstreden dam.

Maar meestal probeerde ze alleen het gebouw voor zich te zien en zich voor te stellen hoe het er was: de lange, donkere gang met posters aan de muren, de glazen ruiten tussen de technici en de studio's, de koffiemokken die overal stonden. Ze dacht aan de middagvergaderingen, de grappen, de opwinding over ideeën voor een verhaal. Ze dacht aan hoe ze daar zelf had gezeten, aan die andere versie van zichzelf, die nog geen butsen en krassen had opgelopen – die nog intacte, onafhankelijke Meri – en voelde daarbij een verlangen dat haar een paar keer de tranen in de ogen deed springen.

Delia was thuis. Op een avond hoorde Meri aan het gedreun van de leidingen en het gerammel in de verte dat ze in de keuken bezig was. De volgende ochtend ging de telefoon. Het was Delia, die zich afvroeg of het schikte als ze nu langskwam 'voor een bezichtiging', zoals ze het uitdrukte.

Meri had een spijkerbroek van Nathan aan en een T-shirt met melkvlekken op de plaatsen waar haar borsten hadden doorgelekt. Ze stond op haar vuile blote voeten in de keuken. Ze had net een paar sneden geroosterd brood gesmeerd voor haar ontbijt. Asa was nog boven en begon zich te roeren. Hij maakte de onregelmatige geluidjes die aankondigden dat hij zo meteen hongerig wakker zou worden.

Nathan had de keuken zorgvuldig schoongemaakt voordat hij naar zijn werk was gegaan. Het zag er dan ook redelijk netjes uit, maar Meri had het gevoel dat ze nog niet aan Delia toe was. Niet alleen omdat ze nog moest schoonmaken, haar haar nog moest wassen en iets anders moest aantrekken. Ook moest ze zichzelf op de een of andere manier veranderen om Delia, die levendig en sterk aanwezig was, te kunnen ontmoeten. Die aanwezigheid verlangde dat jij op jouw beurt ook energie uitstraalde.

'Ik begin net aan de hele routine met de baby,' zei ze. 'Je kent het wel: luier verschonen, voeden, luier verschonen enzovoort. Dus op dit moment komt het niet uit. Kun je vanmiddag komen? Rond een uur of twee?'

'Twee uur is perfect,' zei Delia.

Ze belde stipt om twee uur aan. Meri deed open en Delia kwam binnen. Meri hield Asa tegen haar schouder en hals. Hij rook naar Pampers en babypoeder. Haar eigen haar en lichaam roken ook fris. Ze had een oude zonnejurk aangetrokken die nog wat strak zat, maar niet zo erg meer als afgelopen week. Zoals gebruikelijk had ze een handdoek over een van haar schouders geslagen.

'Daar ben je dan,' zei Delia, en ze maakte met haar arm een weids gebaar naar Meri. 'Eén mens, als door een wonder in twee mensen veranderd.'

'Het was me het wondertje wel,' zei Meri.

'O, ik weet er alles van!' zei Delia, en uit haar toon sprak meteen medeleven. 'Niemand heeft het ooit goed onder woorden kunnen brengen. Het woord "barensnood" schiet zwaar tekort.'

Ze had weer een mandje bij zich – Meri bedacht dat ze een kast vol met lege mandjes moest hebben. Het zat vol met spulletjes, en er zat een goudkleurig lint omheen. Ze gingen in de woonkamer zitten, en Delia vroeg of ze Asa mocht vasthouden. 'Gelijk oversteken,' zei ze, en ze hield het mandje omhoog. Meri gaf Asa aan de oude vrouw over en dacht er op het laatste moment aan ook de handdoek van haar schouder te geven. Toen pas kwam het bij haar op om te vragen: 'Maar wil je geen koffie, Delia? Of water?' Ze besefte opeens hoe weinig ze in de keuken had dat ze haar kon aanbieden. 'Een biertje?'

'Ik hoef helemaal niets, schat. Ik wil alleen dit lieve jochie bekijken. Hoe hebben jullie hem genoemd?'

Meri vertelde het haar.

'Asa,' herhaalde ze. 'Wat een schatje is hij.' Delia legde hem op haar schoot, en liet zijn hoofdje op haar knieën in haar handen rusten, terwijl ze haar armen aan weerskanten van zijn lijfje op haar benen legde. Hij keek naar haar op, zijn gezichtje stond gefronst. 'Hallo, mooie jongen.' Ze tilde hem voorzichtig op, bewoog hem op en neer en maakte met haar hele lichaam wiegende bewegingen. 'Wat ben je er voor eentje, lief nieuw kereltje?' Ze keek op naar Meri. 'Is hij wat ze wel "een makkelijke baby" noemen?'

Meri haalde haar schouders op. 'Ik zou het niet weten. Hij is er nog niet helemaal, voor zover ik er iets van kan zeggen.'

Delia's blik verscherpte zich. 'Aha, je hebt het er moeilijk mee.'

'Ja. Nou ja, nee. Ik red me wel. Ik ben alleen...' Opeens sprongen de tranen haar in de ogen. 'Het is eigenlijk wel goed. Alleen denk ik dat ik van nature geen echte moeder ben.'

'Dat word je wel. Het komt wel goed met je.'

'Nou,' knikte ze, 'dank je wel voor je steun.'

'Het is, denk ik, erg zwaar om te moeten zorgen voor iemand die zo... volkomen afhankelijk van je is, zeker wanneer je dat nooit eerder hebt gedaan. Maar het wordt heel gauw makkelijker, jij wordt ontspannener, en op een gegeven moment zul je beseffen dat je de moeilijke fase achter de rug hebt, dat alles is zoals het hoort.' Delia's toon was warm en teder. Haar lichaam bewoog nog een beetje mee terwijl ze de baby wiegde, maar ze leek haar aandacht volledig op Meri te concentreren, en Meri ervoer dat ook als een geschenk. Misschien had ze dit steeds al van Delia willen krijgen. Ze was bang dat ze zou gaan huilen.

'Pak die cadeautjes eens uit, schat,' zei Delia opeens.

Meri keek omlaag en haalde de eerste cadeautjes uit de mand.

Afgezien van het lint om de mand waren ze niet ingepakt. Het waren een gestreept T-shirt met een bijpassend broekje voor Asa, en een boek, *Scheepsberichten*.

'Dat kun je lezen terwijl je hem voedt,' zei Delia. 'Het moet heel goed zijn.'

In de mand zaten verschillende fopspenen met verschillende vormen: een met een rechte, korte speen, een met een langere speen en een met een brede, spiraalvormige speen. 'Blijkbaar bestaat er onenigheid over de vorm van babymondjes,' zei Delia. 'Maar als je niet in fopspenen gelooft, mag je ze ook allemaal weggooien.'

'Geloof ik in fopspenen?' zei Meri. 'Ik ben bang dat ik dat zelf niet weet.'

Delia glimlachte en zei: 'Je zult terwijl hij opgroeit nog een heleboel ontdekken over waar je wel en niet in gelooft. Kinderen: meer dan wat ook dwingen ze je om standpunten in te nemen. Over zo goed als alles.'

'Zoals?'

'Nou, op dit moment over fopspenen: ben je ervoor of ertegen? Dan is er de kwestie van borstvoeding of flesvoeding. Later wordt het nog veel moeilijker. Later komen seks en drank in het spel, en misschien ook drugs. "Ga ik dat goedvinden voor mijn schattebout? En zo ja, in welke mate? Op welke leeftijd?" Enzovoort, enzovoort.' Ze glimlachte en schudde haar hoofd. 'Het houdt eigenlijk nooit op.'

Meri tastte opnieuw in het mandje. Ze haalde er een rammelaar uit, een eenvoudig prentenboekje en een korte nachtpon voor zichzelf. Hij was zwart. Sexy.

Meri hield hem omhoog. 'Hij is schitterend, Delia.' Delia hield de baby nu tegen haar schouder. 'En over een jaar of twee kan ik er misschien wat mee.'

'Onzin. Dat komt ook weer terug, sneller dan je denkt.'

'Dat lijkt me onwaarschijnlijk. Ik voel me zo uitgeput. Ik zit zo in de puree.'

'We zitten allebei in de puree, schat. Misschien kunnen we elkaar eruit trekken.'

'Zit jij in de puree?'

'Met Tom. Over een paar weken komt hij thuis.'

'Thuis? Bij jou? Hier? Hier in huis?'

'Ja. Hij zit nog even in een revalidatiecentrum in Putnam, maar daarna krijg ik hem, totdat hij zichzelf weer kan redden. Als dat er tenminste nog in zit. We zullen wel zien. Ik denk dat het allemaal uitstekend zal gaan.'

'Maar ik dacht dat hij in Washington zou blijven.'

'O nee.' Ze schudde haar hoofd. 'Dat is nooit de bedoeling geweest.'

'Maar toen ik het er met Nancy over had... met je dochter...'

Er kwam een vermoeid lachje om Delia's lippen. 'Daar zou Nancy voor gekozen hebben, maar zij hoefde nergens voor te kiezen, snap je.'

'Maar is hij niet...? Zij zei dat hij er nogal...'

'Veel van overgehouden heeft. Ja. Dat is waar. Maar hij is al een stuk vooruitgegaan. Een heel stuk. En ze denken dat er een kans bestaat dat hij redelijk zal herstellen. En hij is zichzelf nog, en dat is belangrijk voor mij.'

'Kan hij nog praten?'

'Enigszins.' Delia glimlachte. 'Je kunt het nog niet helemaal zo noemen. Maar hij kan... communiceren. Hij herkent mij en hij heeft bepaalde wensen en verlangens, en brengt dat via gebaren aan me over. Net als ons vriendje hier.' Ze aaide Asa. Zijn hoofdje lag onder haar kin.

Meri was verbaasd over Delia en diep onder de indruk, omdat ze had gewonnen, omdat ze zo koppig en zo sterk kon zijn. Meri zou haar geld op Nancy hebben gezet.

'En bovendien,' zei Delia, en haar gezicht lichtte op, 'is hij soms grappig. Zo nu en dan is hij gelukkig. Hij ís er, dat kun je aan zijn ogen zien. Achter zijn ogen.' Delia haalde haar schouders op. 'Daarom moet het goed te doen zijn.'

'Maar in je eentje, Delia?' vroeg Meri.

'O, ik heb hulp. Tom is schatrijk, zoals je misschien is opgevallen.' Ze trok haar wenkbrauwen veelbetekenend op. 'En ík kan over dat geld beschikken. In dat opzicht is het makkelijk.'

'En in welk opzicht is het moeilijk?'

'In dit opzicht,' zei Delia, en ze hield de baby een stukje voor zich terwijl ze hem aankeek. Zijn hoofdje hing slap. 'Dat hij zo afhankelijk is. Zo hulpeloos.' Ze glimlachte naar Meri. 'Alleen houd ik mezelf niet, zoals jij, op de been door te dromen over wat die mooie jongen van je later gaat worden. Ik droom over de Tom van vroeger.'

Ze praatten nog een poosje door. Delia vertelde dat ze nog altijd in het Apthorp-huis werkte en daarmee doorging. Meri vertelde Delia over de bevalling en het bezoek van Elizabeth. Delia zei dat ze ook bereid was op Asa te passen, en drong erop aan een tijd af te spreken. Meri zei dat ze het er met Nathan over zou hebben. Misschien konden ze over een paar weken even vlug uit eten gaan.

'Of niet zo vlug,' zei Delia. 'Denk er maar even over na.'

Pas toen Delia weer weg was en toen het afgezien van Asa's pruttelende geluidjes tegen haar schouder weer stil in huis was, dacht Meri na over wat Delia in verband met Asa en Tom had gezegd. Bijna tot haar eigen ontsteltenis realiseerde ze zich dat ze er nog nooit over had gedroomd dat Asa iets of iemand zou worden. Ze had er nog niet bij stilgestaan dat hij een leven en een toekomst zou krijgen die ontstegen aan het hier en nu, waarin zij met hem zat opgezadeld.

Meri had ergens gelezen dat autoritjes een goede invloed konden hebben op baby's die moeilijk sliepen. Van een van Nathans collega's hadden ze een autostoeltje gekregen en Nathan had het in de auto vastgemaakt, maar tot dusver was Meri nog niet op het idee gekomen om met Asa een uitstapje te maken dat verderging dan een boodschap doen. In werkelijkheid had Nathan sinds Asa's geboorte trouwens de meeste inkopen gedaan en als boodschappenjongen gefungeerd.

Maar op een dag, toen Asa verschrikkelijk moe was en toch niet lang genoeg met huilen kon stoppen om in te dommelen, legde ze hem in de auto, snoerde hem vast in zijn zitje op de achterbank en reed naar de snelweg aan de rand van de stad. Ze was er nog niet, of hij sliep al.

Toen ze invoegde tussen het voortrazende verkeer joeg de snelheid haar echter angst aan, evenals het feit dat ze niet meer kon omkijken om op Asa te letten. Ze nam de tweede afslag waar ze langskwam, naar Route 43 North en Correy. Ze dacht dat ze weleens van Correy had gehoord. Er moest iemand wonen die ze het afgelopen jaar had ontmoet.

Ze kwam op een bochtige tweebaansweg terecht, die langs akkers en weiden liep en door dorpjes waar ze nog maar veertig kon rijden. Toen ze Correy binnenreed wist ze het weer: een collega van Nathan woonde hier. Nathan en zij waren in de winter bij haar langsgegaan en op een avond in het donker hierheen gereden. Het leek jaren geleden.

De heuvels, die vanuit Williston in een ver blauw waas zichtbaar waren, lagen hier dichterbij. Ze tekenden zich af boven de stad. De akkers en weiden die ze passeerde waren klein en oogden aantrekkelijker dan de uitgestrekte, strakke percelen in het midden-westen – ze hadden ongelijke, organische vormen en hun begrenzing werd vaak gevormd door een riviertje, een heuvel, de rand van een stad of een bomenrij. Ze reed verschillende keren langs mannen die op grote, roestrode tractoren aan het maaien waren. Asa, die ongemakkelijk schuin in zijn autostoeltje zat, was stil en leek zich happy te voelen.

Toen hij zo lang stil bleef dat ze zich omdraaide om naar zijn gezichtje te kijken, zag ze dat hij wakker was en uit het raampje boven hem keek. Waar keek hij naar? Ze boog zich naar voren en keek al rijdend door de voorruit naar boven. Ze veronderstelde dat hij naar de vormen van de bomen en de wolken keek. Of – en dat was waarschijnlijker – naar de afwisseling tussen het donker van de bomen en het lichte blauw van de lucht.

Bijna twee uur lang hield Asa zich rustig. Ze waren op dat moment in een dorp dat praktisch op de staatsgrens lag. Meri stopte op een parkeerhaven met uitzicht op wat een stukje landschapsschoon werd genoemd en voedde Asa. Hij had zo'n honger dat hij bijna twintig minuten aan elke borst lag.

Meri besefte dat zijzelf ook honger had. Toen Asa was uitgedronken en toen ze hem had laten boeren en zijn luier had verschoond, sloeg ze weer de richting in waar ze vandaan waren gekomen. Ze stopte in het eerste dorp waar ze doorheen kwamen en ging naar het plaatselijke winkeltje. Asa lag op haar schouder. Ze koos twee repen uit die ze als kind lekker had gevonden, een Butterfinger en een Almond Joy. Achter de kassa zat een meisje van veertien of vijftien, die blijkbaar op haar eentje voor de winkel zorgde. Ze was bleek en had rood haar, sproeten en lichte wimpers en wenkbrauwen. Toen Meri de repen betaalde vroeg ze: 'Hoe oud is uw kindje?'

'Bijna een maand,' zei Meri. Toen besefte ze dat dat niet waar was. 'Eigenlijk iets meer dan een maand.'

'Wat ziet hij er schattig uit,' zei het meisje, en ze boog zich naar voren en glimlachte naar Asa. Ze had een beugel in haar mond, en Meri had opeens met haar te doen, vanwege haar lelijkheid.

'Dank je wel,' zei Meri.

Toen ze zich over Asa heen boog om hem weer in zijn stoeltje te zetten, bekeek ze hem zorgvuldig en probeerde objectief te zijn. Zag hij er schattig uit?

Hij was mooier dan hij geweest was. Hij was wat dikker en voller geworden. De plukken donker haar waren bijna helemaal verdwenen, en boven op zijn hoofd had hij dun, lichter haar met een blonde weerschijn. Zijn grijsblauwe ogen keken naar haar op en leken iets te registreren of daar een poging toe te doen. Zijn ledematen begonnen echte contouren te krijgen, ronde contouren. 'Asa,' zei ze, en hij fronste zijn voorhoofd en opende zijn mondje.

En dus maakte ze nu bijna elke dag een ritje, tenzij het regende of ze in huis dingen te doen had. Ze vond het prettig om langzaam te rijden en om zich heen te kijken naar de lome stadsparken en naar de kentekenen van verbijsterende en vernederende armoede die soms plotseling opdoemden: verroeste auto's en huishoudelijke apparaten in een voortuin, kleren die te drogen hingen op een veranda die langzaam verzakte voor een huis waar haast geen verf meer op de muren zat. Achter haar vormde zich een rij auto's, en als het mogelijk was stopte ze aan de kant van de weg om ze te laten passeren. Daarna reed ze weer verder, keek om zich heen en probeerde zich voor te stellen wat voor levens zich in dit soort huizen afspeelden.

Asa was in de auto stil. Hij sliep of keek om zich heen, misschien probeerden zijn ogen verbanden te ontdekken in wat hij zag. Ze zag hoe zijn blik heen en weer ging en hoe hij zijn handjes en voetjes optilde en bewoog om uiting te geven aan een vorm van opwinding, of in elk geval van interesse. Ze had op die ogenblikken kameraadschappelijke gevoelens voor hem: hij had ook het gevoel gehad dat hij opgesloten zat. Eindelijk kon ze hem iets geven wat hij leuk vond.

Soms nam Meri iets te eten mee. Soms stopte ze bij een winkel en kocht iets – fruit als ze een brave bui had en de winkel het verkocht. Maar vaker kocht ze chips, een reep of een blikje cashewnoten. Soms hield ze halt bij een kleine koffieshop of een cafeetje om een broodje te eten en wat te drinken.

Op een middag zat ze in zo'n zaak, een rechthoekige ruimte met langs de ene lange muur een paar boxen, daartegenover een bar, en drie vierkante tafeltjes dicht voor het raam aan de voorkant. Ze zat aan een van die tafeltjes. Ze had thee en een klein broodje tonijn besteld, dat werd geserveerd met een augurk en frites. Bij haar binnenkomst had Asa geslapen, en hij sliep nog zo lang door dat ze haar broodje gedeeltelijk kon opeten. Maar toen begon hij klagerig te pruttelen in de draagzak. Snel, voordat hij het op een krijsen kon zetten, liet ze hem uit de kleine zak glijden, legde hem op haar linkerarm en trok met haar rechterhand haar blouse naast zijn hoofd omhoog.

Hij keerde zich naar haar toe en vond onmiddellijk haar tepel – dat ging hem steeds beter af, meestal wel tenminste. Ze kon met haar vrije hand over Asa heen reiken om zo nu en dan een slokje thee te nemen of een frietje te pakken. Maar voornamelijk hield ze hem vast en bekeek hem aandachtig, zoals zo vaak, alsof ze kon ontdekken wie hij was en hoe ze van hem moest houden door getuige te zijn van zijn bescheiden gedragsrepertoire.

Net toen ze, met een enigszins treurig lachje, had bedacht dat ze in de ogen van een objectieve waarnemer een toonbeeld van moederlijke toewijding moest zijn zoals ze haar kindje zat te voeden en naar hem zat te kijken, ging de deur open en kwam er een ouder echtpaar binnen. Ze waren voor de warme dag en voor deze zaak te dik aangekleed. Ze bleven even in de deuropening staan. Toeristen, dacht Meri. Ze leken de smalle ruimte te willen verkennen, en besloten waarschijnlijk waar ze wilden gaan zitten, iets waar iemand uit de omgeving niet over na hoefde te denken. Ze prevelden wat tegen elkaar en liepen op een van de twee andere tafeltjes bij het raam af.

Meri zat naar hen te kijken en zag dan ook dat de oude vrouw plotseling terugdeinsde en dat haar dikke, kalme gezicht zich opeens vertrok toen ze zich realiseerde wat Meri aan het doen was, toen ze het stukje blote huid van Meri's borst zag en hoe het gezichtje van de baby tegen haar aan gedrukt lag. Meri zag dat de vrouw zich omdraaide, dat haar man van achteren tegen haar opbotste en dat ze zich onhandig van de tafeltjes verwijderden, waarbij hun lichamen bijna met elkaar verstrengeld raakten; de vrouw ging zachter praten in een poging haar man weg te krijgen, zo ver weg dat ze hem kon uitleggen waarom ze met geen mogelijkheid op de voorgenomen plaats konden gaan zitten.

Het zou komisch zijn geweest, dacht Meri, als... Ja, als wat?

Als het voor haar niet ook schokkend was dat zij, Asa en zij, de oorzaak van zoveel weerzin konden zijn. Ze had opeens het gevoel, voor het allereerst, dat ze hier samen in betrokken waren. Ook Asa was voorwerp van de walging van de oude dame. Asa was onheus bejegend.

Asa, die nu sliep, met zijn volle lippen geopend, en met haar melk als een waterig wit in zijn mondje.

Die avond rond tien uur voedde ze Asa weer, in bed. Ze had hem daarvoor wakker gemaakt, in de hoop dat ze er maar één keer uit zou hoeven voordat om een uur of vijf zijn dag begon. Maar het leidde ertoe dat hij steeds weer van haar borst wegzakte en indommelde. Ze pakte hem op en liet hem tegen haar schouder een stevig boertje laten, mede om hem weer wakker te maken. Vervolgens wiegde ze hem. 'Kom op, baby,' zei ze. 'Aan de slag.'

Een van de keren dat zijn hoofdje van haar natte tepel was

weggezakt keek ze op en zag dat Nathan naar hen keek. Iets in zijn gezicht deed haar denken aan de oude vrouw in de koffieshop. Die gedachte joeg haar angst aan.

Ze legde Asa in het mandwiegje naast het bed en kroop naar Nathan toe. Ze nestelde zich tegen hem aan. Hij sloeg zijn arm kameraadschappelijk en bemoedigend om haar heen, dat was alles. Zijn boek lag opengeslagen tegen zijn bovenbenen. Ze hadden sinds ruim voor Asa's geboorte niet meer gevreeën, hoewel de dokter al een paar weken geleden tegen Meri had gezegd dat er geen beletsel meer was. Meri vond het opeens erg belangrijk dat ze het zouden doen, dat Nathan naar haar zou verlangen.

Ze opende haar nachtpon en begon over haar borsten te strijken, over haar hele lijf. 'Nathan,' fluisterde ze.

Maar hij reageerde niet. Of beter gezegd: hij reageerde door zijn vrije hand op haar bewegende handen te leggen en ze te stoppen. Zo zaten ze daar een ogenblik, en toen wendde Meri zich van hem af. Ze ging rechtop zitten.

'Meri,' zei Nathan.

Ze keek hem aan. Laat hem, dacht ze. Laat hem dit maar eens uitleggen.

'Ik verlang naar je, echt waar,' zei hij. 'Alleen is het zo... Je hele lijf is nu zo op de baby gericht. Zo... functioneel. En ik heb het gevoel dat het voor mij makkelijker is om nog even te wachten. Eventjes maar. Nog eventjes wachten.'

Ze begon eerst stilletjes te huilen en barstte vervolgens in luid gesnik uit. Ze wist hoe haar gezicht eruitzag als ze zo huilde, maar het kon haar niet meer schelen. Er was niets meer, niets meer over van wat haar vroeger een prettig gevoel over haar lichaam had gegeven, wat haar het idee had gegeven dat ze aan zichzelf toebehoorde, zichzelf meester was en zichzelf naar eigen goeddunken kon gebruiken. Niets meer van wat haar bij Nathan een veilig gevoel had gegeven. Waarom zou ze niet huilen als ze zich zo voelde? Nathan had gelijk: ze leefde nu voor de baby, een baby die ze niet kende, ook al deed ze daarvoor nog zo haar best, en die haar niet kende, behalve als ze tegenover hem tekortschoot.

Nathan had zijn armen weer om haar heen geslagen en zijn boek opzijgeschoven. In haar oor hoorde ze zijn adem en zijn stem: 'Stil maar, lieveling. Stil maar, Meri. Alsjeblieft, alsjeblieft.'

Maar Meri was ontroostbaar. Ze snikte het uit van verdriet. In zijn mandwiegje naast het bed werd Asa wakker en zette net zo'n keel op als zij.

HOOFDSTUK DERTIEN

Delia, juni 1994

Sinds Delia rond vijven wakker was geworden met de gedachte: dít is de grote dag, vandaag komt hij thuis, had ze haar opwinding bijna niet kunnen bedwingen. Nu, in de auto, was Tom in slaap gevallen. Onder het rijden wierp ze van tijd tot tijd een blik op hem. Zijn mond viel open. Hij zag eruit als een heel oude man, in wie haar Tom nauwelijks meer te herkennen viel, de Tom die er altijd jaren jonger had uitgezien dan hij was, zodat mensen in Washington soms niet hadden geweten in wat voor relatie zij tot elkaar stonden: 'Bent u zijn vróuw?' Ze had daar weleens stekelig op gereageerd.

Wat zat het leven raar in elkaar, dacht ze, dat zij nu de sterkste en de jongste was, en hij de oude man. Ze draaide de oprijlaan op. Ze zette de motor af en keek nog eens naar Tom. Hij zag bleek en zijn gezicht was ingevallen. Zonder het geluid van de motor was het opeens heel stil. Hoorde hij het verschil niet?

Blijkbaar niet.

Ze stapte uit en opende het achterste portier, haalde de rollator van de achterbank en klapte hem uit. Ze liep naar Toms portier toe en opende het. Ze boog zich de auto in, trok hem zachtjes aan zijn arm, noemde zijn naam en schrok even. Was hij er wel helemaal? Had hij weer een beroerte gehad?

Maar hij sloeg zijn ogen op en zag haar boven hem staan, met zijn rollator. 'Diel,' kwaakte hij.

'Ja,' zei ze. 'Als je zover bent.'

Hij kreunde zachtjes en verroerde zich een volle minuut niet. Hij ademde zwaar en regelmatig, alsof hij zich moest oriënteren en zijn krachten moest verzamelen. Vervolgens drukte hij in één lange beweging zijn lichaam tegen de rugleuning en draaide zich om, waarbij hij zijn slechte been met zijn handen oppakte.

Hij zat nu gedraaid, opzijgekeerd, met zijn voeten op de grond. Hij keek om zich heen, naar de eik, het gazon en het oude bakstenen huis. 'Thuis,' zei hij.

'Ja,' antwoordde Delia. 'Eindelijk.'

Delia gaf hem een poosje de gelegenheid om op adem te komen en daarna schoof ze de rollator naar hem toe, om zijn benen heen. Hij boog zich naar voren en zette zijn handen op de bovenste stang. Zo bleef hij even zitten.

'Je bent moe vandaag,' zei ze.

'Mmmm.' Hij knikte en draaide zijn hoofd een beetje schuin om naar haar op te kijken.

'We hebben geen haast,' zei ze. 'Als we willen kunnen we er een eeuwigheid over doen. We hebben namelijk eeuwig de tijd.'

Hij glimlachte naar haar. Zwijgend wachtten ze. De bomen bewogen heen en weer op de wind, ergens sloeg een deur dicht, en Delia dacht dat ze de baby van de buren op zijn typische knerpende, halfslachtige manier hoorde huilen, maar het hield algauw weer op.

Toms greep op de stang werd sterker en hij begon zichzelf omhoog te trekken. Zijn lichaam bewoog, zijn armen spanden zich en hij kwam naar voren, maar hij leek niet bij machte verder dan halverwege te komen. Delia pakte hem bij zijn bovenarmen en trok ook – ze trok hem naar zich toe. Hij was zwaar. Het leek er even op dat ze samen in de auto zouden terugvallen, met de rollator tussen hen in – ze verkeerden in een lachwekkend evenwicht, en verbijsterd keken ze elkaar in de ogen met een blik van: gaan we het redden?

Maar toen verschoof de balans en wipten ze een stukje Delia's kant uit. Tom stond nu overeind en liet zijn gewicht zwaar op de rollator rusten. Ze omhelsden elkaar zowat. Hij hijgde een beetje, en Delia besefte dat zij ook stond te hijgen.

Vervolgens lachte ze, van opluchting, en om het komische van het hele gedoe. 'Elegant zijn we zo, hè?' zei ze.

Hij knikte. Hij glimlachte. 'Danz,' zei hij. Dans. Een dans.

'Jij noemt het een dans,' antwoordde ze. 'Zo zouden de meeste mensen er niet over denken.'

Toen ze weer op adem waren gekomen, ging Tom langzaam het pad op, en vervolgens hielp Delia hem voorzichtig over het stenen trapje omhoog. Ze was dankbaar dat de treden zo onnodig breed en diep waren.

In huis verplaatste hij zich naar de hal en bleef toen staan, alsof hij op nadere instructies wachtte.

Delia wees hem de weg: naar het toilet. 'Ga maar plassen, en daarna kun je even gaan liggen. Ik zal je wijzen waar je kamer is.'

Hij bleef staan en keek haar aan met een ontstelde of gekrenkte blik. Maar waarom gekrenkt? Misschien beviel het hem niet dat zij voor verpleegster speelde.

Jammer dan, dacht ze. Jammer voor ons allebei. 'Ik ben bang dat dat de regels zijn,' zei ze op ferme toon. 'Je plast nu op vaste tijden. En het is tijd.'

Hij wendde zich van haar af. Hij rolde langzaam naar de wc en ging naar binnen. Ze hadden haar verteld dat het een hele overwinning was dat hij continent was en zelfstandig naar de wc kon, maar ze hadden haar ook verteld dat dat mede mogelijk was door vaste tijden aan te houden. Daar moesten Matt en zij op letten.

Toen hij weer naar buiten kwam, stond zij in de deuropening van de eetkamer.

'Kom maar eens kijken,' zei ze. Ze kon een opgewonden toon niet onderdrukken.

Ze deed een stap opzij toen hij naar binnen rolde. 'We hebben het allemaal speciaal voor jou ingericht,' zei ze.

Hij ging op de rand van het bed zitten en liet zijn armen op de rollator rusten terwijl zij langzaam door de kamer liep en alles aanwees. Hij sloeg haar rustig gade. Ze wist niet hoeveel er tot hem doordrong. Ze praatte langzaam, gebruikte makkelijke woorden en illustreerde ze met gebaren; ze gebaarde naar het bed, de commode, de schommelstoel, de schilderijen die ze had opgehangen en de radio op het nachtkastje. Ze klopte erop. 'Je moet weten dat dit een heel mooi toestel is,' zei ze. 'Veel duurder en hopelijk ook veel beter dan de radio die ik in de keuken heb.'

Hij knikte, bij wijze van bedankje.

'Vind je het mooi?' vroeg ze. Ze besefte dat ze nerveus was.

'Unnng,' zei hij. 'Jaaw.'

'Mooi. Ik heb twee jongens urenlang afgebeuld om dit voor elkaar te krijgen. Ik heb er eigenlijk van genoten.'

Hij glimlachte naar haar, maar zag er vermoeid uit. Om niet te zeggen uitgeput.

'Wil je hier eten?' vroeg ze. 'Als je hier wilt blijven kan ik je eten op een blad brengen. We kunnen ook in de keuken eten.'

'Hier,' zei hij.

Delia hielp hem zijn benen op het bed te leggen en schoof kussens in zijn rug. Ze trok zijn schoenen uit.

'Wil je dat ik de radio aanzet?' vroeg ze.

Hij knikte.

'Muziek? Of het nieuws?' vroeg ze.

'Niez,' zei hij.

Ze zette de radio aan, draaide hem wat zachter en zocht de nieuwszender op. Toen ze de kamer uit ging gaf ze Tom eerst een kus. Hij stak zijn hand uit en streek langs haar gezicht. 'Blijf,' zei hij op duidelijke toon.

'Ik ben zo terug,' zei ze. 'Ik ga even voor het eten zorgen.'

In de keuken ging Delia vlug te werk. Ze had 's ochtends vroeg eieren gekookt en eiersalade gemaakt. Ze had thee gezet en die in de koelkast gezet. Ze had aardbeien fijngemaakt en er suiker overheen gestrooid. Ze had nu maar een paar minuten nodig om voor hen allebei broodjes klaar te maken en ijsthee in te schenken. Ze haalde ijs uit de vriezer, zodat het zachter kon worden.

Nadat ze Tom had bediend bracht ze voor zichzelf het blad met de opklapbare pootjes naar binnen, zodat ze met hem mee kon eten. De radio stond nog aan, en Tom en zij zeiden maar een enkele keer iets tegen elkaar. Hij gaf brommend en met eenlettergrepige klanken commentaar op het nieuws. De Clintons waren in het Witte Huis verhoord over de dood van Vincent Foster en de Whitewater-affaire. De vrouw van O.J. Simpson was vermoord, en hij werd daarvan verdacht. Naast Chuck Robb en Ollie North hadden nog twee kandidaten bekendgemaakt dat ze aan de voorverkiezingen in Virginia zouden meedoen. Tom schudde zichtbaar ongelovig zijn hoofd, en Delia lachte.

Het nieuws was voorbij en het jazzprogramma begon. Toen ze uitgegeten waren, zette Delia Toms blad op het bureau en ging hij weer liggen. Hij viel bijna onmiddellijk in slaap.

Een poosje zat ze in de schommelstoel naar hem te kijken. Langzaam werd het donker in de kamer. Ze wist dat ze hem moest wekken, dat ze hem zijn pyjama moest aantrekken en hem nog een laatste keer naar de wc moest sturen. Daarna zou ze boven naar haar badkamer gaan om haar gezicht te wassen, haar tanden te poetsen en haar jurk uit te doen.

Laat me hier alleen nog even zitten, dacht ze.

Er bestond geen gevaar dat ze in slaap zou vallen. Ze was opgewonden en alert. Ze bedacht hoe ze morgen wakker zou worden, de trap af zou lopen en Tom zou aantreffen; hoe ze hem zou begroeten en samen met hem zou ontbijten. Ze dacht aan Matt, die morgenmiddag met Tom zou komen kennismaken. Ze bedacht hoe de dagen voortaan zouden verlopen, steeds met Tom als middelpunt.

Ten slotte stond ze op, deed het licht aan, pakte Tom zachtjes bij zijn schouder en zei zijn naam.

Hij keerde zich naar haar toe, en zijn toon was verrast en teder. 'Delia!' zei hij.

'Ja schat, je bent thuis. En we moeten je klaarmaken om naar bed te gaan.'

Traag en moeizaam stond hij op. Hij liet zich door haar van zijn kleren ontdoen; door zijn vermoeidheid leek hij zwaarder gehandicapt dan anders. Delia bedacht dat ze niet moest toestaan dat hij weer in slaap viel voordat ze met hem klaar was.

Het ontroerde haar om hem naakt te zien: zijn magere oude lijf met de donkere, afhangende geslachtsdelen en de huidplooien bij zijn borstspieren. Ze fluisterde hem kalm bemoedigende woorden toe en legde steeds uit wat ze deed. Zijn getroffen ledematen waren zwaar en log, en toen ze zijn pyjama aantrok leek hij niet bij machte ze op te tillen. Ze vond dat niet erg, al vermoedde ze dat dat in de toekomst weleens anders zou kunnen zijn.

Nadat hij naar het toilet was geweest, ze hem had geholpen bij het tandenpoetsen en hij met haar hulp weer in bed was gaan liggen, en nadat ze het laken en de dunne deken over hem heen had getrokken en hem een nachtzoen had gegeven, net als vroeger de kinderen, ging ze naar boven. Ze dwaalde door de kamers op de eerste verdieping alsof ze een vreemde in haar eigen huis was en alles voor de eerste keer zag. Ze bekeek haar eigen slaapkamer, ingericht voor één persoon, die er comfortabel kon wonen – die er oud kon worden. Ze liep de logeerkamers binnen en bekeek zorgvuldig de foto's van haar kleinkinderen op verschillende leeftijden, en de trouwfoto's van haar kinderen, die zich allemaal met graagte en onbezonnen in het huwelijk hadden gestort. Ze ging naar haar studeerkamer en bekeek de afbeeldingen aan de muur. De kleine, ingelijste reproducties van Rodins erotische aquarellen die ze in Parijs had gekocht om zichzelf te kwellen vanwege Toms verhouding met Carolee, en de reproducties die ze later had gekocht. De foto op haar bureau, van haarzelf tijdens een familiereünie met de kinderen en hun gezinnen – alsof Tom, de oude stamvader, niet bestond.

Bij de buren hoorde ze het zachte, katachtige gejammer van de baby, en ze dacht aan Meri. Wat was het vreemd dat hun levens op dit ogenblik zo parallel leken te verlopen. Ze herinnerde zich dat ze had gezegd dat ze in de puree zaten, maar dat had ze niet echt gemeend. Ze zaten geen van beiden in de puree, ook al voelden ze het af en toe zo. Maar Meri zou als ze eraan toe was van haar kleine kereltje gaan houden, en zij was uiteraard altijd van Tom blijven houden.

Nadat ze zich had klaargemaakt om te gaan slapen, voelde ze zich nog erg wakker. Ze probeerde te lezen, maar was er te opgewonden voor. Ze keek op de klok. Het was pas halfelf. Misschien nog niet te laat. Ze draaide het nummer van Madeleine Dexter.

Madeleine zei dat ze in bed lag maar nog niet sliep, en Delia besefte dat dat waarschijnlijk een leugen was. Maar ze moest met iemand praten. Ze vertelde Madeleine over Toms thuiskomst. Ze beschreef kort hoe hij was vooruitgegaan en wat voor therapieën hij nog zou krijgen: 'Onder meer "alternatieve communicatievormen", zoals ze dat noemen – wat het ook mag betekenen.'

'Maar wat betekent het dan?' vroeg Madeleine.

'Ach, wie zal het zeggen?' zei Delia. 'Ik voel gewoon dat hij weer normaal zal leren praten – ik denk dat ik dat gevoel ook nodig heb.' Ze kon zich goed voorstellen dat ze op een dag weer aan de keukentafel zouden zitten en net zulke gesprekken zouden voeren als vroeger. Hij zou haar aan het lachen maken en lachen om zichzelf.

'Maar misschien bedoelen ze dat het daar weleens niet van zou kunnen komen.'

Delia antwoordde niet.

'Heb ik het bij het rechte eind, denk je?' Madeleines toon was zacht en behoedzaam.

'Ik denk het wel,' zei Delia. 'Ik denk dat ze dat bedoelen. Maar waar zou het dan om gaan? Briefjes?'

'Ik hou van briefjes,' zei Madeleine. 'Ik heb nog briefjes van Dan en als ik me eenzaam voel lees ik ze weleens. Dat geeft troost.'

'Dat is iets anders.'

'Natuurlijk is het iets anders. Maar het is de realiteit. Ook dat is de realiteit.'

'Maar Tom leeft nog.'

'Maar hij is veranderd, Delia. Het wordt niet meer zoals het geweest is.'

'Ze zeggen dat hij met sprongen vooruitgaat,' zei Delia. 'Hij gaat heel erg goed vooruit.'

'Maar er kunnen grenzen aan de vooruitgang zijn. Het lijkt erop dat ze dat ook willen zeggen.' Delia zweeg en Madeleine ging pas na een lange pauze weer verder. 'Lieveling,' zei ze, 'ik denk dat je het idee hebt dat het nu wel goed móet gaan, nadat je al die jaren hebt gewacht. Hij blijft leven, je krijgt hem weer terug, dus het moet weer net zo worden als het geweest is. Maar je krijgt hem juist terug, lieve schat, omdat het niet meer zo is als het geweest is.'

Delia zweeg. Ze wist dat Maddy gelijk had. Ze wilde dat het anders was.

Op zachte, liefdevolle toon zei Maddy: 'Ik denk dat je nu gewoon een beetje gek bent.'

Gek, dat kon je wel zeggen.

De volgende dag in het Apthorp-huis, dat nu de drukste tijd van het jaar beleefde – de oud-studenten waren in de stad voor reünies, het toeristenseizoen was net begonnen – liep Delia het souvenirwinkeltje in om het groepje op te halen dat stond te wachten voor de rondleiding van vier uur. Ze was ruim een week weer aan het werk.

Toen Delia zich voorstelde lieten de bezoekers de boeken, de vitrine met brieven van Anne Apthorp en de rekken met ansichtkaarten voor wat ze waren en kwamen naar haar toe. Het was een gemengd gezelschap van tien of twaalf mensen, onder wie twee mannen van haar leeftijd met strohoeden, gestreepte blazers en badges met de tekst 'Jaargang 44'. Ze zagen eruit als bejaarde tweelingbroers, die door een demente moeder zorgvuldig in de kleren waren gestoken, dacht Delia. Verder waren er een gezin met kinderen in de tienerleeftijd, een paar vrouwen die bij elkaar leken te horen en – haar adem stokte even – Billy Gustafson. Delia zou hem overal uit hebben gehaald, want hij was op de middelbare school haar eerste echte liefde geweest.

Ze slaakte een opgetogen kreet en liep naar hem toe. Hij zag er nog net zo uit als vroeger – hetzelfde zijdeachtige zwarte haar, de donkere wenkbrauwen die elkaar boven zijn neus bijna raakten, dezelfde brede, geamuseerde mond –, maar toen ze enthousiast op hem af liep verscheen er een trek van groeiende en bijna angstige ontsteltenis op zijn gezicht.

En toen, toen ze op het punt stond hem bij zijn mouw te pakken en aan te spreken, bedacht ze dat hij Billy natuurlijk niet kon zijn. Billy was van haar leeftijd, grijs of wit, helemaal veranderd en verschrompeld, als hij überhaupt nog in leven was. Haar hand ging de hoogte in, haar mond opende zich. Deze jongeman – eigenlijk nog een jongen – was vijftig of zestig jaar te jong.

'O, neemt u me vooral niet kwalijk,' zei Delia.

Ze was er zeker van dat iedereen kon horen hoe gejaagd ze ademde. Ze moest het woord nemen en iets zeggen om hem en de andere bezoekers op hun gemak te stellen. 'Ik dacht dat u iemand anders was, maar zo van dichtbij zie ik dat ik me heb vergist.' Ze lachte, zorgeloos, hoopte ze, maar haar hart bonsde. 'U bent natuurlijk wie u bent. Neemt u me alstublieft niet kwalijk.'

Ze wendde zich van hem af en richtte zich tot de groep, die haar bevreemd gadesloeg. 'Ik ben Delia Naughton,' zei ze, en ze probeerde rustig te klinken. 'Ik ga u rondleiden door het Apthorp-huis en hoop al uw vragen te kunnen beantwoorden. Zullen we beginnen?' Ze gebaarde naar de deuropening. 'Gaat uw gang.'

Terwijl ze de bezoekers naar binnen liet gaan, voelde ze dat ze kalmeerde. Zoals altijd begon ze bij de familieportretten in de woonkamer. Ze ging in op hun herkomst en op de vragen die over hun gelijkenis waren gerezen.

Gedurende de rondleiding lette ze scherp op zichzelf. Ze vond dat ze het naar behoren deed, om niet te zeggen goed. Nadat de bezoekers waren vertrokken, was ze volkomen uitgeput. Ze was dankbaar dat dit de laatste groep van de dag was geweest, zodat ze naar huis kon. Al schoot haar nu te binnen dat ze onderweg nog langs de supermarkt moest.

Het ongeluk was volledig haar schuld, en dat zei ze ook tegen de vrouw die de andere auto bestuurde en tegen de agent die even later kwam. Het gebeurde bij het winkelcentrum buiten

Williston, waar alle wegwijzers en reclameborden de verkeerslichten naast de weg enigszins aan het oog onttrokken, al was Delia er honderden keren eerder wel in geslaagd ervoor te stoppen. Nee, ze was vandaag onoplettend en in gedachten verzonken toen ze door het rode licht reed, en als de andere automobiliste – Heidi Rosenberg, heette ze – niet zo snel was uitgeweken en had geremd, had alles een stuk erger kunnen zijn. Nu had Heidi schade aan haar voorspatbord en haar rechterkoplamp. Delia's auto was er slechter aan toe: het achterportier en het achterspatbord waren flink gedeukt.

Beide auto's reden echter nog, en nadat de jonge agent een bekeuring voor Delia had uitgeschreven, nadat de kleine menigte weer uiteen was gegaan en nadat Delia de tijd had genomen om tot zichzelf te komen, reed ze heel langzaam en voorzichtig naar huis, terwijl ze steeds weer het moment van het ongeluk herbeleefde – hoe alles opeens in duigen was gevallen en ongerijmd en onwerkelijk was geworden. Telkens wanneer ze eraan terugdacht, stokte haar adem.

Matt en Tom, de brede en de magere man, liepen over het trottoir. Terwijl Delia de oprijlaan op draaide zag ze dat ze bijna het hele stuk tot het huis van de Sternes hadden afgelegd. Na hun terugkomst vertelde ze hun niet over het ongeluk. Matt en zij hielpen Tom de trap op. Toen Tom onder de douche stond ging Delia even op bed liggen en maaide Matt het gazon voor het huis. Toen Tom klaar was riep hij Delia, waarna ze hem hielp met aankleden. Vervolgens riep ze Matt, en daarna brachten ze Tom naar beneden en keken in zijn kamer naar een wedstrijd van de Red Sox.

Matt ging naar huis. Delia maakte voor het avondeten een pastasalade klaar. Ze zeiden niet veel, maar Delia vond de stilte aangenaam. Pas toen Tom in bed lag en zij boven was, stond ze zichzelf toe om weer aan het ongeluk te denken.

Ze had in dromenland vertoefd. Ze had totaal niet opgelet. Ze schudde haar hoofd en haar mond verstrakte. Hoe moest het met hen als zij niet veilig meer kon rijden? Ze besefte dat dát haar de meeste angst had bezorgd: het idee dat ze allebei hulpeloos zouden zijn en dat hun bestaan er ingrijpend door zou worden beïnvloed. Zover zou ze het niet laten komen. Dat mocht niet.

De zon stond nog hoog. Hij viel schuin door de bewegende bladeren en flitste langs Delia's gezicht terwijl ze langzaam over het ongelijke stenen trottoir liep. Hier en daar was het omhooggedrukt en gescheurd door de wortelstelsels van de oude bomen, die zich wijd vertakten en midden in de brede straat bij elkaar kwamen. Het was de avond van de eerste juli, de avond waarop Delia's buren, de Sternes, elk jaar een feest gaven voordat ze naar hun zomerhuis op Cape Cod vertrokken. Ze nodigden zonder uitzondering iedereen uit de straat uit, en Delia verheugde zich altijd op deze bijeenkomst omdat ze zo kon kennismaken met de steeds jongere gezinnen die de huizen in de straat betrokken.

Halverwege al hoorde ze het geroezemoes van stemmen, het hoge geluid van een achteloze vrouwenlach. Ze bedacht dat ze heel feestelijk een gin-tonic zou nemen. Ja, dat ging ze doen.

Maar wat viel er eigenlijk te vieren? De zomer, bijvoorbeeld. Het eind van de week. Dat Tom op zijn bed in de eetkamer lag te wachten totdat ze zou thuiskomen.

Ze hadden het er gisteren over gehad dat hij eventueel met haar mee zou kunnen gaan. Ze hadden de rolstoel kunnen gebruiken of ernaartoe kunnen rijden met Toms stok of rollator in de auto.

Maar Tom had het niet gewild, hij wilde voor haar de pret niet bederven. In werkelijkheid had hij gezegd: 'Nie-euk vo ou!' Hij had heftig met zijn hoofd geschud, met op elkaar geperste lippen, en het nog eens gezegd – iets duidelijker.

Ze begreep het, wat haar steeds vaker lukte. Ze vertelde hem dat hij haar plezier niet kon bederven, omdat ze ervan genoot met hem samen te zijn.

Gelul, zei hij ('u-ul!'), en daarna verstrakte zijn mond in het vertrouwde lachje dat haar bijna altijd ook een glimlach ontlokte.

Het bleek een terechte beslissing te zijn. Toen hij 's middags van de revalidatie thuiskwam was duidelijk dat hij niet in staat zou zijn geweest om mee te gaan, zelfs als hij het wel had gewild. Hij was te moe. Nadat hij een klein hapje had gegeten, was hij op bed gaan liggen. Toen ze zijn kamer in was gegaan om afscheid van hem te nemen, sliep hij al.

Ze vroeg zich af wie er dit jaar op het feest zouden zijn. Toen ze het tuinpad van de Sternes op liep, zag ze dat er een paar jonge stellen waren die ze niet kende. Ze liep de trap naar de drukke veranda voor het huis op en stelde zich voor aan de jonge vrouw die boven aan de trap stond.

Net toen Delia met haar in een interessant gesprek over Hillary Clinton en het feminisme verwikkeld raakte, zag Gail Sterne haar; in een van de linnen kaftans waarmee ze haar omvang probeerde te verhullen kwam ze op Delia af. Ze wilde weten hoe het met Tom ging; ze hadden gehoord dat hij een beroerte had gehad. Ze bracht Delia naar de bar die achter aan de veranda was opgesteld, en Delia bestelde haar gin-tonic. Terwijl ze daarop wachtte, beschreef ze Toms vooruitgang en vertelde vervolgens dat hij thuis was, bij haar.

'Nee toch!' zei Gail. 'Gunst! Nou, ik zal niet zeggen dat ik er versteld van sta, maar... jawel! Ik sta er versteld van.'

Delia nam een eerste bittere teug van de gin en glimlachte naar Gail. 'Je bent de enige niet. Nancy vroeg zich af of ik soms heilig wil worden verklaard.'

Het was maar een van de vele dingen die Nancy aan de telefoon tegen Delia had gezegd toen haar moeder haar eindelijk had verteld wat ze had gedaan.

'Daar kan ik zonder meer mee instemmen,' zei Gail.

'Onzin. Het is vooral een kwestie van de zaken goed regelen. Tom heeft een hele hoop geld. Ik geef het aan hem uit – dat is alles.'

'Maar je bent zo aan je privacy gewend, Delia. Aan je eigen leven.' Ze bracht haar hand omhoog en legde hem op haar boezem. Aan bijna elke vinger droeg ze een grote, blinkende ring.

'O, daar heb ik al volop van kunnen genieten,' zei Delia. 'Het zal me goeddoen om ook eens voor een ander te zorgen.' Ze had hetzelfde argument ook tegen Nancy gebruikt, en Nancy had gezegd: 'O ja? Waarom ga je dan niet in een weeshuis werken? Of neem anders een hond. Je bent pap niets verschuldigd, mam.'

'Ik doe het ook niet omdat ik vind dat ik het hem verschuldigd ben,' had Delia gezegd.

'Waarom doe je het dan? Waarom?' Nancy's stem klonk schel, zoals steeds tijdens het gesprek.

'Omdat ik het wil. Omdat ik dit wil.'

En hoewel Delia alle argumenten die Nancy te berde bracht even zelfverzekerd en overtuigd had gepareerd, had ze beseft dat dit nog maar het begin van de discussie was. Dat Nancy er steeds weer op zou terugkomen, vooral als Toms vooruitgang zou stokken. Dat iedereen die hoorde van haar besluit Tom bij zich in huis te nemen er vraagtekens bij zou zetten, en dat haar familieleden en vrienden haar die vragen openlijk zouden stellen en met haar in discussie zouden gaan. Madeleine Dexter en Brad hadden dat tot dusver als enigen niet gedaan. Maar Brad was ervan uitgegaan dat zijn vader maar tijdelijk bij haar in Williston verbleef, en ze had hem niet gecorrigeerd. Want misschien wás Tom maar tijdelijk bij haar. En een paar keer, toen ze het gevoel had dat het haar te veel werd, had ze zichzelf getroost met de gedachte dat niets eeuwig duurde. 'We zullen wel zien hoe het gaat,' zei ze af en toe bij zichzelf.

En nu zei ze dat ook tegen Gail. 'Ach, we zullen wel zien hoe het gaat. Of ik het aankan. Of ik er de ausdauer voor heb.' Ze nam nog een slok gin en maakte een grimas. 'Wat een belachelijk woord, hè, als je erover nadenkt.'

Maar Gail was in gedachten verzonken en fronste haar wenkbrauwen. 'Ja, van nu af aan is het allemaal een kwestie van improvisatie,' zei ze op tragere toon. Ze begon over de openhartoperatie die Bob het afgelopen najaar had ondergaan. Ze vertelde hoe ze nu spraken over hun jaarlijkse hoogtepunten – dit feest en de zomervakantie op Cape Cod – alsof het de laatste van hun leven zouden worden. 'Het gaat erom dat je overal zo lang mogelijk mee doorgaat, hè?'

'Ja,' zei Delia. 'Tot je niet meer kunt.' En opeens zag ze voor zich hoe ze alleen het avondmaal had gebruikt, in de woonkamer in Williston en in haar appartement in Parijs. Wat een spilzieke, egoïstische indruk maakte dat nu.

Delia keek op en zag hoe haar buren, Meri en Nathan, het tuinpad van de Sternes op liepen. Hij had zo'n kangoeroezak om zijn buik – met Asa, de baby, erin. Ze vond het vervelend dat ze hen zo weinig had gezien, maar ze wilde hun een voorstel doen, voor een regeling die ze met hen wilde treffen. Ze excuseerde zich tegenover Gail, die toch al een gesprek met een ander aanknoopte. Ze liep naar de balustrade en riep Meri en Nathan.

Op Meri's gezicht, dat zoals altijd een wat stuurse uitdrukking had, stond de vermoeidheid te lezen – zo nu en dan hoorde Delia 's nachts de baby. Haar blik klaarde op nu ze Delia op de veranda in het oog kreeg.

Delia wenkte hen. 'Hier staat de drank, schatten van me,' riep ze, en verschillende jonge stellen draaiden zich glimlachend haar kant uit.

Meri en Nathan baanden zich een weg door de groepjes mensen op de veranda. Delia sloot hen allebei in de armen en boog zich bij Nathan voorzichtig over de baby heen. Ze deed een stapje terug en wierp een blik in de draagzak. De baby was absurd klein en vormde bijna een halve cirkel; zijn handjes lagen bij zijn gezicht, zijn hoofdje was op een van zijn schouders gezakt en zijn ogen waren gesloten.

'Als jij of ik dat zou proberen,' zei Delia, en ze wees op Asa, 'zouden we de rest van de week een stijve nek hebben.'

Meri zei: 'Die stijve nek zou ik op de koop toe nemen als Nathan me overal naartoe zou dragen.'

Op Nathans gezicht verscheen zijn open, jongensachtige grijns. 'Als het kon zou ik dat graag doen, dat spreekt voor zich.' Zijn grote handen stulpten zich om de kleine vorm voor zijn buik – zoals je deed wanneer je zwanger was, dacht Delia. Misschien hadden ze daarom die draagzakken uitgevonden: zodat mannen een beetje konden navoelen hoe het was.

Nu zei hij dat hij voor zichzelf een biertje ging halen – wilde Meri ook iets? Ze vroeg hem wat mineraalwater voor haar mee te nemen.

Toen hij weg was, wendde Delia zich tot Meri. 'Red je het een beetje? Heb je iets nodig? Heeft de baby iets nodig?'

Meri schudde haar hoofd. 'Nee, hoor. We gebruiken nog niet de helft van de spulletjes die we hebben. Hij heeft alleen T-shirtjes en luiers aan. Of soms zelfs alleen maar een luier, omdat het zo warm was.' Ze klonk hees en afgemat.

'En jij? Hoe gaat het met jou? Weer wat beter?' vroeg Delia.

Meri haalde haar schouders op.

'Het is een zware periode,' zei Delia. 'Als ze nog zo klein zijn en steeds gevoed en verschoond moeten worden.'

'Soms heb ik het gevoel dat ik in een grote bol watten leef. In een mist.' Meri draaide haar hoofd heen en weer, bijna alsof ze het schudde.

'Ik wou dat ik wat meer voor je kon doen. Als Tom een beetje gesetteld is, kan ik dat ook. Ik ben namelijk dol op kleine kinderen. Dat geldt niet voor iedereen.'

'Vertel eens,' zei Meri. 'Hoe gaat het, nu Tom er is?'

'We staan nog aan het begin,' zei Delia. 'Er heeft zich nog geen vaste routine gevormd, maar ik denk dat dat wel gaat komen. We zullen wel moeten. Ik wil doorgaan bij het Apthorp-huis. Het is daar een druk jaar, vanwege Anne Apthorps honderdvijftigste sterfdag. De universiteit brengt een nieuwe editie van de brieven uit. En er wordt het nodige gevierd.'

'Honderdvijftig jaar? Is ze al zo lang dood?'

'Ja, zo lang alweer. Maar er is altijd wel iets te doen. Haar tweehonderdste geboortedag. Of het huis bestaat tweehonderd jaar enzovoort, enzovoort. En natuurlijk moet er altijd vooral geld in het laatje komen.'

Nathan kwam terug met de drankjes – Meri's zilverig glanzende water en zijn bier, dat bijna zwart was.

Delia gebaarde ernaar. 'Een troebel brouwsel,' zei ze.

'Troebel, maar verrukkelijk.' Nathan hief het glas en dronk.

'Onze gastheer is heel kieskeurig met het bier,' zei Delia. 'Die indruk heb ik tenminste altijd. Hij heeft een voorkeur voor troebel bier.'

'Ik hou van troebel,' zei Nathan. 'Bij bieren tenminste.' Hij liet Meri een slokje proeven.

Ze dronk en vertrok haar gezicht. 'Ik ben niet bepaald jaloers. Maar dat heerlijke drankje van Delia met limoen' – ze bewoog haar kin in de richting van Delia's glas – 'is een heel ander verhaal.'

'Ik zal je maar niet vertellen hoe lekker het is,' zei Delia. 'Het is heerlijk.' Ze nam nog een slok.

'Delia gaat gewoon door met haar vrijwilligerswerk,' vertelde Meri aan Nathan. 'Ook nu ze Tom in huis heeft genomen.'

'Knap hoor,' zei Nathan. Hij had een bruin schuimsnorretje gekregen.

'Ja, ik kan wel wat,' zei Delia. 'Maar nu we het hier toch over hebben: ik wil jullie een voorstel doen.' Ze zette haar glas op de brede rand van de balustrade. 'Jullie weten dat ik Matthew heb aangenomen, een fantastische jongeman die elke dag een uur voor Tom zorgt als hij net terug is van zijn revalidatie en ik nog op mijn werk ben.' Meri knikte. 'Nu blijkt dat hij twee dagen in de week niet kan. Op dinsdag en donderdag. Een cursus die hij deze zomer volgt bleek later te vallen dan hij aanvankelijk dacht.' Meri en Nathan luisterden aandachtig. 'Als een van jullie beiden tijdens de zomercursus op die twee middagen anderhalf uur langs zou kunnen komen, zou ik jullie eeuwig dankbaar zijn. In ruil wil ik heel graag ten minste één keer per week een avond op de baby passen. Dat wou ik sowieso aanbieden.' Ze richtte zich tot Meri. 'Weet je nog dat ik heb gezegd dat ik voor je wou oppassen?'

'Jazeker,' zei Meri. 'Het is heel lief aangeboden.'

'Je zou er niet veel werk aan hebben,' zei Delia. 'Aan Tom, bedoel ik. Waarschijnlijk slaapt hij alleen maar, want als hij thuiskomt is hij volkomen kapot van de hele dag. Jullie hoeven zo goed als zeker niets te doen; hoogstens moet je hem wat te eten of te drinken geven als hij daar zin in heeft. Ik voel me er alleen niet prettig bij als hij helemaal alleen is. Ik denk dat als ik over een halfjaar terugkijk op al die ingewikkelde regelingen die ik heb getroffen, ik het maar dwaas van mezelf zal vinden, maar nu heb ik het blijkbaar nodig.'

Meri zei dat ze het heel goed begreep. 'Ik zou ook nerveus

worden als ik Asa alleen zou moeten laten,' zei ze.

'Dat "zou" is er niet bij, want ik ga beslist voor hem zorgen.' Ze glimlachte en pakte haar glas weer op. 'Je zúlt nerveus worden, ben ik bang. Dat zijn de voorwaarden. Ik zorg voor hem.'

Ze werden het eens. Met ingang van aanstaande dinsdag zou Meri met de baby op Tom komen passen.

Nathan zei: 'En als je 's avonds hulp nodig hebt, kan ik ook wat doen. Ik probeer nu alleen mijn boek af te maken. Maar 's avonds ben ik vrij, en als ik je van dienst kan zijn...' Hij maakte een kleine buiging en bewoog zijn hand omhoog om het gekromde ruggetje van de baby te ondersteunen.

'Wacht eventjes,' zei Meri. 'De overuren zijn voor mij.'

Nathan lachte, maar terwijl Delia Meri aankeek bedacht ze dat het weleens geen grapje van haar kon zijn.

'Laat ik jullie eens aan de gastheer en gastvrouw voorstellen,' zei ze, en ze draaide zich om in een poging Gail of Bob te ontdekken. Omdat het op de veranda wat minder druk was geworden gingen ze naar binnen, en ja, daar stond Bob, die maar iets minder dik was dan Gail, voor een schilderij.

Op gejaagde toon legde Bob aan twee schijnbaar geïnteresseerde gasten uit welke technieken de kunstenaar had gebruikt: enkele lagen verf, die hij had weggeschuurd, waarna hij weer nieuwe lagen had aangebracht. Toen hij even een adempauze nam kwam Delia tussenbeide om Meri en Nathan voor te stellen. Nathan stelde meteen meer vragen over het schilderij.

Delia maakte van de gelegenheid gebruik om bij hen weg te gaan. Ze mocht Bob graag, maar ze had de verhandeling over dit schilderij en de nodige andere schilderijen, over zijn bieren en over zijn tuin al meer dan eens gehoord. Hij was een levensgenieter en praatte graag over alle facetten van zijn leven. Ze vond het bewonderenswaardig, maar kon er vaak niet goed tegen. Ze maakte een praatje met een paar andere oude vrienden en vriendinnen, en raakte vervolgens met een vrouw die ze nooit eerder had ontmoet verwikkeld in een lang gesprek over O.J. Simpson en de verhouding tussen blank en zwart.

Toen ze even later om zich heen keek, zag ze dat het feest over zijn hoogtepunt heen was. De meeste jonge stellen waren al vertrokken, en zelfs de ouderen pakten hun handtas en hun sjaal. De studenten die voor de bediening zorgden waren bezig op te ruimen en liepen rond met bladen vol glazen, sommige nog halfvol.

Delia trof Gail in de keuken aan, en wenste haar ten afscheid een heerlijke zomer toe. Ze omhelsden elkaar, en toen ze elkaar weer loslieten zag Delia dat Gails ogen vol tranen stonden. Gail had echter vaak tranen in haar ogen. Het betekende niet zoveel.

Delia liep langzaam terug door Dumbarton Street, en had voorpret bij de gedachte aan haar thuiskomst, aan Toms stem die haar welkom zou heten. In de huizen langs de straat ging het licht aan. De volle, oranje maan stond laag aan de oostelijke hemel en scheen door de bomen, maar daarboven was de lucht nog verbluffend blauw, bijna marineblauw. Zomer, dacht Delia.

Achter haar eigen ramen was het donker, hoewel Meri en Nathan het licht op de veranda aan hadden gedaan. Binnen was het stil; ze veronderstelde dat Tom nog sliep, maar toen ze de deur van zijn kamer opende riep hij haar zachtjes.

'Ben je nog wakker?' vroeg ze.

'Uh. E-past.' Ik heb geplast.

'Dat je daaraan gedacht hebt! Heel goed. Wil je nog iets eten?'

'Neu. Kau.' Kom. Hij klopte naast zich op het bed. Delia zag dat hij ruimte voor haar had vrijgelaten. Ze ging op die kant van het bed zitten, legde vervolgens haar benen erop en vlijde zich tegen de kussens aan.

'Pate,' zei hij. Praten.

'Waarover? Over het feest?' vroeg ze.

'Uh.'

'Tja, het feest,' zei ze. 'Moet ik opsommen welke mensen die je gekend hebt nog in leven zijn?'

'U-uh!' zei hij. Ze zag dat hij glimlachte.

'Eens even kijken. Nou, Stan en Petra waren er. Zij draagt nog altijd die Marimekko-jurken. Die tenten.' Hij lachte een licht, hees lachje. 'Ik vraag me af waar ze ze vandaan haalt. Weet je het nog? Jij zei altijd dat je er duizelig van werd, van die woeste opdrukken. Ze is trouwens bijna helemaal verschrompeld. Ze is eigenlijk in een tentstok veranderd. Weet je nog dat ze vroeger zo'n vrolijke dikkerd was?' Delia zuchtte. En ze somde nog meer namen op: Peggy Williams – Rudy, haar man, was overleden. Ed en Bettie Friedman, die ze altijd Bed en Ettie hadden genoemd, nadat Delia zich een paar keer had versproken. 'Ze hebben zich ingeschreven voor dat verzorgingshuis.'

Ze vertelde over de nieuwe mensen die ze had ontmoet, en over Bobs bieren. 'Allemaal bruin of zwart, en gewoonweg ondrinkbaar, volgens mij. Alsof je een glas modder drinkt.'

Tom had zijn goede arm om haar schouders heen geslagen en ze leunde tegen hem aan. Onder haar hoofd voelde ze zijn hart, dat lustig klopte. Nu legde hij zijn zwakke hand op haar borsten – haar oude, hangende borsten.

Delia huiverde van verlangen en draaide zich naar hem toe. Ze gingen achteroverliggen. Zij vlijde zich met opgetrokken knieën tegen hem aan, en ze pakten elkaar vast. Na een poosje hoorde ze dat hij in slaap was gevallen. Desondanks bleef ze nog lang naast hem liggen. De maan was boven de daklijn van het naburige pand uitgestegen, en zijn schijnsel viel over de benen van Delia en Tom – over hun spillebenen, dacht ze. De maan kroop alsmaar verder omhoog.

Ze stond op toen het maanlicht haar borst bereikte. Geluidloos liep ze de hal in en liet de deur achter zich openstaan. Terwijl ze de trap op ging voelde ze haar hart langzaam bonzen. Dit is het dus, dacht ze. Het nieuwe avontuur van haar leven, dat tevens het laatste hoofdstuk zou zijn. Ze had gedacht dat zoiets niet meer zou gebeuren, dat het haar moeite zou kosten om verder te leven. En dat had ze aangekund. Tenslotte hield ze er de overtuiging op na dat het leven een kwestie van inspanning was, elke dag weer. Ze bleef staan op het bordes halverwege de trap, waar ze door het zijraam opnieuw de maan kon zien, het licht van een betoverende zomeravond.

Maar, dacht ze, dat ze nu onverwachts, bijna op het allerlaatste moment, zomaar alles terugkreeg waar ze het meest van had gehouden – dat was bijna te veel. Er trok een wolkenflard langs de goudkleurige maan. Krekels riepen elkaar toe. Ze wendde zich af en liep in het donker verder de trap op.

HOOFDSTUK VEERTIEN

Meri, 3 juli 1994

Meri mocht het restaurant uitkiezen, en tijdens het ontbijt vertelde ze Nathan dat ze elkaar zouden treffen bij Tony's, de pizzeria.

'Bij Tony's?' had Nathan gevraagd. 'Weet je dat wel zeker? Niet in een chiquere zaak, om het te vieren?' Hij pakte zijn aktetas. Hij stond op het punt naar zijn werk te gaan.

'Ik mis juist het simpele leven,' zei ze, en zo was het ook. De gewone dingen, dat je vrij was om even zonder Asa je gang te gaan. Bij Tony's was het donker en het stonk er naar bier. Op de tv boven de bar stond altijd sport aan. Nathan en zij hadden er een paar keer gegeten toen ze nog niet wist dat ze zwanger was, en de gedachte aan de goedkope, donkere tent sprak haar nu aan.

Toch werd ze in de loop van de dag steeds nerveuzer. Dat verbaasde haar niet – ze werd nerveus van alles wat met Asa te maken had, en nu liet ze hem voor het eerst bij iemand anders achter. Van tevoren voedde ze hem zo lang mogelijk, en telkens wanneer hij van haar borst wegzakte schudde ze hem wakker.

Ze moest een paar keer op en neer over de veranda naar Delia's huis lopen met spulletjes die Asa tijdens haar aanwezigheid misschien nodig zou hebben. Naast een fles afgekolfde melk nam ze een absurd aantal Pampers mee. Ze bracht de draagzak, het mandwiegje – waarin hij sliep –, spuugdoekjes en een speeldoosje dat hem soms kalmeerde als hij over zijn toeren was. Ze overhandigde Delia een vel vol aantekeningen over zijn vaste gewoontes.

Ze zat nog geen minuut in de auto, of ze zette de motor af en klopte weer bij Delia aan om te zeggen dat Asa soms wakker leek te zijn terwijl hij wel sliep, en dat ze als hij een beetje opgewonden was even later moest kijken of hij weer insliep.

Delia had het allemaal geduldig aangehoord en er ogenschijnlijk voor opengestaan, en daarvoor was Meri haar dankbaar.

En nu zat ze achter een biertje. De dokter had gezegd dat ze zo nu en dan best een glas wijn of bier mocht drinken, en dus nam ze trage slokjes, zodat ze er lang over kon doen. Nathan was wat te laat, zoals altijd. Op de tv boven de bar was het felle groen van een honkbalwedstrijd te zien. Meri zag dat de Red Sox speelden. Nathan zou de stand willen weten en vervolgens met zijn rug naar het scherm toe gekeerd in de box plaatsnemen, zodat zijn aandacht niet naar de tv zou afdwalen.

Toen Nathan binnenkwam leek hij een ogenblik een lange, knappe onbekende. Ze besefte dat ze hem in geen weken buitenshuis had gezien. In deze zaak was hij plotseling nieuw voor haar. Nieuw en aantrekkelijk. Ze zwaaide naar hem.

Hij kwam met grote passen naar haar toe, waarbij zijn over zijn schouder hangende aktetas tegen zijn zij tikte. 'Sorry, sorry, sorry. Net toen ik de deur van mijn werkkamer afsloot kwam Jerry naar me toe.' Hij kuste haar en omhulde haar met warme lucht – hij was op de fiets gekomen. Vervolgens ging hij tegenover haar in de box zitten.

'Hij had ongetwijfeld uiterst belangrijk wereldnieuws.'

'Ja, meer nieuws over Sarajevo. Hij denkt blijkbaar dat hij de enige is die nog kranten leest. Hij wil je van alles op de hoogte houden. Ik heb hem bot afgekapt.'

Hij zwaaide naar Tony, die achter de bar stond, en wees op Meri's glas. Vervolgens keerde hij zich naar Meri toe en leunde achterover. 'Zo,' zei hij, 'is Asa een beetje aan zijn surrogaatgrootouders gewend?'

'Daar lijkt het wel op.'

'Dit is een mijlpaal, Meri.' Hij boog zich naar voren en pakte haar handen.

'Geloof me, als iemand dat weet...'

'En je ziet er prachtig uit.'

Ze haalde haar schouders op.

'Serieus.'

'Dank je,' zei ze. Ze trok haar hand onder de zijne vandaan en hief haar bierpul op. 'Nog een mijlpaal.' Ze hield de pul omhoog. 'Mijn eerste.'

Nathan feliciteerde haar. Tony kwam met Nathans biertje en nam meteen de bestelling voor hun pizza op – een pizza met salami en ui.

'Hoe ging het vandaag met het schrijven?' vroeg Meri nadat Tony weer was weggegaan.

'Wel goed, geloof ik. Ik ben begonnen aan het stuk over Mayleens kinderen, hoe het met hen is misgegaan.' Mayleen was een van de mensen die hij verschillende keren voor zijn boek had geïnterviewd. Ze was een alleenstaande moeder uit Chicago die in de jaren zestig aan een aantal projecten voor armoedebestrijding had meegedaan, maar niet één daarvan had de kwaliteit van haar leven duurzaam kunnen verbeteren.

Ze spraken over het hoofdstuk, over wat hij ermee wilde aantonen en welke details hij erin moest opnemen. Dat DeShawn was veroordeeld wegens geweldpleging, dat Aaron verslaafd was geraakt en hoopte erbovenop te komen nu hij deelnam aan een methadonprogramma.

'Wat een triest verhaal is het toch,' zei Meri. 'Word je er niet somber van?'

'Zeker wel.' Hij haalde zijn schouders op. 'Maar het is raar. Ik vind het zo interessant om erover te schrijven dat ik er ook weer níet somber van word. Als ik naar de menselijke kant kijk – god, natuurlijk, dan voel ik me vreselijk. Vanwege haar. Vanwege de kinderen. Vanwege dit land. Maar als ik erover schrijf, heb ik het idee dat ik er op de een of andere manier nuttig gebruik van maak. Begrijp je wat ik bedoel? Dat daardoor hun ellende nog ergens goed voor is.'

'Ik denk wel dat ik het snap, ja.'

'En dus is het plezierig.' Hij haalde zijn schouders op. 'Het is klote om dat te zeggen, maar het is wel de waarheid.'

'Nee, ik snap het wel.' Even zaten ze zwijgend tegenover elkaar.

Hij pakte haar bij haar elleboog, die op de tafel lag. 'En jouw dag? Hoe was die?'

'Het bekende werk. Eten. Slapen. Huilen. Poepen. Spugen. O! Maar ik heb vandaag voor het eerst melk afgekolfd – en dat was een spektakel. Zo'n beetje alsof ik een melkkoe was.'

Hij lachte. 'Dat was voor onze zeer gewaardeerde babysitters bestemd?'

'Als het nodig is, ja. Ik heb hem vlak voor ik wegging ook nog gevoed, dus ik weet niet zeker of zij het zullen doen.' Zelfs nu ze erover praatte voelde Meri haar borsten zwaar worden, en opeens moest ze denken aan de avond waarop Nathan haar niet had gewild, de laatste keer dat ze Asa in zijn aanwezigheid had gevoed.

'Was Tom er toen je Asa kwam brengen?' Ze hadden Tom nog niet vaak gezien, alleen wanneer hij arriveerde en wegreed met de chauffeur die Delia had aangenomen om hem naar het revalidatiecentrum te brengen. Nathan had één keer geprobeerd een praatje met hem te maken. Toms handicap had hem geschokt.

'Ja.'

'Wat voor indruk maakte hij?'

‘Net zoals eerder.’ Ze dacht na. ‘Nou nee, dat is niet waar. Hij had belangstelling voor Asa. Dat was eigenlijk heel lief.’ Toen Meri met Asa was binnengekomen was Tom opgestaan en had zich over zijn mandwiegje heen gebogen om naar hem te kijken.

Ze zwegen even. Nathan draaide zich om en keek naar de wedstrijd. Tony kwam de pizza en hun borden brengen. Allebei namen ze een stuk en begonnen te eten.

‘Vind jij dat Delia hem in huis had moeten nemen?’ vroeg Meri toen haar mond niet helemaal vol meer was.

‘Wie? Asa?’

‘Nee.’ Ze maakte een grimas: gekkerd. ‘Tom.’

‘Tom? Wat had ze dan moeten doen?’

‘O, dat weet ik niet. Misschien is het zoals die dochter zei. Hoe heet ze ook weer, Nancy. Dat het haar plicht niet is. Dat ze niets aan hem verplicht is.’

‘Maar Delia vindt van wel, dus dat is dan dat.’ Hij nam nog een hap.

‘Maar misschien speelt er iets duisterders mee,’ zei ze.

‘Hoezo “duister”?’

Ze legde haar stuk pizza neer. ‘Of bedoel ik iets treurigers?’

‘Ik weet het niet. Jij wel?’

Ze dacht even na en haalde haar schouders op. Ze zei: ‘Wat ik bedoel is: misschien vindt Delia het op een bepaalde manier prettig om hem in haar macht te hebben. In zijn verzwakte toestand van dit moment.’

‘Jezus, Meri. Wat een afgrijselijke gedachte.’

‘Maar misschien is het zo. De waarheid ís soms afgrijselijk.’

‘En soms ook niet.’ Hij nam nog een stuk pizza, en de mozzarella vormde lange draden toen hij het oppakte. Vlak voordat hij zijn tanden erin zette, zei hij: ‘Je bent gewoon jaloers.’

‘Jaloers! Waarop dan?’

Ze moest op antwoord wachten totdat hij de pizza had doorgeslikt. 'Je wilde haar helemaal voor jou alleen,' zei hij.

Zou dat waar kunnen zijn? Meri wist dat ze iets van Delia had gewild, maar ze was er niet zeker van dat Nathan gelijk had. Hij zat echter nadrukkelijk met zijn hoofd te knikken.

Meri besloot hem te negeren. 'Hoe dan ook, ik bedoel niet dat ze dat bewust zo heeft gewild,' zei ze. 'Maar kijk.' Ze boog zich naar voren en legde haar ellebogen op tafel. 'Kijk: hij is jaren geleden bij haar weggegaan voor een andere vrouw. Voor andere vrouwen. Ze houdt nog steeds van hem. Met hart en ziel.'

'Dat denk jij.'

Meri leunde achterover en zweeg een paar tellen. Ze voelde de druk van de schaamte, van de spanning die haar altijd bekroop wanneer ze bedacht hoe ze had ontdekt hoe het verhaal van Delia en Tom in elkaar zat. Toen zei ze: 'Nee, weet je dan niet meer dat Nancy er ook zo over dacht?'

Hij wuifde met zijn hand. Goed dan.

'Hoe dan ook, ze heeft hem nu terug, hij is onder haar hoede, in haar huis, onder haar toezicht, en hij kan er niet meer vandoor.'

'Volgens mij speelt dat op zo'n onbewust niveau dat het er verder niet toe doet.'

'Ik weet het niet.' Meri pakte haar stuk pizza weer op. 'Heb je *Jane Eyre* gelezen?'

'Nee. Ik heb wel de film gezien. Maar ik herinner me er niet veel van. Alleen dat George C. Scott de rol van Patton nog eens dunnetjes over leek te doen.'

'Dat is een treurig antwoord voor iemand die voor een ontwikkeld mens doorgaat.'

Nathan trok al kauwend zijn wenkbrauwen op.

'Kijk, in het boek *Jane Eyre*,' zei Meri, 'kan de hoofdfiguur, die stapelverliefd is op de moeilijke en onbereikbare – want getrouwde – Rochester uiteindelijk een lang en gelukkig leven met hem leiden nadat hij eerst invalide is geworden. Nadat hij aan de grond is geraakt. Door dezelfde brand waarbij handig genoeg ook zijn vrouw is omgekomen.'

'En dus?'

'Dus is het een bepaald thema in de vrouwenliteratuur.'

'Dat ze hun man pas leuk vinden als hij invalide is?'

'Nou, ik denk dat het eigenlijk over gelijkheid gaat. Dat wil zeggen,' ze hief haar vinger op, 'dat in een tijdperk waarin vrouwen erg weinig mogelijkheden in hun leven hadden een diepere zielsverwantschap kon bestaan met een man voor wie hetzelfde gold. Of iets in die geest.'

'Ik moet dus goed gaan oppassen, wil je zeggen?'

'Nee hoor. Wij leven in een andere tijd. Wij kunnen op een heel andere manier een echtpaar zijn. Wij staan veel meer op gelijke voet. Wij zijn kameraden.' Dat was waar, dacht ze. 'Dat is denk ik het goede en het slechte ervan. Het "in lief en leed", zo je wilt.'

'Hoe zou het slecht kunnen zijn? Aan welk "leed" denk je dan?'

'Nou, ik denk niet dat het slecht is. Maar het is wel anders.'

'Anders dan wat?'

'Nou, anders dan Delia en Tom, bijvoorbeeld. Dan hun ouderwetse en ongelijke *romantische* huwelijk.'

'Denk je er zo over?' vroeg hij. Hij maakte een oprecht nieuwsgierige indruk.

'Ja. Dat is bij hen het goede en het slechte.'

'Slecht vanwege de ongelijkheid?'

'Inderdaad. En goed, misschien, omdat het romantischer is. Ik weet het niet.' Ze keek Nathan aan. 'Maar om zelf eens lekker ouderwets te doen: het doet me nu weleens pijn als jij de deur uit gaat, het echte leven in. Dan zou ik weleens willen dat je invalide was.' Ze grijnsde.

Hij snoof. 'Het is me het echte leven wel: dag in dag uit opgesloten zitten op mijn werkkamer.'

'Jij komt anderen tegen. Jij komt Jerry tegen. Zelfs dat maakt me jaloers. Jij voert gesprekken over de wereld.'

'Ik moet die klus deze zomer nog klaren, schat.' Zijn toon was verontschuldigend, maar ook een tikje geïrriteerd.

'Dat weet ik. Maar voor het najaar moeten we de zaken beter op een rijtje hebben. Ik moet weer gaan werken, want anders raak ik in de eerste plaats mijn baan kwijt die ik zo vreselijk leuk vind, en word ik in de tweede plaats krankzinnig. En dan moet je echt gaan oppassen.'

En zo kwam het gesprek weer op Asa, op zijn verzorging, op Nathans najaarsrooster en hun mogelijkheden – problemen die ze al eerder voorzichtig hadden aangeroerd. Maar dit keer kwamen ze tot een taakverdeling. Nathan zou het bureau voor kinderopvang van de universiteit bellen en uitzoeken of kinderen van faculteitspersoneel prioriteit kregen. Als dat zo was zou hij de crèches telefonisch polsen en afspraken maken om er langs te gaan.

Ze hadden de pizza op. Nathan draaide zich weer om en keek een paar minuten naar de wedstrijd. 'Verdomme,' zei hij, en hij draaide zich weer naar Meri toe.

Meri nam nog een superklein slokje bier en zette haar pul neer. 'Het is de ondergang van een volmaakte liefdesrelatie,' zei ze.

'Wat? Asa?'

'Nee!' Ze staarde hem aan. 'Nee. Delia en Tom. Dacht je dat ik ons bedoelde?'

'Ik dacht even dat je een geintje over ons maakte.'

'Nee. Onze relatie is er nog. Min of meer.' Ze keek hem aan. 'Toch?'

'Ik wil er in elk geval graag mee doorgaan.'

'Is dat zo?' vroeg ze.

'Ik heb de hele dag aan je gedacht.' Er was een ernstige uitdrukking op zijn gezicht verschenen.

'Als je even niet aan Mayleen en haar zoons dacht. Of aan Sarajevo.'

'De hele dag.' Hij glimlachte. 'Stoute gedachten.'

'Omdat we vanavond een pizza zouden gaan eten?'

'Omdat ik je mis. Ik mis wat er tussen ons is. Ik mis het vrijen met jou.'

Ze wendde haar blik af. Dit was voor haar een beladen onderwerp. Ze werd er verdrietig van.

Een paar tellen later pakte hij over de tafel heen haar handen weer vast. 'Het spijt me als ik je heb gekwetst toen ik geen zin had.'

Ze gaf geen antwoord. Nog even wist ze niet wat ze hierop wilde zeggen. Toen keek ze naar hem op en zei: 'Hoe heb je dat dan overwonnen?'

Hij ontspande zichtbaar. Hij grijnsde. 'Ik ben nu helemaal ten einde raad.'

'Ah, ik hou wel van een man die ten einde raad is,' zei ze, en ze beantwoordde zijn lach.

'Ik zal om de rekening vragen.'

Ze liepen samen het donkere parkeerterrein op. Nathan had zijn arm om Meri's schouders geslagen en hield haar tegen zich aan gedrukt. Ze liepen naar de auto en hij opende het portier voor haar – zelf ging hij op de fiets naar huis. Hij gooide zijn aktetas op de achterbank.

Terwijl Meri de motor startte, boog hij zich door het geopende raampje en zei: 'Dat was leuk. Mag ik u bellen?'

'Ik zal er eens over denken,' zei ze zo hooghartig mogelijk, en ze reed het parkeerterrein af.

Omdat de straten in dit stadsdeel spaarzaam verlicht waren,

kon ze Nathan nauwelijks onderscheiden toen hij in haar spiegeltje opdoemde. Hij was alleen een vage gestalte op een fiets.

Bij het tweede verkeerslicht stopte hij hijgend naast haar. 'Ha,' zei hij. 'Ha lekkertje. Ha stuk.'

Ze deed of hij haar koud liet. Het licht sprong op groen en ze gaf een dot gas. Ze kon hem nu beter in haar spiegel zien; hij stond op de pedalen en zijn witte shirt flapperde heen en weer met de bewegingen van zijn lichaam. *Nathan.*

Hij haalde haar bij het volgende verkeerslicht in op het moment dat het groen werd. 'Ik kom je halen,' riep hij. Meri voelde zich weer even opgewonden en vrij als toen Nathan en zij voor het eerst met elkaar naar bed waren geweest, in Coleman.

Ze lachte en trapte het gaspedaal zo diep in dat ze met piepende banden optrok.

Bij nog eens drie verkeerslichten hitsten ze elkaar op die manier op. Toen kwam er een lang stuk weg waar geen verkeerslichten waren. In haar spiegel zag Meri het witte shirt kleiner worden.

Op Main Street moest ze weer kalm aan doen en stoppen bij de voorrangsborden en het ene verkeerslicht dat lang rood bleef. Toen ze de donkere Dumbarton Street in draaide, dacht ze Nathan een paar huizenblokken achter zich te zien, bezig aan een inhaalrace. Ze draaide de oprijlaan op en zette naast het huis de motor af. Ze stapte uit en bleef in afwachting van Nathan tegen de auto geleund staan. Een ogenblik later kwam hij ook de oprijlaan op gereden.

Naast de auto hield hij stil. Hij stapte af en liet zijn fiets vallen. Hij kwam op haar af. Hij hijgde. Hij drukte haar tegen de auto en ze voelde zijn hele lange, sterke lichaam tegen zich aan, nat en warm. Zijn mond smaakte naar bier en naar zijn eigen zoete speeksel. Hij pakte haar bij haar billen en tilde haar op, terwijl hij zijn kruis tegen haar aan drukte.

'Natey,' fluisterde ze hem toe. Ze woelde met haar vingers door zijn haar en trok zijn hoofd naar achteren. 'We moeten Asa gaan halen, Nate.'

'Nee. Nee, dat doen we niet. Dat kan straks nog,' zei hij. Ze liet hem los en hij bracht zijn hoofd weer naar haar hals.

'Zou je denken?' zei ze.

Hij ging met zijn mond langs haar hals naar haar wang en haar oor. 'We zijn pas anderhalf uur weg,' fluisterde hij. 'Kom, kom mee naar binnen.'

Vlak achter haar liep hij de trap naar de keuken op, met zijn hand tussen haar benen. Samen strompelden ze de donkere keuken door, de woonkamer in. Aan haar hand sleurde hij haar naar de in het donker kolossaal opdoemende bank. Ze vielen erop neer en hij schoof haar rok omhoog terwijl hij tegelijk met zijn riem en vervolgens met de rij metalen knopen van zijn gulp in de weer was. Samen trokken ze zijn spijkerbroek tot onder zijn heupen. Meri trok haar broekje langs een van haar benen omlaag. Hij ging boven op haar liggen, kuste haar in haar hals, vond een goede houding en duwde zich bij haar naar binnen.

Ze schreeuwde het uit van de pijn, en hij verstijfde.

'Wat is er?' hijgde hij. Hij werkte zich op zijn ellebogen omhoog. 'Wat is er, wat is er, Meri?'

'Ach jezus, het is dat litteken,' fluisterde ze. 'Waar ik ingeknipt en gehecht ben.' Het had gevoeld alsof er opnieuw een mes door haar vlees sneed.

Hij bewoog zijn heupen omhoog en trok zich langzaam uit haar terug.

'O god,' fluisterde ze, en ze draaide zich met opgetrokken benen een stukje van hem af.

'Sorry,' zei hij. Zijn hoofd lag helemaal onder haar haar.

Ze voelde hoe zijn natte lid slap werd tegen haar dij. 'Nee, ik moet sorry zeggen,' zei ze. 'Sorry.' Ze draaide zich om en tilde zijn hoofd op. Ze hield zijn gezicht in haar handen. Omdat haar ogen intussen aan het donker gewend waren geraakt kon ze hem zien, maar zijn gelaatsuitdrukking kon ze niet onderscheiden. Hij ging weer liggen, tegen de rugleuning van de bank aan. Hij sloeg zijn arm om haar heen, en zo bleven ze een paar minuten lepeltje-lepeltje liggen.

Hij fluisterde: 'Zal ik je likken? Je nog wat natter maken?'

'Maar ik bén nat, Nate. Voel maar.'

Hun handen vonden elkaar, zijn vingers gleden een stukje in haar en opnieuw kromp ze heftig snuivend ineen.

'Jezus,' zei Nathan.

Na een poosje zei Meri: 'Ze zei dat het een beetje pijnlijk kon zijn.'

Hij zweeg. Toen zei hij: 'Dit lijkt me meer dan een beetje.'

'Ja. Dat is het ook.'

Ze raakten elkaar niet meer aan. Na een lange stilte zei Nathan: 'Ik kan dit niet aan, Meri. Het is allemaal zo zwaar geweest.' Hij klonk hees en angstig. 'Die afschuwelijke bevalling, en nu doe ik je pijn bij het vrijen... Ik kan het gewoon niet aan. Echt niet. Ik kan het niet meer aan.'

Een tijdje lagen ze zwijgend naast elkaar op de bank. Toen kwam Meri overeind en trok haar rok omlaag.

Nathan lag nog op de bank met zijn broek op zijn schenen en zijn arm voor zijn gezicht. Ze zag zijn lange, witte lijf, zijn lid was een donkere schaduw tegen zijn dij.

'Ik moest Asa maar eens gaan halen,' zei ze.

HOOFDSTUK VIJFTIEN

Delia, 5 juli 1994

'Dus Tom heeft de hele tijd liggen slapen?' vroeg Delia. Meri en zij hadden zojuist plaatsgenomen aan de keukentafel voor een glas ijsthee. Meri had voor de derde keer op Tom gepast terwijl Delia in het Apthorp-huis zat.

'Voor zover ik weet, tenminste,' zei Meri. Ze hield de slapende baby op haar gekromde arm, zijn opzijgekeerde hoofdje rustte op haar schouder. Delia zag de onderkant van zijn voetjes, gladde, platte kussentjes, zijdezacht en ongebruikt. 'Hij is in elk geval naar zijn kamer gegaan en heeft de deur dichtgedaan. Daarna heb ik niets meer gehoord. Net als de vorige keer.'

'Tja, ze laten hem hard werken bij de revalidatie,' zei Delia. 'Het put hem volkomen uit.'

'Hij loopt wel weer veel beter,' zei Meri.

'Zeker.' Het was ook zo. Delia had de indruk dat alles beter ging, na deze paar weken al. Hij kon zichzelf bijna helemaal aankleden, al moest ze hem nog helpen met de knopen en de ritsen. Hij was van de rollator naar een stok gepromoveerd, zo'n wonderlijke metalen stok met verschillende uitsteeksels aan de onderkant. Hij sleepte nog met zijn rechterbeen en zijn rechterarm hing er los bij of maakte ongecoördineerde bewegingen, maar als hij zich erop concentreerde kon hij ze gebruiken. Zelfs zijn uitspraak was duidelijker geworden.

Alleen met de zinsbouw wilde het nog niet. Zelfstandige naamwoorden en werkwoorden kon hij wel zeggen, maar voornaamwoorden en voorzetsels niet; bijwoorden en bijvoeglijke naamwoorden gebruikte hij zelden. Hij praatte als een kind van twee. *Ziekenhuis gaan. Gaan eten. Wil radio.* Ze hadden haar verteld dat dit een van de vormen was waarin afasie zich kon manifesteren, en dat het een van de moeilijkst behandelbare vormen was.

En toch begreep hij haar grapjes en haar verhalen als ze ze maar langzaam genoeg vertelde en ze met duidelijke gebaren illustreerde. Hij was zichzelf, hij reageerde, hij dacht na – maar hij was nog niet in staat complexe gedachten aan haar over te brengen, of het moest door middel van oogcontact en gebaren zijn. Als ze hem aankeek leek in zijn gezicht alles weer te zijn zoals vroeger. Alles waar ze van hield was er weer.

'Het is zeker wel raar om hem steeds thuis te hebben nadat jullie jarenlang niet bij elkaar hebben gewoond?'

Delia keek de jonge vrouw aan. Meri beantwoordde Delia's blik en keek haar recht aan. Dit soort momenten had zich vaker voorgedaan, waarop Meri haar leek te peilen, waarop ze Delia tot meer openheid probeerde te bewegen, tot meer duidelijkheid over Tom en het verloop van haar huwelijk. Delia wist niet precies waar die neiging uit voortkwam en wat Meri exact wilde weten, maar ze was er niet blij mee.

Delia was echter goed – dat vond ze zelf tenminste – in eerlijke antwoorden die toch weinig onthulden. 'Weet je,' zei ze op vertrouwelijke toon en met een glimlach, 'het voelt eigenlijk alsof hij altijd al hier geweest is.'

'Echt?' vroeg Meri. De baby roerde zich en draaide zijn gezichtje langs haar hals.

'O, hij is natuurlijk veranderd, maar hij is eigenlijk ook niet veranderd. In bepaalde opzichten is hij nog altijd de oude innemende, dominante Tom. En uiteraard ook een volmaakte Democraat.' Ze glimlachte.

Meri pakte met haar vrije hand haar glas en dronk. Toen ze het weer neerzette tinkelden de ijsblokjes zachtjes.

'Hoe red jij het met jouw opgave?' Delia gebaarde naar de baby.

'O,' zei Meri. 'Ik denk wel goed. Hij wordt 's nachts nog altijd twee of drie keer wakker, dus overdag sta ik niet al te stevig op mijn benen.'

'Maar je man is toch heel behulpzaam?'

'O, Nathan is fantastisch. Hij doet de boodschappen en hij kookt. Hij maakt zelfs weleens een beetje schoon.' Ze maakte een grimas. 'Maar dat doet hij vooral omdat hij er niet tegen kan hoe alles eruitziet als hij het op zijn beloop laat.'

'Ach, dat gaat ook wel weer over.'

'Nou, dat waarschijnlijk niet. Ik ben altijd een slons geweest. Maar vroeger hoefde ik alleen maar voor mezelf te zorgen.'

'Ja, ik weet hoe dat gaat.' Delia ging verzitten. 'Op je eigen rommel raak je gesteld.'

Meri keek op en glimlachte, zo te zien verrast. 'Dat is zo, hè?' Ze knikte en wendde haar blik af naar het raam. Ze zag iets, fronste haar wenkbrauwen en wendde zich snel weer tot Delia. 'God, Delia, wat is er met je auto gebeurd?'

'O.' Delia voelde een golf van schaamte, van gêne, door zich heen gaan. 'Ik heb een ongeluk gehad.'

'Nee toch!' zei Meri. 'Wat is er gebeurd?'

'Het was mijn schuld,' zei Delia. 'Ik zat wat te dromen en ben door een rood licht gereden. De andere auto boorde zich in me.'

'God. Wat afschuwelijk.'

'Ja, zeg dat wel. Het was een heel rare ervaring. Heb je het ooit meegemaakt, dat je zomaar, totaal onverwachts, wordt geraakt? Ik bedoel, zonder dat je het kon voorzien of aan zag komen?'

'Nee.' Meri schudde haar hoofd, en haar slappe haar bewoog mee.

'Het was... bizar.' Delia huiverde terwijl ze eraan terugdacht. 'Het was alsof de wereld opeens aan duigen viel. Zo'n drie tellen begreep ik helemaal niet wat er was gebeurd. Drie heel lange tellen. Dat vreselijke lawaai, en de auto die naar opzij door de lucht vloog – ik wist even van niets meer. Ik wist nauwelijks nog wie ik was.'

'Maar je bent niet gewond geraakt.'

'Nee, en die arme vrouw die tegen me aan reed ook niet. De auto, daarentegen...' Ze trok haar wenkbrauwen op.

'Maar je kunt er nog mee rijden?' Meri had bij deze woorden een vragende uitdrukking op haar gezicht.

'O ja, ik heb ermee gereden. Ik moet hem nog wel laten repareren. Maar eerst moet er iemand van de verzekering naar komen kijken. Ik ben daar alleen' – ze wuifde met haar hand – 'nog niet aan toegekomen.'

'Het zal wel even tijd kosten, denk ik. De reparatie.' Meri keek weer uit het raam.

En profil, dacht Delia, zag ze er erg jong uit; dan verdween de vermoeidheid. 'Ja, ik moet het laten doen als ik hem minstens een paar dagen niet nodig heb.'

'Nou, je kunt altijd onze auto lenen voor je boodschappen en zo.'

'Dank je, schat. Dat is lief van je, maar ik wil me niet opdringen.'

'Dat is toch geen opdringen?'

'Als jij het zegt. Maar ik red me wel. Ik ben je dankbaar, maar ik red me wel. Ik vind dat ik me al genoeg aan jullie opgedrongen heb door jullie te vragen om op Tom te passen.'

'Nee, Delia. Nee.' Ze zei het op ferme toon, terwijl ze Delia in de ogen keek. 'Nee, ik heb me hier de hele dag op verheugd. Om bij een ander in huis te kunnen zijn, ergens waar... het niet verslonsd is. Waar geen rotzooi is waarvoor ik verantwoordelijk ben.' Ze glimlachte. 'Rotzooi. Ja, rotzooi. Weet je dat ik vanmorgen in de voorraadkast een fles olijfolie op de vloer heb laten vallen en dat ik nog steeds niet alles heb opgedweild? Overal beneden zie je nu voetafdrukken op de vloer. Alsof er... een spook heeft rondgelopen.' Er kwam een treurig lachje om haar mond. 'En dat spook ben ik.'

Delia wist niet goed wat ze moest zeggen. Het ontging haar niet dat Meri iets van haar vroeg, en ze besefte dat iets in haar zich daartegen verzette.

Meri wiegde flauwtjes heen en weer, en klopte de baby op zijn ruggetje. 'Nee, ik vond het heerlijk om hier zo rustig te zitten.'

Tot Delia's opluchting leek ze een ander onderwerp te hebben aangesneden en ging het gesprek weer door.

'De chauffeur doet trouwens alles, zoals je al zei. Hij brengt hem naar zijn kamer en trekt zijn schoenen uit. Hij is erg aardig. Ik hoor hoe hij met Tom praat.'

'Hij is een schat van een man, hè?'

'Nou, dat nou ook weer niet.' Meri maakte een grimas.

'O ja, ik weet het,' zei Delia. 'Hij heeft zo'n vreselijke vetkuif. Een man met een vetkuif houdt te veel van zichzelf.'

Meri lachte naar haar en ging wat comfortabeler op haar stoel zitten.

'Nou, ik ben blij,' zei Delia. 'Ik ben blij dat je hier even van alles verlost bent.' Ze keek naar haar eigen handen op de tafel, naar de uitstulpende groenige aderen die eroverheen liepen. 'Ik weet nog dat ik het toen de kinderen klein waren heerlijk vond om met ze naar de dokter te gaan. Want daar had je speelgoed en andere kinderen waarmee ze konden spelen, en dan kon ik even vijf of tien minuten of zelfs een kwartier helemaal niets doen. Geen huishoudelijke karweitjes. Soms had ik zelfs de tijd om een of ander belachelijk stuk in een damesblad te lezen, in de *Ladies' Home Journal* of zo, en dan dacht ik: dit is het paradijs.'

Meri keek Delia aandachtig aan. 'Maar jij hield van je kinderen.'

'Ja, natuurlijk hield ik van ze. Ik bedoel, met allemaal heb ik wel momenten gekend dat dat niet zo was. Momenten, hè.' En opeens kwamen ze Delia weer voor de geest, die momenten. Ze herinnerde zich weer hoe het had aangevoeld: de woede om iets wat je kind in het openbaar deed of zei – met een soort instinctieve sluwheid ten opzichte van jouw gezag, een aangeboren gevoel voor hoe vreselijk gênant het gedrag in kwestie voor jou was. Het gekrijs in de rij bij de supermarkt om het snoepgoed en de kauwgum die heel uitgekiend bij de kassa lagen. Zich jammerend op de grond laten vallen als ze zei dat het tijd was om het park uit te gaan. Ze herinnerde zich weer hoe ze de kinderen had aangepakt als ze uiteindelijk alleen met ze was, in de auto of thuis, hoe ze het ze betaald had gezet met haar eigen welgemeende boosheid, haar woede.

Ze zei: 'Maar zulke momenten heeft iedereen.' Ze maakte een wuivende handgebaar. 'Die momenten moet je jezelf vergeven. Dat moet je wel, anders kun je niet verder. Het is van het grootste belang dat je kunt vergeven. Dat je jezelf kunt vergeven, in de eerste plaats. Dan kun je anderen ook makkelijker vergeven.'

Meri vertrok haar mond. 'In allebei ben ik niet erg goed, ben ik bang.'

'Ik heb gemerkt dat ik er in de loop der jaren veel beter in ben geworden. Interessant, hè?' En opeens vond Delia dat dat iets was om trots op te zijn, een prestatie. Ze realiseerde zich dat het feit dat Tom nu hier was verband hield met het feit dat ze hem jaren geleden had vergeven. Dat ze zich over veel dingen heen had gezet. In zekere zin was het een beloning voor die grootmoedigheid. Ze glimlachte. 'Misschien wil ik wel graag heilig worden verklaard, zoals mijn dochter suggereerde.'

'Heeft ze dat gezegd?'

'Ja, maar toen was ze kwaad op me. Het was niet aardig bedoeld.'

De baby maakte een geluidje, en Meri begon opnieuw heen en weer te wiegen. Ze zei: 'Ik meen me te herinneren dat Tom haar formidabel noemde. Toch?'

'Wanneer dan?' vroeg Delia. Het verbaasde haar dat Meri zich de gezonde Tom herinnerde. Hoe wist ze dat?

'Vlak voor kerst, toen we bij jullie waren. Toen hij hier op bezoek was. Toen je zoon kwam.'

'O ja!' zei Delia. Ze was vergeten dat Meri Tom toen had ontmoet. Nu dacht ze aan die avond terug. Hij kwam haar weer duidelijk voor de geest. Vooral Toms aanwezigheid. Zijn verzorgde verschijning – ze herinnerde zich zelfs de kleur van zijn overhemd: bleekgrijs. Ze herinnerde zich ook de voorafgaande nacht, de laatste keer vóór de beroerte dat ze hadden gevreeën. 'Dat lijkt wel een heel andere wereld, hè? Het wás ook een andere wereld.' Even zaten ze zwijgend tegenover elkaar. 'Nou, Nancy is zeker formidabel,' zei ze.

Meri zuchtte. 'Je kunt het je zo moeilijk voorstellen, dat je volwassen kinderen met echte eigenschappen hebt. Complete mensen, die mede door jouw toedoen zijn geworden wie ze zijn.' Ze schudde haar hoofd. 'Ik kan nu moeilijk geloven dat iets wat ik met Asa doe iets met hem als persoon te maken heeft. Ik bedoel, als ik voor hem zorg heb ik het gevoel dat ik gewoon huishoudelijk werk doe.'

'Je bent een heel gewetensvolle moeder, lieveling,' zei Delia.

'Ja, natuurlijk ben ik dat. Hij is mijn werk. Ik doe mijn werk altijd goed.' Haar ogen fonkelden. Ze keek naar de tafel.

Delia wachtte even.

Een paar tellen later zei Meri: 'Alleen voel ik me zo... afgestompt. Alsof ik niet meer ben dan een beest. Een... lijf.' Met haar vrije hand gebaarde ze naar zichzelf.

Ze wilde iets zeggen en stokte. Toen zei ze: 'Had jij dat gevoel ook? Toen je kinderen nog baby's waren?'

'Natuurlijk. Tenslotte word je er dan aan herinnerd dat je ook een dier bent – bij de bevalling en door dat waas waarin je een poos zit als de baby er is. Je beseft dan sterk dat je aan je lichaam gebonden bent. Meestal vergeten we dat. Maar tenslotte bén je je lichaam. We kunnen nog zulke verheven gedachten hebben, maar uiteindelijk komt het daarop neer. We zijn aan ons lichaam gebonden en van tijd tot tijd worden we daaraan herinnerd.'

'God, vertel me nu niet dat ik me nog vaker zo ga voelen. Dat wil ik niet weten.'

'Maar dat is natuurlijk wel zo,' antwoordde Delia. 'Op je oude dag bijvoorbeeld, wanneer het lichaam gebreken begint te vertonen, als het het op allerlei interessante en deprimerende manieren laat afweten.' Ze snoof zachtjes. 'Ik verzeker je: telkens wanneer je 's ochtends wakker wordt voel je je erg aan je lichaam gebonden. Dan ben je je er erg van bewust. En als je ziek bent, bij zoiets als Tom is overkomen. Dan ga je wel inzien hoe tijdelijk het allemaal is – dat je lichaam het doet zoals het hoort.'

Meri's lippen verstrakten. Ze bewoog haar hoofd en boog het bijna, bij wijze van verontschuldigend of tegemoetkomend gebaar. *Oké.*

'Wat jij hebt,' zei Delia. 'Dat gevoel van... lichamelijkheid, het idee dat je door je lichaam wordt overweldigd, is eigenlijk nog de mildste variant, lijkt me zo.' Ze glimlachte. 'Want het komt alleen doordat je lichaam zo hard werkt. Maar het werkt goed – het doet het zoals het hoort – en daar mag je dankbaar voor zijn.' Ze besefte dat ze Meri onder meer vertelde dat ze niet moest klagen en wat dapperder moest zijn; en ze besefte dat ze in dat opzicht een zekere stekeligheid jegens de jonge vrouw voelde. Maar daar kon ze niets aan doen. Het leven was zwaar, voor iedereen. Je was er nooit mee klaar. Meri was oud genoeg om dat te weten.

Meri maakte de indruk iets te willen gaan zeggen, maar toen weerklonk er een geluid, een kreet van Tom in de eetkamer. 'Die!' Delia.

Delia glimlachte naar Meri. 'Ah, míjn baby,' zei ze. Ze stond op.

Meri stond ook op, wat trager, en verschoof de baby op haar schouder. Delia liep met haar mee naar de woonkamer, waar Meri Asa in zijn mandwiegje legde – voorzichtig, om hem niet wakker te maken. Samen stonden ze boven het mandje toe te kijken hoe hij zich schokkerig uitrekte. Zijn ogen gingen open en hij leek naar adem te snakken, alsof hij zich verbaasde over wat hij zag. Daarna sloten zijn ogen zich weer, hij rolde zich op zijn linkerzij en zijn vuistje ging naar zijn mondje.

Meri slaakte een zucht van opluchting. Ze pakte het mandje bij de handvatten op en Delia liep achter haar aan door de hal naar de voordeur.

'Nou, bedankt voor de thee, Delia.' Er viel een geladen stilte, alsof ze niet wist wat ze vervolgens moest zeggen. 'En voor het gezelschap.'

'O, geen dank alsjeblieft.' Hoewel ze ongeduld voelde opkomen, probeerde Delia vriendelijk en niet gejaagd te klinken. 'En jij nogmaals bedankt, omdat je op Tom hebt gepast,' zei ze.

Glimlachend wachtte ze totdat Meri buiten was en de veranda was overgestoken. Toen zwaaide ze en sloot de deur.

Met een bijna frivool gevoel van bevrijding en verlossing liep ze de hal weer in. Gretig en vlug stapte ze naar de deur van de eetkamer.

HOOFDSTUK ZESTIEN

Meri, 7 juli 1994

Op donderdag, toen Meri voor de vierde keer bij Delia thuis oppaste, zat ze opnieuw in de woonkamer terwijl Tom een dutje deed. Ook dit keer had ze nauwelijks een woord met hem gewisseld. Zoals altijd had Len, de chauffeur, Tom buiten de trap op geholpen, hem naar binnen begeleid, bij het toilet op hem gewacht en hem vervolgens naar de eetkamer gebracht, waar hij op bed was gaan liggen.

Len was op Meri gesteld. Hij bleef vaak nog een poosje om een praatje met haar te maken. Hij was ook op Tom gesteld. Vandaag had hij, nadat hij de deur van de eetkamer had dichtgetrokken, in zijn zwarte pak tegen de post van de woonkamerdeur geleund gestaan om over Tom te praten. 'Het is een goeie vent,' zei hij. 'Een goeie vent. Pienter. Het is doodzonde.' Hij schudde zijn hoofd. 'Als het mij was overkomen...' Hij sloot zijn zin af door zijn lippen op elkaar te drukken, zodat Meri de rest zelf kon invullen. *Zou ik er treurig aan toe zijn? Zou ik de hand aan mezelf slaan?*

Hij ging rechtop staan en klopte met zijn handpalm tegen de deurlijst. 'Tot dinsdag, dan.'

'Ja, tot dan,' zei Meri en net als hij stak ze haar wijsvinger op.

'Daag,' zei hij.

Na Lens vertrek zat ze een poosje alleen maar te zitten in de mooie woonkamer – op deze tijd van de dag was hij op zijn mooist, vond ze – en sloeg zo nu en dan een blik op Asa als hij de geschrokken geluidjes en bewegingen maakte die zijn slapende leventje onderbraken. Ze dacht nergens aan. Of eigenlijk ging er een heleboel door haar heen – beelden: Nathan bij het opstaan vanochtend, zijn lijf dat in het heldere zonlicht een bleke glans had. Delia's gezicht dat tijdens hun gesprek van eergisteren opeens zo'n kille uitdrukking had gekregen. De bijna lege koelkast. Wat voor boodschappen ze moest doen. Maar niets wat leek op een gedachte.

Ze zuchtte. Voor haar op Delia's salontafel lag de *New York Times.* Ze boog zich voorover en begon te lezen. Ze las de eerste regels van een paar stukken op de voorpagina. Net toen ze verdiept raakte in een stuk over de vraag of abortus zou worden opgenomen in het verzekeringspakket van de nationale gezondheidszorg, hoorde ze dat de deur van de eetkamer openging. Ze keek op. Door de hal kwam Tom Naughton met zijn metalen stok op haar toe gelopen; bij elke stap zwaaide hij met zijn been.

Ze stond op en maakte aanstalten om hem te gaan helpen, maar hij stak zijn hand op. 'Hoké.' Oké. Het is in orde.

Ze ging weer zitten en wachtte. Ze probeerde niet te kijken hoe hij verder voortstrompelde. Toen hij de kamer binnenkwam bleef hij staan bij het mandwiegje en wierp er een blik in. 'Ees,' zei hij zachtjes en met een lachje, en hij gebaarde naar de slapende baby.

Meri vond het fijn dat hij Asa's naam nog wist en hem uitsprak. Delia had haar verteld dat hij verrukt was over de baby, en dat hij Asa op de avond dat ze samen hadden opgepast een poosje in zijn armen had gehouden. Naar Meri's idee pleitte dat voor Tom.

Hij liep naar de bank tegenover haar. Hij bleef er even voor staan en liet zich er toen min of meer op neerploffen, waarbij hij een kreunend geluid voortbracht.

Meri voelde zich opeens ongemakkelijk in zijn bijzijn. Als zij er was hoorde hij te slapen. Maar misschien was dit een goed teken, een teken van herstel – dat hij minder uitgeput was door de revalidatiesessies dan eerst.

Maar was zij nu verantwoordelijk voor hem? Moest ze uitzoeken wat hij wilde of wat hij nodig had? 'Wil je misschien iets eten?' vroeg ze. 'Of wat drinken?'

Hij schudde zijn hoofd.

Zo zaten ze nog een poosje tegenover elkaar. 'Ik zat te lezen,' zei Meri. 'In de *New York Times*.' Ze gebaarde naar de krant die voor haar op de tafel lag. Ze praatte heel zacht. 'Er staat een interessant artikel in over het plan voor de gezondheidszorg van de Clintons. Over abortus en de plannen van de Clintons. Vind je het leuk als ik het voorlees?'

'Ja,' zei hij, op een niet bijster geïnteresseerde toon. Vervolgens knikte hij en zei het nogmaals, duidelijker en beslister: 'Ja-a.'

Meri pakte de krant, trok hem strak en begon voor te lezen. Tom wachtte geduldig toen ze voor het vervolg naar een andere pagina moest bladeren. Ze merkte dat hij luisterde – telkens wanneer ze naar hem opkeek stond zijn gezicht gefronst van concentratie.

Toen ze het artikel uit had, viel er weer een lange stilte.

Asa smakte met zijn lipjes, alsof hij in zijn slaap dronk.

Ze zei: 'Er is ook een stuk over Breyer. Over de hoorzittingen bij het hooggerechtshof. Zal ik dat ook voorlezen?'

'Mmmm,' zei hij, en hij knikte. Meri ging terug naar de voorpagina en begon opnieuw.

Halverwege het artikel begon Asa zich flink te roeren – Meri zag het vanuit haar ooghoek. Hij begon te jengelen.

Hij lag op schema: het was ongeveer de tijd waarop hij de afgelopen dagen gevoed was. Ze probeerde hem te negeren en las verder. Maar toen ze de krantenpagina omsloeg voor het slot van het stuk, werd hij helemaal wakker. Hij bewoog eerst zijn armpjes en beentjes en zette het vervolgens op een schreeuwen.

'O, neem me niet kwalijk, het spijt me erg,' zei Meri tegen Tom. Ze legde de krant neer en boog zich voorover om Asa te pakken. Ze tilde hem op en legde hem tegen haar schouder. Een poosje streelde ze hem zachtjes, maar zijn gekrijs werd alleen maar heviger. En toen huilde hij echt en worstelde hij met haar; hij drukte zijn lijfje tegen haar aan om bij haar borsten te komen.

'Hong,' zei Tom.

'Heb jíj honger?' vroeg Meri, en ze pakte Asa steviger vast. Wat nu?

Hij schudde zijn hoofd. 'Ees, hong.'

'O ja. Ja,' zei ze, en ze glimlachte machteloos. 'Ik ben bang van wel.'

'Voemaa.'

'Kan ik hem voeden?'

Hij knikte. 'Voemaa. Isgoe.'

'Vind je dat niet vervelend?' vroeg ze, en terwijl ze het zei besefte ze dat zij het wel vervelend vond. Natuurlijk vond ze dat, anders zou ze hem uit zichzelf wel hebben gevoed, zonder toestemming te hoeven vragen. Sinds de oude vrouw in het lunchcafé zich vol weerzin van haar had afgewend, had ze Asa niet meer in aanwezigheid van een vreemde gevoed. Ze had zelfs niet meer geprobeerd hem te voeden met Nathan erbij, maar dat was niet altijd mogelijk.

Tom schudde zijn hoofd.

Ze wilde dat hij wegging, dat hij terugging naar zijn kamer – maar ze had het gevoel dat ze dat niet tegen hem kon zeggen. Het zou te grof zijn. Het zou onaardig zijn. Ze liet Asa zakken en liet hem op haar arm rusten. Toen hij ophield met huilen en luidruchtig begon te snuiven, schoof ze haar T-shirt aan één kant omhoog.

Maar omdat ze probeerde haar borst niet voor Tom te ontbloten deed ze het onhandig, en Asa probeerde aan de stof van haar shirt te zuigen. Toen ze haar lichaam achteroverkantelde om hem een stukje weg te trekken, haar hand onder haar borst te leggen en de tepel naar hem toe te brengen, spoot de melk eruit. Asa's gezichtje kwam er helemaal onder te zitten. Zijn lijfje maakte een schrikachtige beweging, en al terugdeinzend sloeg hij zijn hoofdje snel heen en weer. Met zijn mondje en tongetje maakte hij een grappig spuuggeluid, een soort lipscheet. Toen hij weer naar haar toe bewoog zag ze dat hij melk op zijn oogleden en in zijn oren had.

Terwijl Asa zich vastzoog, hoorde Meri Tom een geluid maken; ze keek naar hem. Hij zat te lachen, met zijn hoofd achterover. Ze herinnerde zich die lach van de avond voor Kerstmis hier in huis, het lichtelijk hese lachje waaraan hij zich helemaal overgaf. Het had toen een glimlach bij haar opgeroepen, en ook nu glimlachte ze.

Ze keek naar hem terwijl hij weer rustig werd. Hun blikken vonden elkaar. Haar lach moest iets olijks over zich hebben, want hij sloot zijn ogen en draaide zijn hoofd net zo weg als Asa had gedaan, waarbij hij ook hetzelfde geluid maakte als Asa. Hij gaf uitleg in pantomimevorm, besefte ze, hij legde uit waarom hij zo had moeten lachen. Hij bewoog zijn hand voor zijn gezicht om de melk na te bootsen, de straal melk die op Asa terecht was gekomen.

Meri lachte. Het wás ook komisch. Asa was komisch geweest in zijn knorrige gulzigheid, en toen hij met uitgestoken tong dat winderige geluidje had gemaakt. Ze keek op hem neer. Met haar hand veegde ze het witte vocht uit de complexe kronkels in zijn oortjes.

Toen Delia's auto de oprijlaan op reed, was Asa klaar met de eerste borst en legde Meri hem tegen haar schouder zodat hij een boertje kon laten.

'Dhelia,' zei Tom. Hij klonk warm – opgewonden, zou Meri zeggen.

'Ja,' zei Meri. 'Ze is weer thuis.' Ze lachte hem toe en hij beantwoordde haar lach met het lachje vol zelfspot dat hij voor zijn beroerte ook had gehad. Zijn hand ging naar zijn gezicht, naar zijn mond, en hij legde zijn vinger op zijn lippen. *Sst.*

Maar toen ging de hand verder omhoog, naar zijn ogen. Hij wreef er even in, alsof hij moe was. Meri wist het niet zeker, ze durfde niet te zweren dat hij opzettelijk het gebaar had gemaakt dat ze had gemeend te bespeuren.

HOOFDSTUK ZEVENTIEN

Delia, 9 juli 1994

Evan kwam op bezoek en kon elk moment arriveren. Hij kwam omdat Nancy hem dat had gevraagd. Ze had Delia verteld dat ze zelf geen vrij kon nemen om weer naar het oosten te gaan, en daarom wilde ze dat hij eens 'ging kijken hoe het ervoor stond'.

Delia stond op het station te wachten. Het was warm. Ze stond op het perron, in de schaduw van het stationsgebouw.

Evan en zij zouden op weg naar huis samen lunchen en vervolgens zou hij bij haar overnachten en de zaken eens kritisch onder de loep nemen – de taak die hem was opgedragen. Delia had Matt gevraagd om vandaag tot hun thuiskomst op Tom te passen. Ze had hem vijftig procent toeslag beloofd – tenslotte was het zaterdag.

Evan stapte in één sierlijke beweging uit de trein. Hij had alleen een klein koffertje bij zich. Zijn gezicht lichtte op toen hij haar zag, en ze stond versteld van de kracht en de intensiteit waarmee hij haar omhelsde.

'Je bent bijna onverdraaglijk knap,' zei ze, en ze deed een stap terug terwijl ze hem in zijn lichte ogen keek. Zijn blik achter zijn hoornen bril was geamuseerd. 'Het moet volkomen onmogelijk zijn om met jou te leven,' zei ze.

'Dat is ook zo,' verzekerde hij haar met een grijns.

Misschien was dat de waarheid. Hij was op een nare manier gescheiden van zijn eerste vrouw, de moeder van zijn kinderen, deels omdat hij voor het einde van het huwelijk een relatie met zijn tweede vrouw was begonnen. Delia had de indruk dat zijn tweede huwelijk ook al de nodige problemen had gekend, maar dat wist ze niet zeker.

Toen Evan de beschadigde auto zag, vroeg hij wat ermee was gebeurd. Ze had geen zin hem de waarheid te vertellen en zei dat de ander door rood was gereden. Hij betuigde zijn medeleven.

Tijdens de rit vertelde hij dat hij vooral was gekomen om haar te zien, maar ook omdat, zoals hij zei 'ik wil dat Nancy iedereen verder met rust laat'. Ze spraken over Nancy en hoe kwaad ze vanwege dit alles was.

'Nou, het is niet helemaal ten onrechte, denk ik,' zei Delia. 'Ik heb nogal tegen haar gelogen.'

'Volgens mij is Nan iemand tegen wie de mensen vaak liegen, om het voor zichzelf wat gemakkelijker te maken,' zei hij.

'Arme Nan,' zei Delia. 'Dat zie je vast goed.' Ze zwegen even. Toen zei Delia: 'Nou, in elk geval lieg ik mezelf niet voor.'

'Nee?' zei Evan.

Ze keek naar hem. Hij glimlachte naar haar – liefdevol, dacht ze.

Het gesprek kwam op de warmte. Evan vertelde dat het in New York nog veel erger was. 'In de hele stad ruik je boven alles uit die rottingslucht die ontstaat als het warm is.'

Ze stopten bij het restaurant in de oude watermolen even buiten de stad. De entree was donker, maar achterin was het heel licht. De muur was uitgebroken, en er was veel glas voor in de plaats gekomen. De zaak keek uit over de dam en het water dat daaroverheen stroomde – daarvoor kwamen de mensen.

Er was geen airconditioning, maar achter in de zaak stonden alle ramen open, en het stromende water zorgde voor een fris windje, dat een lichte algengeur met zich meebracht. Terwijl ze plaatsnamen zag Delia dat ver onder hen jongens in natte spijkerbroeken, op blote voeten en met ontbloot bovenlijf over de rotsen onder de waterval aan het klauteren waren; het water kwam daar schuimend en in een nevel neer. Ze wees Evan op hen.

Er kwam een jonge ober naar hen toe, en Evan bestelde een martini. 'Wil jij iets drinken, mam?'

'Ik wil wijn,' zei Delia. Ze keek op, naar de ober. 'Graag een sauvignon blanc, als u die hebt.'

Ze leunden achterover. Om hen heen ruiste het water gestaag. Delia vroeg Evan naar zijn werk. De drankjes kwamen. Ze spraken over zijn kinderen en zijn vrouw, die het momenteel erg druk had. Ze was decorontwerpster, en in het najaar gingen er twee voorstellingen waaraan zij meewerkte in première.

Tijdens de lunch sprong het gesprek van de hak op de tak; allebei vielen ze zo nu en dan stil en keken naar het water, naar de jongemannen die in het meertje onder de waterval doken. Delia dacht aan de jongens over wie mevrouw Davidson haar in het revalidatiecentrum in Putnam had verteld, de waaghalzen die waren gevallen, een ongeluk hadden gehad of op een ongelukkige plaats in het water waren gesprongen. Ze dacht aan Evan in zijn jonge jaren – Evan die veel sterker dan Brad het gevaar had opgezocht. Ze was zelfs opgelucht geweest toen hij toetrad tot het Peace Corps, waar de overheid – en niet langer zij – verantwoordelijk was voor zijn veiligheid.

Toen ze bijna uitgegeten waren, stelde Evan specifieke vragen over Tom, over de vooruitgang die hij had geboekt sinds hij zijn vader in Washington had gezien.

Delia beschreef hoe Tom eraan toe was en legde uit hoe ze de zaken had geregeld. Ze vertelde op welke manier ze de dag doorbrachten. 'Het is eigenlijk heel gezellig. Ik besef nu hoe eenzaam ik was geworden.'

'Dus zo wil je het in de afzienbare toekomst.'

'Ja.'

'En Parijs?'

'Ah.' Ze haalde haar schouders op. 'Tja. Misschien kunnen jullie er vaker gebruik van maken.' Ze glimlachte naar hem. 'Inderdaad. Het betekent dat ik minder zal gaan. Maar daar zou het uiteindelijk toch van gekomen zijn.'

'En je gaat het niet missen?'

'Natuurlijk zal ik het missen! Maar ik zal van tijd tot tijd nog weleens gaan. Alleen niet meer zo lang. Ik voel me heus niet tekortgedaan, schat.'

'Nee. Je klinkt eigenlijk heel gelukkig.'

'Dat ben ik ook.'

'Denk je dat je weer... verliefd wordt, om zo te zeggen?' En hij zong, met het Duitse accent van Marlène Dietrich: 'Follien in luv ageen, wot em ai toe doe...'

Delia lachte. Toen zei ze, met neergeslagen ogen en rommelend met haar servet: 'O, ik ben altijd verliefd geweest. Zoals je ongetwijfeld weet.'

'Nou, maar het stelde toch een hele tijd weinig meer voor.' Hij zei het achteloos, met een snel, luchtig handgebaar. 'Het stond toch op een laag pitje, of zo?'

Delia voelde een steek van irritatie vanwege het gemak waarmee hij veronderstellingen over haar leven en dat van Tom poneerde. 'Het heeft nooit weinig voorgesteld,' zei ze.

'Ik bedoelde alleen maar dat jullie je daar niet naar gedroegen,' zei hij op verontschuldigende toon.

'Het heeft nooit weinig voorgesteld,' zei ze. 'Het heeft nooit op een laag pitje gestaan, zoals jij het uitdrukt. En we hebben ons daar wel degelijk naar gedragen.'

'Jullie hebben je daarnaar gedragen?'

'Ja.' Delia leunde achterover en keek hem over de tafel doordringend aan.

'Wat zeg je nou, mam? Dat pap en jij al die jaren van elkaar gehouden hebben?'

Ze liet een paar seconden verstrijken. 'Ja.'

Zijn mond viel open, zijn wenkbrauwen gingen omhoog. Hij wendde zijn blik van haar af naar het water en de jongens beneden. Toen keek hij haar weer aan, met een brede lach op zijn gezicht. 'Wel, wel,' zei hij.

Ze beantwoordde zijn lach. 'Ja. Wel, wel.' Ze schoof haar stoel naar achteren. 'Zullen we nu gaan, naar je vader toe?'

Delia voelde het toen ze de keuken binnenstapten: de koele lucht. 'Ah,' zei ze, 'de airco! Is het niet heerlijk?'

Evan knikte.

'Hij heeft ik weet niet hoe lang in de kelder gestaan. Ik wist niet eens of hij het nog wel deed. Dus je ziet, doordat Tom hier is ben ik er ook op vooruitgegaan. Matt heeft hem vandaag neergezet. Ik wist niet of hij er tijd voor had.'

'En wie mag Matt wel zijn?'

'De student, waarover ik je verteld heb. Hij past voor mij op Tom en doet allerlei klusjes. Kom, dan kun je met hem kennismaken.'

Evan volgde Delia naar de woonkamer. Matt zat met een boek op schoot en een pen in zijn hand op de bank, met zijn blote voeten tegen de salontafel. Vanwege het lawaai van de airco had hij hen niet gehoord. Het apparaat maakte veel herrie, wat ongetwijfeld kwam doordat het al oud was en lange tijd ongebruikt in een vochtige ruimte had gestaan.

Matt kwam haastig overeind. Hij hinkte blozend rond, stak zijn voeten in zijn sandalen en begroette hen. Hij gaf Evan een hand. Ze waren bijna even lang, maar naast Matts kinderlijk volle lijf oogde Evan slank en elegant.

Matt vertelde Delia dat Tom een dutje deed na een lange wandeling in de buitenlucht. 'We hebben bijna de hoek gehaald,' zei hij terwijl hij zijn spullen bij elkaar zocht. 'Hij is een ouwe taaie.'

'Weet je, ik zou pap precies zo getypeerd hebben,' zei Evan, en hij glimlachte naar Delia.

Maar toen Tom laat in de middag de keuken in kwam strompelen en Evan op zijn manier begroette, zag Delia dat Evan ontsteld was door hoe hij eraan toe was en misschien zelfs een afkeer van hem voelde.

In de loop van de avond echter, terwijl Delia kookte, ze het eten opaten en aan de keukentafel zaten te praten, zag ze dat Evan het doorkreeg, dat hij de regels van Toms huidige taalgebruik begon te snappen. Ze merkte dat hij net als zij voelde dat de persoon die Tom altijd was geweest er nog was.

Ze sloeg Evan gade terwijl zijn knappe gezicht oplichtte in reactie op Tom, terwijl hij lachte en praatte. Wat was hij in de loop der jaren sterk veranderd! De idealistische, romantische jongeman van toen was een *geldman* geworden, zoals hij zichzelf noemde, die dure kleren droeg en een dure loft in de stad bewoonde waar hij maar eens in de paar weken zijn kinderen bij zich had. En toch was de liefde die ze voor hem voelde onveranderd gebleven, want die was gebaseerd op de jongen die hij was geweest en die hij voor haar nog altijd was. Zo gaat dat met je kinderen, dacht ze. Alle gedaanten die ze hebben gehad zitten tegelijkertijd in je hart gesloten.

De volgende dag, op weg naar het station, stelde Evan vragen over Toms prognose, en Delia gaf eerlijk antwoord. Er was altijd verdere vooruitgang mogelijk, en Tom had de wil, dus werkte hij er hard voor. 'Ik denk dat het ook helpt als je gelukkig bent,' zei ze. 'Dat weet ik eigenlijk wel zeker. En hij is hier gelukkig. Met mij.' Ze hoorde hoe trots ze klonk en voelde zich opeens gegeneerd. 'Maar er zijn grenzen,' zei ze. 'Ik houd mezelf niet voor de gek. Hij kan nooit meer werken. Dat is duidelijk.'

Evan bromde instemmend. Even later zei hij: 'We moeten denk ik ook eens overwegen het huis in Washington op te doeken. Het te verkopen.'

'O!' zei ze. Ze keek naar hem. 'Zou je denken? Op dit punt al?'

'Wat bedoel je met "op dit punt al"?'

'Nou, stel je voor dat hij zover herstelt dat hij weer naar Washington terug wil.'

'En weer op zichzelf gaat wonen?'

Ze hoorde het ongeloof in zijn stem. Ze zei niets.

'Mam.'

Ze keek weer naar hem. Evan – zo gereserveerd en zo knap.

Zijn ogen achter de brillenglazen lieten haar niet los. Zijn toon was vriendelijk. 'Hij kan nooit meer op zichzelf wonen. Besef je dat niet?'

Ze keek weer naar de weg.

'En als het daar wel van komt, zal het toch ergens moeten zijn waar steeds hulp voor hem is.' Toen ze na een poosje nog niet had geantwoord, zei hij opnieuw: 'Mam?'

'Je zult wel gelijk hebben. Alleen...' Lange tijd zat ze zwijgend achter het stuur, maar toen zei ze: 'Maar ik wil liever niet aan zoiets beginnen voordat ik er met hem over heb gesproken. Voordat we weten dat hij het zo wil. Of dat hij het in elk geval goedvindt.'

'Dat is prima. Dan wachten we nog even.' Even later zei hij: 'Het spijt me. Ik wilde je niet opjagen. Je niet sneller laten gaan dan je prettig vindt.'

Ze knikte.

Hij wilde niet dat ze het station in ging om samen met hem op de trein te wachten. Nadat hij was uitgestapt, boog hij zich door het open raampje aan de passagierskant. 'Ik moet zeggen, mam: je zit vol verrassingen.' Hij grijnsde. 'Vol geheimen en verrassingen.'

Ze rolde met haar ogen.

Hij lachte en raakte bij wijze van afscheidsgebaar het portier aan. Daarna draaide hij zich om.

Delia reed langzaam naar huis, met een rammelend spatbord. Ze had het toch geweten – dat Tom niet meer naar huis kon, dat hij bij haar zou moeten blijven? Ze was blijven hopen – voor hem, uiteraard – dat hij beter zou worden, maar ze besefte nu dat ze bijna meteen al had geweten dat hij waarschijnlijk niet voldoende zou opknappen. Dat zij hem zou houden. Hij zou van haar zijn.

Had ze dat zelfs niet zo gewild, iets in haar? Dat hij bij haar zou moeten blijven?

Ze probeerde het na te gaan. Ze dacht van niet. Echt niet. Zelfs toen ze zo blij was hem bij zich te hebben, die eerste dagen, had ze steeds gestreefd naar wat voor hem het beste was – dat had ze altijd gewild.

Daar was ze zeker van.

HOOFDSTUK ACHTTIEN

Meri, 9 tot 15 juli 1994

Gedurende het lange, hete weekend dacht Meri van tijd tot tijd aan Tom, aan hoe hij naar haar had gekeken terwijl ze Asa voedde. Achteraf besefte ze dat ze zich toen aantrekkelijk had gevoeld. Misschien voor het eerst sinds Asa's geboorte had ze gedacht dat ze zijn moeder kon zijn en toch nog zichzelf kon blijven: Meri.

Ze dacht ook aan Toms gebaar, dat gebaar van geheimhouding – als het dat was geweest. Was het zo? Had hij dat bedoeld? Of berustte het op toeval, doordat hij zijn hand naar zijn ogen bracht? Het kon allebei.

Dinsdag zou het rond de vijfendertig graden worden. Meri gaf Asa de hele dag alleen een luier aan. Desondanks was hij onrustig, en als ze hem voedde werd ze door zijn warmte nat van het zweet op de plaatsen waar ze elkaar raakten. Als hij uitgedronken was moest ze hem van zich losweken.

Bij Delia was het koel, voelde Meri zodra ze binnenkwam. Een verademing. Toen ze de woonkamer in liep hoorde ze het amechtige gebrom van een airco-apparaat. Ah, daar had je hem, een oud model, dat in een van de ramen in de muur bij de haard stond. Bedankt, Delia. Ze zette het mandwiegje op de vloer, legde een katoenen dekentje over Asa heen en ging zitten wachten.

Toen Len Tom binnenbracht, ging Meri naar de hal en vroeg hem niet te hard te praten. Terwijl Tom op het toilet was, spraken ze op fluistertoon. Toen hij eruit kwam, wendde Len zich tot hem: 'Bent u moe? Wilt u rusten?'

Tom schudde zijn hoofd. 'Wookamuh,' zei hij.

Len pakte hem bij zijn elleboog, maar Tom schudde hem van zich af. 'Oké,' zei hij duidelijk. 'Isgoe.'

Len deinsde theatraal terug, en hief zijn beide handen omhoog. 'Meneer wil het zelf doen,' zei hij, en zijn stem werd hoger. 'Dus laat hij zijn gang gaan. Dat is nu vooruitgang, beste vrienden.'

Toen Meri afscheid van Len had genomen en naar de kamer terugkwam, had Tom zich weer op de bank geïnstalleerd. Meri vroeg of hij iets wilde eten of drinken. Hij schudde van nee. Ze vroeg of hij wilde worden voorgelezen. Hij knikte, met een glimlach. Haast met een gevoel alsof ze een ritueel voltrok sloeg Meri de krant open, zocht een artikel en begon te lezen. Het drong tot haar door dat Tom alert was, dat er een spanning van hem uitging; toen roerde Asa zich.

Ze legde de krant op tafel. Ze pakte Asa en schoof haar shirt omhoog. Ze was zich zeer sterk van Tom bewust, en besefte opnieuw dat ze zich voor hem aantrekkelijk voelde – een erotisch gevoel.

Toen ze Delia's auto de oprijlaan op zag draaien, legde ze Asa tegen haar schouder en trok haar shirt omlaag. 'Delia is er,' zei ze.

Tom kwam moeizaam overeind en liep de kamer door, naar de hal. Toen hij langs Meri's stoel kwam, raakte hij haar schouder aan. Ze keek op. Hij boog licht zijn hoofd, hief zijn hand op en legde hem vlak tegen zijn borstkas in een gebaar dat in Meri's ogen dankbaarheid uitdrukte. *Dank je wel.* Hij glimlachte, zijn ogen tintelden geamuseerd.

De daaropvolgende donderdag ging het net zo. Toen Meri na Len te hebben uitgelaten de woonkamer in kwam, lichtte zijn gezicht op in geamuseerde verwachting. 'Tom,' zei ze.

'Mer,' antwoordde hij.

Ze maakte voor de grap een reverence en ging zitten. 'Zal ik een stukje voorlezen?' vroeg ze.

Hij knikte, en ze boog zich over de krant.

Toen Asa begon te jengelen, keek ze naar Tom. Hij leunde afwachtend achterover. Ze had vandaag met opzet een blouse met knoopjes gekozen, en terwijl Asa dronk liet ze hem openvallen. Telkens wanneer ze opkeek, rustte Toms blik op haar – hij gleed van haar borsten naar haar gezicht, en weer terug. Allebei lachten ze elkaar toe als hun blikken elkaar kruisten.

Ze voelde zich mooi.

Het was een spel, dacht ze, een spel dat zij hadden bedacht, waarvan zij de regels hadden vastgesteld en waarop ze allebei hadden ingezet. Voor haar had het met seks te maken, met het idee dat ze weer seksueel aantrekkelijk kon zijn. Ze voelde dat dat in het spel was – aan haar borsten en haar buik.

En voor Tom? Ach, misschien had hij een soortgelijke behoefte. Hij was het tenslotte gewend geweest vrouwen te benaderen, met hen te flirten en erotische avances te maken. Misschien herinnerde dit hem aan dat alles, aan alles wat hij kwijt was. Misschien deed het zijn herstel ook goed.

Ze waren aan het genezen, dacht ze. Ze genazen zichzelf en elkaar. Wie deden ze er kwaad mee? Asa niet. Ze streelde hem over zijn hoofdje terwijl zijn wangetjes en zijn keeltje verwoed in de weer waren. Nathan ook niet.

Toen ze Asa liet boeren en hem tegen haar andere borst legde, nam ze niet de moeite zich te bedekken. Ze liet Tom naar haar kijken.

Asa dronk nog toen Meri Delia's auto de oprijlaan op zag rijden, gedeukt, sjofeltjes, met een linkerachterspatbord dat raar omhoogstak. Snel pakte ze Asa op, legde hem bij zich op schoot en knoopte haar blouse dicht. Toms blik was voortdurend op haar gevestigd.

Delia kwam door de achterdeur en liep vanuit de keuken de hal in. 'Wat is het hier verrukkelijk koel!' riep ze, terwijl ze de woonkamer betrad. 'Ik ben zo blij dat jullie er allemaal van genieten.'

De daaropvolgende dagen dacht Meri vaak over de middagen met Tom na. Vanuit verschillende gezichtspunten overdacht ze haar eigen aandeel in wat er was gebeurd. Ze wist dat ze iemand was die kon handelen vanuit woede omdat ze zich gekleineerd voelde. En ze wist dat ze zich gekleineerd had gevoeld door Delia en boos op haar was, omdat ze zich niet voor haar had opengesteld – en misschien, dacht Meri, ook niet helemaal open was geweest voor zichzelf. En natuurlijk was ze eerder kwaad geweest op Nathan, omdat hij zich zo van haar af had gekeerd, maar die boosheid voelde ze niet meer.

Toch was dat voor haar niet het gevoel dat met de middagen met Tom verbonden was – dat was geen boosheid of wraaklust. Nee, voor haar leken ze zich af te spelen in een andere dimensie dan de rest van haar leven. Als ze met Tom samen was, was het of ze los was van de tijd, van druk en verplichtingen, van tekortkomingen. Van haar tekortkomingen.

Een deel daarvan kwam misschien voort uit het gevoel dat ze had als ze Delia's huis – die eigenaardige variant op haar eigen woning – binnenging: het gevoel dat ze weg was, dat ze ergens anders was. Zelfs de herrie van de airco speelde misschien een rol, de herrie die hen omhulde en de rest van de wereld buitensloot. Maar hoofdzakelijk kwam het door haar gevoel dat ze tot leven kwam onder Toms blikken, dat hij haar weer liet zijn wie ze was. Wie ze was geweest. Zichzelf.

Als iemand haar had gevraagd wat zich precies tussen hen

afspeelde, had ze natuurlijk moeten erkennen dat er een erotische, een seksuele kant aan zat. Maar het was meer. Er sprong een vonk tussen hen over. Een elektrische vonk.

Ja, ze waren net accu's die steeds verder waren leeggelopen, totdat ze het niet meer deden. En nu vonkten en gonsden ze weer van het leven. Na elke middag met Tom had ze beseft dat het leven met Asa – en met Nathan – haar lichter, gemakkelijker viel.

Op vrijdag ging ze zelfs in afwachting van Nathans thuiskomst en vervuld van het gevoel dat ze sterk en aantrekkelijk was, met Asa voor het huis op de trap van de veranda zitten. Ze had haar gezicht gewassen en zich opgemaakt. Ze droeg een jurk die haar sinds kort weer paste, een zonnejurk die ze in de zomer waarin ze Nathan had leren kennen vaak had aangehad. Ze legde Asa op zijn rug op haar bovenbenen, zodat hij naar de bomen kon kijken, naar het flikkerende zonlicht dat tussen de takken door viel.

Nathan verscheen op zijn fiets op straat. Ze zag dat hij haar zag, ze zag hoe zijn uitdrukking veranderde toen ze hem toelachte en bij wijze van begroeting Asa omhooghield.

Hij reed de oprijlaan op en zwaaide sierlijk als een danser zijn been over het zadel. Over het gazon en de trap liep hij grijnzend naar haar toe. Hij bukte zich en kuste haar – een van zijn chloorkusjes. Hij hurkte neer en kuste Asa boven op zijn hoofdje.

Hij ging naast haar zitten. 'Waar heb ik dit buitengewone genoegen aan te danken?' vroeg hij.

Haar mond opende zich, ze haalde adem en glimlachte alleen maar.

HOOFDSTUK NEGENTIEN

Delia, 19 juli 1994

Op dinsdag bracht de man van het autoschadebedrijf Delia terug naar de stad. Hij zette haar af bij het Apthorp-huis. Ze was vroeg, want ze hadden de auto al om acht uur willen hebben. Ze liep achterom en ging aan een van de picknicktafels zitten. Het zou vandaag weer erg warm worden – ze had op de radio gehoord dat de hittegolf weleens de langste uit de geschiedenis zou kunnen worden. Vooralsnog was het pas een graad of drieëntwintig – het was 's nachts afgekoeld. Vanuit de bomen weerklonk vogelgezang – het lieflijke gekweel van een nachtegaal en in reactie daarop het dominante gesnater van de gaaien. Van tijd tot tijd blies er een windje door de bladeren. De oranje daglelies waren open, evenals de hemelsblauwe bollen van de hortensia.

Delia ging zitten. Ze had geen boek, notitieblok of iets anders meegenomen om de tijd door te komen, maar ze had er ook geen behoefte aan. Haar hoofd draaide op volle toeren, en haar gedachten sprongen van de hak op de tak. Ze bedacht dat haar leven opeens leek te zijn verruimd – het was drukker en complexer geworden, vol taken, bezigheden en verplichtingen. En vol genoegens. Precies die dingen, dacht ze, die je in leven houden. Ze bedacht hoe haar moeder was geweest toen die zo oud was als zij, wat een oude en gelaten indruk ze had gemaakt – heel anders dan zij zich nu voelde. Ze dacht aan de vaste dagindeling, die ze zo zorgvuldig had vastgesteld. Aan Toms vertrek met de chauffeur naar Putnam, om negen uur. Aan haar lange dag hier, die waarschijnlijk niet al te druk zou zijn. Ze zou vandaag en morgen natuurlijk lopend naar huis moeten, maar dat vond ze niet erg. Ze was de laatste tijd alleen met de auto gegaan omdat ze veel meer boodschappen moest doen, en omdat ze altijd snel thuis wilde zijn om Meri en Matt te ontlasten.

Ze dacht aan Meri, en het wat ontwijkende en stiekeme dat ze over zich had – een eigenschap die ze na de geboorte van de baby even was kwijtgeraakt. Misschien zelfs al eerder: tijdens haar zwangerschap. Delia zag tot haar genoegen dat het nu weer terugkwam. Ze maakte een minder wanhopige en minder verloren indruk. Minder hulpbehoevend, vond Delia. Het was makkelijker om met haar om te gaan. En ze begon er ook weer beter uit te zien, stoer en sexy. Het zou allemaal prima in orde komen, dacht Delia, als die baby wat minder afhankelijk werd.

Ze probeerde zich te herinneren of zij de eerste keer, met Nancy, ook zo van de kaart was geweest. Ze betwijfelde het. Zij had om te beginnen al een hoop andere vrouwen met kinderen om zich heen gehad. Die zaten allemaal thuis en zouden nog jaren thuiszitten en er samen het beste van maken.

Meri had een volkomen ander leven. Natuurlijk was het goed dat ze weer aan het werk ging. Maar het betekende dat ze nooit, net als Delia, in het ritme zou komen van het dag in dag uit thuiszitten, van de loze pleziertjes en de behaaglijke verveeldheid die daarbij hoorden. Van het bewustzijn van de kleine veranderingen in het gedrag van je kinderen die aangaven dat ze groter werden en dat hun persoonlijkheid tot ontwikkeling kwam.

Wat had ze al die tijd gedaan? Ze kon het eigenlijk niet meer navertellen. De eindeloze dagen, de eindeloze jaren van eten koken, wassen, boodschappen doen, verstellen, projecten voor de kinderen bedenken, ze helpen met hun huiswerk. Later waren hun sportwedstrijden, toneeluitvoeringen en voorstellingen gekomen. Nog weer later de nachten waarop je wachtte op kinderen die later thuiskwamen dan was afgesproken, die voor het eerst met de auto op pad of met gevaarlijke oudere vrienden op stap waren.

Ze had het allemaal over zich heen laten komen – met alle genoegen, zou ze hebben gezegd. Dat, en later de organisatie van hun dubbelleven in Washington en Williston: de campagnes, de liefdadigheidsactiviteiten die van haar werden verwacht, de sociale verplichtingen en al het geregel. Eigenlijk was het niet zo verbazend, bedacht ze, dat Tom ergens anders erotische spanning had gezocht. Jarenlang had zij hem die nauwelijks kunnen geven, al had ze zich altijd opgewekter gevoeld als hij aan het eind van de dag of de week thuiskwam. Net als nu, dacht ze.

Toen Adele arriveerde, ging Delia samen met haar naar binnen. In de donkere ruimtes van het oude huis was het koeler, zij het muf. Adele en zij besloten om in elk geval de ramen een uurtje open te zetten, zodat er frisse lucht naar binnen kon komen. Ieder afzonderlijk gingen ze de kamers af, waar ze de oude raamsloten openden en de schuiframen openschoven en stutten. Delia voelde – en dat gevoel duurde maar heel even – hoe het leven van Anne Apthorp eruit kon hebben gezien – of hoe een moment in haar leven eruit kon hebben gezien – als ze op een warme zomerdag in de negentiende eeuw door deze kamers liep.

In wezen verandert het leven niet, dacht ze. Het goede zit ’m in steeds dezelfde kleinigheden, en zo zal het altijd blijven.

HOOFDSTUK TWINTIG

Meri, 19 juli 1994

Om zes uur was het in hun slaapkamer al licht en warm. Ze werden alle drie vroeg wakker – eerst Asa, daarna Meri en daarna Nathan. Nathan stond op en ging naar de badkamer. Meri hoorde hem douchen.

Ze verschoonde Asa's luier en voedde hem in bed. Vervolgens droeg ze hem naar beneden. Nathan was daar al, hij liep op zijn blote voeten rond, zette koffie en haalde benodigdheden voor het ontbijt uit de voorraadkast.

In de keuken was het koeler en donkerder dan in de rest van het huis. Meri zette Asa in zijn wipstoeltje op het aanrecht, en als Nathan en zij met hun gezicht langs hem kwamen bewoog hij opgewonden met zijn armpjes en beentjes. De radio stond zachtjes aan, maar Meri zette hem harder toen het weerbericht kwam. Weer een dag met meer dan vijfendertig graden.

'Jezus!' zei Nathan. 'Dit moet gauw eens ophouden.'

'Nou, in elk geval hebben Asa en ik het bij Delia lekker,' zei Meri. Ze dacht opeens aan Tom, en haar wangen begonnen te gloeien.

'We moeten misschien ook een airco kopen,' zei Nathan even later.

'O ja, Nathan, dat moeten we doen. In elk geval voor de slaapkamer.'

'Dan kunnen we ergens in de nabije toekomst misschien ook weer eens proberen te vrijen.'

Ze draaide zich om en keek naar hem. Hij goot melk over zijn graanvlokken. Toen hij de doos neerzette keek hij haar vanonder zijn haardos recht aan, met een onthutsende blik die voor haar gevoel zo vol was van verlangen, maar ook van de herinnering aan hun problemen, dat ze er een brok van in haar keel kreeg en haar blik moest afwenden.

Asa roerde zich, wellicht mede als gevolg van de hitte, vroeger dan gewoonlijk en lag ongeveer een uur voordat Meri naar Delia zou gaan om op Tom te wachten al wanhopig te krijsen. Ze voedde hem thuis, en het speet haar een beetje dat Tom en zij hun spelletje niet zouden kunnen doen.

Asa was echter tijdens het voeden ook ongewoon alert en fixeerde zijn blik op haar gezicht. 'Zie je me goed?' vroeg Meri. 'Zie je me goed?' Met haar vrije hand streelde ze het lichte, goudblonde dons dat nu op zijn hoofdje groeide.

'Dit is óns spelletje,' fluisterde Meri hem toe. Hij hield even op met zuigen, keek naar haar op en plooide zijn lipjes, zo op het oog bij wijze van training voor een glimlach.

Meri glimlachte ook naar hem. 'Je bent grappig,' zei ze. 'Je bent een heel grappig kereltje.'

Toen hij bijna uitgedronken was viel hij in slaap, en toen Meri over de veranda naar Delia's huis liep, vervoerde ze hem opnieuw in het mandenwiegje.

De koelte van het huis was een welkome verlichting, en Meri ging rechtstreeks naar de woonkamer. Ze zette het mandje neer, legde een dekentje over Asa heen en liep terug naar de hal om de post van de vloer op te rapen. Nadat ze die op het telefoontafeltje had gelegd, leunde ze tegen de muur en keek uit over de veranda en de door de zon verdorde voortuin. Het leek haar, omsloten als ze was door de gonzende stilte, allemaal heel ver weg.

Terwijl ze daar stond, draaide de zwarte limousine de oprijlaan op. Nadat hij tot stilstand was gekomen, stapte Len uit en liep naar Toms portier. Hij opende het en bukte zich om Tom te helpen uitstappen; daarna liep hij langzaam naast Tom over het hobbelige pad. Meri zag dat hij zoals gebruikelijk liep te kletsen en hoorde vaag de fluctuaties van zijn stemgeluid. Hij hielp Tom de trap op. Met haar vinger tegen haar lippen deed ze hen open.

'Slaapt de baby?' vroeg Len zachtjes.

'Ja. Als een roos,' zei ze.

Tom ging op eigen kracht naar het toilet. Toen hij er weer uit kwam, richtte Len, die Meri had verteld dat iemand hem op de terugweg bijna had gesneden, zich tot hem. 'En u? Gaat u een dutje doen?'

Tom schudde zijn hoofd. 'Geen dutje. Wookamu.' En hij zette zich in beweging, terwijl hij Lens hand van zijn elleboog af schudde.

'Stil zijn daar binnen,' zei Meri. 'Dat moet van mammie.'

Tom draaide zich om. 'Jij mammie.'

'Heel geestige vent,' zei Len met een grijns. 'Een echte Groucho.'

'Tot volgende week, Len,' zei Meri zachtjes, in de hoop dat hij zijn toon zou dempen en zou opstappen. Maar Len had zin in een praatje. Hij wilde haar vertellen over de zomers uit zijn jeugd in Queens, waar het asfalt op de straten was gesmolten en je de lucht erboven kon zien trillen. Daarom geloofde hij niets van die flauwekul over het broeikaseffect.

Toen hij ten slotte was vertrokken, ging Meri de woonkamer in en nam plaats op de stoel tegenover Tom. 'Zal ik voorlezen?' vroeg ze.

Tom knikte, en met zachte stem las ze verschillende krantenartikelen voor. Ze voelde dat hij ongeduldig werd. Terwijl ze terugbladerde naar de voorpagina, op zoek naar een volgend stuk dat hem kon interesseren, opende hij zijn mond.

'Ees voedu?' zei hij. Asa voeden. Zijn vingers voerden een pantomime op bij de knoopjes van zijn overhemd.

'Ah...' Ze maakte een grimas en hief machteloos haar handen op. 'Hij heeft al gedronken. Hij blijft nu slapen – op deze tijd van de dag slaapt hij het meest.' Ze keek naar haar zoontje, die met gespreide ledematen volkomen ontspannen in zijn mandje lag. 'Tot het begin van de avond blijft hij onder zeil.'

Tom knikte, met op elkaar geperste lippen. Toen hief hij ook zijn handen op, in een nabootsing van haar spijtige gebaar.

Even zaten ze zwijgend tegenover elkaar. Meri vroeg Tom of hij het prettig vond als ze nog wat voorlas, en hij schudde zijn hoofd – nee.

De stilte was bijna gênant. Meri wist niet wat ze moest doen. Bij wijze van ontsnappingsmanoeuvre boog ze haar hoofd en begon voor zichzelf te lezen: een artikel over Leonard Bernstein, die jarenlang door de FBI in de gaten was gehouden.

Na een poosje zei Tom, op duidelijke toon: 'Voor mij?'

Ze keek naar hem. Hij hief een van zijn handen op en liet hem met geopende, naar boven gekeerde palm – als een bedelaarshand – tegen zijn borst rusten.

Ze wist niet precies wat hij bedoelde, maar toen maakte hij opnieuw het gebaar alsof hij zijn overhemd losknoopte.

'O!' zei Meri, en ze ging recht overeind zitten. Dat veranderde de regels van het spel.

Haar eerste ingeving was: nee. Ze keek hem aan, en zijn blik hield de hare gevangen.

Hij zat achter zijn ogen, zoals Delia het eens tegen haar had uitgedrukt. Ze zag hoe vurig hij het wilde: hun spelletje, hun speciale samenzijn.

En in reactie daarop voelde ze een vlaag van interesse. Zij wilde het ook. Waarom? Misschien, dacht ze, om weer het gevoel te krijgen dat Toms blik haar bezorgde: het gevoel dat ze mooi en erotisch was. Ze werd zich opeens bewust van de hevige sensatie in haar onderbuik en haar kruis dat bij haar op zin in seks wees. Dat was het dus. Natuurlijk.

Maar, dacht ze, het was ook een verlangen naar iets wat ze samen in het leven hadden geroepen, iets wat juist had plaatsgevonden omdat hij was zoals hij was en zij in een bepaald opzicht net zo was als hij. Hongerig. Gulzig.

Ze rechtte haar rug en lachte hem toe. Ze bracht haar handen omhoog om haar blouse los te knopen.

En door die lichte aanraking werden haar borsten opeens net zo vol, zwaar en gezwollen als wanneer ze Asa ging voeden. Toen ze de knoopjes had losgemaakt, viel haar blouse open en bracht ze haar handen onder haar borsten. Ze liet ze erop rusten en hield ze losjes vast.

Ze keek naar Toms gezicht. Zijn blik ging langs haar. De lucht voelde koel op haar huid, en haar tepels trokken zich samen. Ze keek omlaag en zag dat er druppeltjes melk parelden. Toen ze haar handen langzaam over haar tepels liet gaan spoot het eruit; de melk maakte haar handen nat en stroomde door haar bewegende vingers en langs haar armen. Tom hield zijn blik strak op haar gefixeerd.

HOOFDSTUK EENENTWINTIG

Delia, 19 juli 1994, laat in de middag

In de stad haalde Delia nog even een fles wijn en een gebraden kip. Er stond ook een salade op het menu, een komkommersalade met yoghurt, knoflook en pepermunt, maar daarvoor had ze de ingrediënten al in huis. Ze sloeg haar tas over haar schouder en liep in de zinderende hitte langzaam over Main Street. Met dit weer was de truc dat je langzaamaan moest doen, je nooit moest haasten.

Vlak voor de kruising met Dumbarton Street bleef ze staan en maakte een praatje met haar oude buurvrouw Peggy Williams, die haar man had verloren en onlangs haar huis te koop had gezet. Ze hadden het over de opleving van de huizenmarkt, hoe goed die hun van pas kwam en hoe moeilijk die voor de jongere generatie was. Zodra het huis was verkocht zou Peggy verhuizen. Ze ging dicht bij haar zoon in Noord-Californië wonen, in een 'résidence voor actieve senioren'.

Ze informeerde naar Tom, en Delia vertelde haar in het kort het hele verhaal.

'Nou ja,' zei Peggy, 'hoe dan ook, hij is nog in leven. Dat is het voornaamste.'

'Voor ons allemaal, zou ik zo denken,' zei Delia, en ze glimlachten en gingen ieder huns weegs, Peggy richting stad en Delia richting huis.

Delia was dankbaar voor de zware schaduwen op Dumbarton Street. Ze liep langzaam en hief haar hoofd op om de wat koelere lucht onder de bomen op te vangen. Ze kwam langs het huis dat van de Bowers was geweest en langs het huis waar de Donahues hadden gewoond. Kinderen waren er met het nodige gekrijs en geplons in een plastic zwembadje op de oprijlaan aan het spelen.

Ze liep haar eigen oprijlaan op. Ze besloot meteen wat pepermuntblad voor de komkommersalade te plukken. Dan kon ze daarna binnenblijven, bij Tom, in de koelte.

Ze zette haar gestreepte tas op de trap naar de achterdeur en brak vier of vijf takjes pepermuntblad af. Het hele bloembed aan deze kant van de achterdeur was erdoor overwoekerd. Ze kon Matt vragen een deel ervan te wieden. Ze boog haar hoofd en snoof de frisse geur van het blad op, waarna ze de takjes in haar tas deed en de trap op liep.

In huis was het koel, en afgezien van het gebrom van de airco doodstil. Misschien deed Tom een dutje. Misschien waren Meri en de baby in de woonkamer ook ingedommeld. Het zou haar met deze hitte niet verbazen.

Ze trok de deur langzaam achter zich dicht en hoorde met een huivering de metalige klik van de klink. Voorzichtig legde ze haar tas en haar sleutels op de keukentafel. Haar handen roken nog naar pepermunt. Ze bracht ze even naar haar gezicht en ademde in. Pepermunt, dacht ze, ruikt naar geluk.

Dat zou ze Tom vertellen. Ze zou haar handen tegen zijn gezicht leggen en het hem vertellen. Ze liep de keuken door en de hal in. Wat was het hier heerlijk koel! Ze moest niet vergeten Matt te bedanken voor de airco, als ze hem weer zag.

Bij het gestage, geruststellende gebrom liep ze zo stilletjes mogelijk door de hal naar de woonkamer.

HOOFDSTUK TWEEËNTWINTIG

Meri, februari 2007

Meri zit op de tribune boven het binnenbad van Williston High School te wachten tot Asa's wedstrijd begint. Henry en zij waren maar net op tijd – zij was te laat van haar werk vertrokken en hij was zoals gebruikelijk blijven lanterfanten na het uitgaan van de peuterspeelzaal. Hij moest nog afscheid nemen van twee van zijn vriendjes. Om te beginnen van David – David, op wie hij erg gesteld is ('Wat ziet hij toch in die jongen?' had Meri Nathan kortgeleden gevraagd, en daarna hadden ze besproken hoe onwaarschijnlijk kinderliefdes meestal waren) – en van Jeff. Van Jeff, want die was heel verlegen, legde Henry in de auto uit.

'Wacht even, dat wist ik nog niet,' zei Meri. 'Jij bent dus de baas van de verlegen kinderen?'

'Nee!' riep hij, en hij grinnikte opgetogen. Hij is de enige die haar nog erg geestig vindt. Vervolgens kalmeerde hij. 'Maar ík ben niet verlegen.'

Henry is haar engeltje, haar laatste kind. Ze kijkt naar hem. Hij is groot voor een kind van drie, blond en stevig – anders dan zijn beide oudere broers. En heel enthousiast, waarin hij ook van hen verschilt.

'Ja,' zei ze. 'Dat weet ik.'

Het vroor buiten vijf graden; net toen de verwarming in de auto lauwwarme lucht naar hen toe begon te blazen, had ze alweer moeten parkeren, waarna Henry en zij van het trottoir naar het sportcomplex waren gerend.

Hier is de lucht warm en zwaar, word je verzwolgen door een geur van bleekmiddel en weergalmt elk geluid tegen de betegelde muren. De tijden van de vorige wedstrijd worden omgeroepen, terwijl de deelnemende jongens met natte haren, een druipende neus en een handdoek over hun schouders rond het bad staan. Maar die wedstrijden doen er niet echt toe: Asa zit in de eerste klas en komt uit voor het team van de eersteklassers. De belangrijke wedstrijden van vandaag zijn voorbij – op dit punt van het evenement is de tribune nog maar voor een derde gevuld. Meri vindt het daarom extra belangrijk dat er een paar gezinsleden naar Asa komen kijken. Henry en zij zijn vandaag de enigen – Nathan heeft een middagcollege, en Martin, haar zoon van elf, heeft klarinetles.

Ze ontdekt Asa tussen de andere eersteklassers; hij draagt een kleine rode Speedo-zwembroek. Veel naakter kan ze hem tegenwoordig niet meer zien – rond zijn twaalfde werd hij door gevoelens van kuisheid overspoeld. Hij heeft zelfs van zijn eigen geld een haakje en een oogje voor de binnenkant van zijn kamerdeur gekocht, zodat zijn jongere broers niet meer bij hem kunnen binnenvallen.

Meri bekijkt hem. Net als haar twee andere jongens is hij erg lang voor zijn leeftijd, en na zijn laatste groeispurt begint zijn lichaam een beetje uit te dijen, mede dankzij de spieren die hij bij het zwemmen heeft ontwikkeld. Hij is veertien. Zijn stem is het afgelopen jaar veranderd, zonder problemen – hij is gewoon steeds lager geworden –, en zijn gezicht verandert ook. Hij heeft opeens net zulke krachtige kaken als Nathan gekregen, en zijn wenkbrauwen zijn vol en donker geworden.

Hij kijkt omhoog naar de tribune en ziet Meri, die naar hem zwaait en naar de naast haar zittende Henry wijst. Asa knikt nauwelijks waarneembaar en kijkt snel een andere kant uit.

Henry vertelt haar over een spel, dat hij uitvoerig en zeer

gedetailleerd beschrijft. David en hij hebben het op de peuterspeelzaal bedacht. Eerst waren ze in het spel de boeven, maar daarna zijn ze superhelden geworden die de boeven vangen – maar, zegt hij, ze zijn anders dan de superhelden die hij als pop heeft, en hij geeft een opsomming van hen en hun bijzondere krachten. David en hij waren superhelden van een andere, betere soort.

'Nu even stil zijn en opletten,' zegt Meri. 'Ze gaan beginnen. Zie je?' Ze draait Henry's hoofd in Asa's richting en wijst. De slungelige jongens staan op een rij en maken zich klaar. Ze verplaatsen hun gewicht van de ene voet op de andere en schudden met hun handen. Nu duiken ze in elkaar op hun startblok, en dan weerklinkt er een knal, gevolgd door de plons waarmee ze allemaal tegelijk het water raken. Er gaat een gejoel door het zwembad.

Henry en Meri schreeuwen ook. Het is een van Henry's favoriete bezigheden.

Asa zwemt de schoolslag, die inefficiënte maar sierlijke manier om je door het water te verplaatsen. Zijn hoofd en schouders komen met een verbluffende, rondgaande opwaartse beweging van zijn beide armen uit het water omhoog; vervolgens verdwijnen de armen in een achterwaartse, neergaande beweging onder water en schiet zijn lichaam naar voren. Bij al deze spectaculaire bewegingen van het bovenlichaam bewegen de onderlichamen van de jongens regelmatig, ze gaan alleen gestaag met hun billen op en neer in het water; Meri was ontsteld over deze beweging toen ze die voor het eerst zag, zozeer deed het haar aan neuken denken. Zelfs nu ontkomt ze niet aan die gedachte. Ze vraagt zich af of de jongens er ooit bij stilstaan, of ze er onder elkaar weleens geintjes over maken.

Asa verdwijnt aan het einde van het bad onder water en komt weer boven. Hij ligt voor op alle anderen, ver voor, en dat is niet verrassend. Hij is de langste van alle deelnemers, en een uitstekend zwemmer. Nathan heeft het hem geleerd. Hij heeft alle drie de jongens leren zwemmen. Zelfs Henry heeft al een betere borstcrawl dan Meri, die pas op volwassen leeftijd heeft leren zwemmen.

'Ace! Ace! Pak ze allemaal, Ace!' roept Henry.

'Kom op, kindje van me!' roept Meri. 'Hup, hup, hup!'

Iedereen schreeuwt, fluit of klapt. Op de bank recht onder hen staat een meisje als een bezetene met haar voeten te stampen en kreten te slaken die klinken alsof ze hevige pijn lijdt of in extase is. Het lawaai in de betegelde ruimte is overweldigend. Henry schatert het uit van plezier.

Op de voorlaatste baan begint een ander lid van het team van Williston op Asa in te lopen. Hij komt zelfs maar één of twee seconden na hem bij het laatste keerpunt, maar in de slotfase loopt Asa gemakkelijk uit, en opeens is hij bij de finish; hij hijgt, grijnst naar zijn coach en wacht af totdat onder het gejuich van de menigte zijn tijd wordt omgeroepen.

Na afloop van de wedstrijd verdwijnen Asa en de andere jongens naar de douches. Henry en Meri pakken zich goed in en gaan dan naar buiten, naar de auto. Asa gaat op de fiets naar huis.

In de auto zegt Henry: 'Mijn keel is helemaal schor van het juichen.'

'De mijne ook.'

Hij zwijgt even. Dan zegt hij: 'Waarom noem je Asa "kindje van me"? Hij is toch geen baby?'

Ze kijkt hem aan. Hij heeft zijn voorhoofd gefronst onder zijn blonde haren, die ze nog zelf knipt. 'Wie is er dan wel een baby?' vraagt ze. 'Ben jij een baby van mij?'

'Nee. Jij hebt helemaal geen baby.'

'O, maar jij bent wel een baby van mij geweest. En Asa is vroeger ook een baby van mij geweest.'

'Maar dat was heel lang geleden.'

'Ja, je hebt gelijk. Ik moest het maar niet meer zeggen, hè?'

'Nee,' zegt hij streng.

Ze rijden verder. Meri denkt – en dat gebeurt ten minste vijf keer per week – aan Asa als baby. Ze voelt daarbij de gebruikelijke steek van verdriet omdat ze hem toen zo weinig heeft kunnen geven en zo weinig voor hem heeft kunnen betekenen. Voor de beide andere jongens voelde ze bij hun geboorte onmiddellijk een alomvattende liefde – ook toen ze bloederig en besmeurd uit haar lijf tevoorschijn kwamen, was ze klaar om van hen te houden. Maar bij Asa moest ze die gevoelens langzaam en aarzelend leren ontwikkelen, en ze is zich altijd schuldig blijven voelen om wat hij tekort is gekomen. Toen Nathan een tweede kind wilde had Meri zich aanvankelijk verzet vanuit dat schuldbesef, vanuit het gevoel dat Asa voortaan recht had op al haar liefde omdat ze aanvankelijk door haar angst en beklemming niet in staat was geweest om van hem te houden.

Maar Nathan had gewonnen en ze hadden Martin gekregen, en veel later Henry – net als Asa was hij een ongelukje geweest: ze was toen achtenveertig en sprong zorgeloos met voorbehoedmiddelen om omdat ze dacht dat ze haar tijd had gehad. Bij de jongere zoontjes had Meri haar liefde steeds royaler en overstelpender kunnen schenken, precies zoals Nathan had voorspeld. En door allebei was ze alsmaar meer van Asa gaan houden.

Maar niet alleen van Asa. Ze had bovendien, in het eigen wereldje dat Nathan en zij met de jongens hadden gecreëerd, gemerkt dat ze ook haar eigen jeugd herwaardeerde, en dat bezorgde haar met terugwerkende kracht een gevoel van veiligheid en geborgenheid dat ze destijds nooit had gekend.

Meri rijdt de oprijlaan op. Nathans fiets staat tegen de zijkant van het huis, net als de fiets van Martin. De ramen op de begane grond zijn fel verlicht. Wanneer Henry en zij de woonkamer binnenkomen, hoort ze Nathans stem in de keuken. Ze hangen hun jassen aan de haken die Nathan naast de voordeur heeft aangebracht. Meri helpt Henry met het uittrekken van zijn laarzen, en daarna lopen ze de hal in.

Nathan is al begonnen met koken. Hij begroet hen allebei; Meri krijgt een kus, Henry een high five. 'Heeft Asa gewonnen?' vraagt hij, terwijl hij zich weer tot Meri wendt.

'Jazeker.'

'Heeft Asa gewonnen?' vraagt Martin, en hij kijkt op van zijn boek, dat op de keukentafel ligt. Hij draagt een bril en ziet er sulliger uit dan de twee andere jongens. Hij is ook tamelijk sullig, maar gek genoeg is hij desondanks geweldig populair. Als de telefoon gaat en Martin in de buurt is neemt niemand anders de moeite om op te nemen, want het is bijna altijd voor hem.

'Met gemak,' zegt Meri.

'Wat was zijn tijd?' vraagt Nathan.

'Dat kan ik je niet zeggen. Voor die vraag moet je nog even wachten tot hij thuis is. Wat eten we?' Ze ruikt knoflook en uien, en Nathan heeft de grote pan opstaan.

'Spaghetti,' zegt hij.

'Spaghetti!' juicht Henry. 'Spaghetti! Spaghetti!' Hij danst rond het kookgedeelte van de keuken. 'Ik. Ben. Dol. Op. Spaghetti!'

'Henry!' roept Nathan. 'Hen! Henry, kalm aan.' Hij wijst op de muur waarachter hun buren, de Switalski's, wonen. Erg rustige mensen, zoals Meri en Nathan vaak benadrukken. Ze hebben twee meisjes, tweelingzusjes van zes, ogenschijnlijk zeer gedisciplineerde kinderen, die nauwelijks te horen zijn.

Meri buigt zich over Nathans schouder terwijl hij wat gehakt door de sissende uien roert en het vlees met de roerlepel fijnmaakt. Ze vraagt hem hoe zijn dag is geweest en vertelt hem over de hare.

Nathan zegt: 'Ik heb de *New York Times* gekocht, en ook de *Register*' – de plaatselijke krant. 'Ik ben hier nog minstens een halfuur bezig, dus jij kunt nu even de krant gaan zitten lezen.'

'Ik denk dat ik dat maar doe. Ik ben sinds vanmorgen aan één stuk door in de weer geweest.' Ze loopt de woonkamer binnen. Ze gaat zitten en werpt een snelle blik op de voorpagina van de *New York Times*. Nieuwe gruwelverhalen uit Irak. Ze kan ze niet lezen.

In de keuken hoort ze de fluctuaties van Henry's stem; al zijn zinnen worden theatraal afgesloten. Nathan hoeft maar een enkele keer iets te mompelen om hem aan de praat te houden.

Ze neemt de kunstpagina's door, pakt een pen en begint aan de kruiswoordpuzzel. Hij is makkelijk vandaag – het is dinsdag. Op vrijdag is hij voor haar erg moeilijk en op zaterdag begint ze er maar zelden aan. Vervolgens slaat ze de *Register* open, bladert hem snel door en laat haar oog langs een paar artikelen gaan. Als ze de overlijdensberichten opslaat, vallen haar handen stil en slaakt ze een kreetje.

Het is Delia, haar gezicht lacht Meri toe.

De foto is waarschijnlijk gemaakt toen ze in de veertig was, maar het is onmiskenbaar Delia. De kopregel luidt: 'Vrouw senator (89) overleden.'

Meri's hart bonst zwaar. Ze leest het bericht bijna ademloos door, het dringt nauwelijks tot haar door wat erin staat. Vervolgens dwingt ze zichzelf om het stuk nog eens te lezen, wat langzamer. Maar zelfs deze tweede keer, terwijl ze de details probeert te begrijpen, denkt ze vooral aan de laatste keer dat ze Delia heeft gezien, aan de afschuwelijke scène die een einde aan alles heeft gemaakt.

Het gezicht van Tom, die haar in diepe vervoering had gadegeslagen, was plotseling veranderd; terwijl zijn ogen zich opensperden had zijn blik zich van haar afgewend. Met haar handen nog op haar borsten draaide Meri zich om en zag Delia. Delia, die daar stokstijf stond, met opengevallen mond en een verwilderde blik in haar ogen.

Meri weet niet meer precies wat ze het eerst deed; misschien probeerde ze haar blouse dicht te trekken, misschien kwam ze overeind. Ze weet nog dat Tom aan de andere kant van de kamer ook een verwoede poging deed om op te staan. Toen ze weer naar Delia keek was de oude vrouw een paar passen teruggedeinsd, haar gezicht zag er vreselijk uit. Vervolgens draaide ze zich om en verdween naar de hal.

Binnen een paar tellen bereikte Meri de keuken. Delia had haar handtas en haar sleutels al gepakt en stond bij de open deur. Meri deed haar mond open om iets te zeggen, maar op hetzelfde ogenblik drong vanuit het huis achter haar Toms stem tot haar door, het vreemde geluid dat hij maakte, zijn kreet: 'Die-ie!'

Delia zei tegen Meri: 'Zeg niets. Geen woord.' Ze keek volkomen ontdaan, maar ziedend. Ze had haar hand opgeheven en haar vingers gespreid: stop. En toen was ze weg.

Verdwaasd bleef Meri een ogenblik roerloos staan. Daarna ging ze Delia achterna, het heldere warme zonlicht in. Ze haalde Delia in en zei... Wat zei ze ook weer? Ze kan het zich niet meer herinneren. *Delia, dit is niet wat je denkt dat het is. Alsjeblieft, Delia, kom terug.* Het deed er niet toe. Ze zei maar wat.

Ze kwamen bij het einde van de oprijlaan. Delia had niets tegen haar gezegd en haar zelfs niet aangekeken, maar haar mond was geopend en bewoog. Ze ademde luidruchtig en onregelmatig – hysterisch – zou Meri hebben gezegd als ze ooit met iemand over dit moment had gesproken. Meri raakte Delia's arm aan, en de oude vrouw rukte zich los en draaide zich naar haar toe.

'Ga terug, jij,' zei ze. Ze wees, en Meri keek om en zag dat Tom net over de zonbeschenen oprijlaan op hen af kwam – zonder rollator of stok, in zijn trage, gevaarlijk onevenwichtige strompelpas. 'Ga jij maar puinruimen,' zei Delia. Haar toon was schril. 'Ga maar terug en kijk maar of je nog iets kunt doen aan wat je hebt aangericht.'

Ze draaide zich om en liep haastig Dumbarton Street op, in de richting van Main Street.

Meri was blijven staan, ze kon niet verder. Asa lag nog in Delia's huis te slapen. En achter haar slaakte Tom opnieuw een kreet, een langgerekte, diepe jammerkreet – terwijl op straat Delia zich in hoog tempo verwijderde, waarbij haar gestalte op en neer leek te bewegen onder de schaduwplekken van de bomen. Meri sloeg haar een ogenblik gade.

Vervolgens draaide ze zich om en liep langzaam de oprijlaan op, naar Tom.

Ze loog tegen Nathan. Ze overwoog geen moment om niet te liegen, om de waarheid te spreken. Ze loog om zichzelf te redden, om wat er tussen Nathan en haar was te redden en om Asa te redden. Ze loog ten behoeve van hen allemaal. Tom, die haar aanhoorde, zei niets wat haar verhaal tegensprak. Ze vertelde Nathan dat ze Asa net had gevoed en dat Delia was binnengekomen en het gebeurde verkeerd had begrepen.

Nathan had haar geloofd. Hij had haar bijgestaan, hij had met haar meegeleefd en haar gesteund. Weken later, toen ze alles nog eens doornamen – wat ze in die periode herhaaldelijk deden – zei hij: 'Misschien was hij naar haar idee niet gehandicapt genoeg.'

Het was de eerste keer dat een van hen erover sprak met een zekere afstandelijkheid, zo niet luchtigheid, en Meri was Nathan dankbaar maar had tegelijk een besef van verlies. Omdat hij er al zoveel afstand van had genomen, zodat hij er een grapje over kon maken – terwijl zij besefte dat ze daar niet toe in staat was. Dat ze daar nooit toe in staat zou zijn.

Ze leest het overlijdensbericht nogmaals en dwingt zichzelf dit keer eindelijk om zich voor te stellen hoe Delia's verdere leven is verlopen.

De doodsoorzaak wordt niet vermeld, maar volgens het artikel is Delia in een verzorgingshuis in Denver overleden.

Dicht bij Nancy dus. Dat stemt Meri treurig. Ze heeft Nancy ontmoet. Ze weet nog met welk woord Tom haar beschreef – formidabel – en hoe hij daarna even huiverde van gespeelde angst. Ze weet genoeg om te vermoeden dat het voor Delia moeilijk is geweest om haar laatste levensdagen onder Nancy's hoede te slijten.

Maar volgens het bericht heeft ze tot twee jaar voor haar dood in Parijs gewoond en was ze een absolute francofiel. Het Apthorp-huis komt ter sprake, en er wordt verteld dat zij eraan heeft bijgedragen dat het een museum is geworden.

Ook wordt er verteld dat ze is opgegroeid in Watkins, een stadje in de staat Maine, waar haar vader hoofd van een jongensschool was. Dat ze aan Smith College heeft gestudeerd. Dat ze in 1940 met Thomas Naughton in het huwelijk is getreden. Dat hij later twee ambtstermijnen lid van het Huis van Afgevaardigden is geweest en vervolgens eveneens twee ambtstermijnen senator is geweest. Dat Delia in Washington bekendstond om haar schoonheid, haar charme en haar esprit. Dat uitnodigingen voor een feest ten huize van de Naughtons felbegeerd waren.

Dat ze drie kinderen, zeven kleinkinderen en vier achterkleinkinderen nalaat.

Dat de senator en zij na zijn tweede campagne voor de Senaat niet meer samenleefden, maar dat ze nooit officieel zijn gescheiden. Dat hij in 1998 is overleden.

Maar dat wist Meri wel. Nathan was op zijn overlijdensbericht gestuit toen ze samen in bed de krant lagen te lezen. Zwijgend had hij haar het stuk voorgehouden. De foto van Toms jonge, enthousiaste gezicht had Meri herinnerd aan zijn uitdrukking in Delia's woonkamer, toen hij haar gadesloeg.

En vervolgens was ze, net als nu, door de andere herinneringen overspoeld. Hoe hij de avond na Delia's vertrek voornamelijk zwijgend bij hen had gegeten, terwijl zij hem alsmaar verzekerden dat Delia wel terug zou komen en dat ze zeker zou bellen. Hij had zich daaraan vastgeklampt en het steeds herhaald, als een klein kind. Meri had zich er stilzwijgend ook aan vastgeklampt. Natuurlijk zou Delia bellen. Ze had Tom al zoveel vergeven. Ze hield van hem. Dit kon niet het einde van alles zijn. Het was niet mogelijk dat Meri dat in gang had gezet.

Nathan had Tom naar bed gebracht en zelf ook in Delia's huis overnacht. Hij sliep op de bank in de woonkamer; hij vertelde dat hij liever niet boven ging rondscharrelen om daar een slaapplaats te zoeken. De volgende ochtend had hij Tom gewekt en hem bij hen laten ontbijten voordat Len hem kwam halen. Ze vertelden hem dat ze er zeker van waren dat Delia vandaag zou bellen.

Maar ze belde niet. En ze was er ook 's avonds niet, toen Matt kwam vertellen dat hij moest gaan.

Opnieuw bleef Tom bij hen eten. Opnieuw bracht Nathan hem naar bed. Maar nadat hij was ingeslapen, kwam Nathan een poosje naar huis om met Meri te bespreken hoe ze de zaken moesten aanpakken. Toen ze daarover in de keuken een besluit probeerden te nemen, belde Nancy. Meri nam op.

Nancy zei dat haar moeder bij een vriendin in Washington was. Dat ze 'definitief' – Nancy beklemtoonde dat woord sterk – had besloten dat het haar te veel werd en dat ze niet in haar eentje in Toms behoeften kon voorzien.

Nancy zei dat ze had geregeld dat Tom voorlopig weer in Putnam zou worden opgenomen. De chauffeur zou hem er morgen naartoe brengen. Ze belde om te vragen of Meri en Nathan voldoende kleren en toiletspullen voor een paar dagen voor hem wilden inpakken. Daarvoor zou ze hun bijzonder dankbaar zijn. Ze was hun al erg dankbaar omdat ze de afgelopen dagen voor Tom hadden gezorgd. Ze zou zelf in het weekend naar het oosten komen om te doen wat er verder nog moest worden gedaan.

Ja, zei Meri. Nee, nee, Tom was hun niet tot last. Nee, ze deden het graag.

Nathan had Toms bagage ingepakt. Hij was die avond weer met Tom meegegaan, en toen hij 's ochtends Toms spullen in een koffer deed had hij hem uitgelegd wat er gaande was. Tom kwam voor de laatste keer bij hen ontbijten, en toen kwam Len en begeleidde hem naar de auto.

Meri had al afscheid genomen, en ze keek vanuit haar huis toe hoe ze langzaam de trap naar de oprijlaan af liepen. Maar op het laatste moment rende ze hen achterna. 'Tom,' riep ze. Ze waren bij de auto, Len had het portier geopend.

Tom draaide zich naar haar toe. Hij leek krommer te zijn geworden; hij zag er opeens jaren ouder en veel zwakker uit.

Meri voelde tranen in haar ogen springen. Len praatte opgewekt tegen haar, maar ze schonk hem geen aandacht. 'Ik wou afscheid nemen,' zei ze tegen Tom.

Hij knikte. 'Ung,' zei hij.

Ze legde haar hand op zijn arm. Hij voelde knokig, het vlees leek er los aan te zitten. Ze kon zich niet herinneren dat ze hem ooit eerder had aangeraakt. 'Het spijt me,' zei ze. 'Het spijt me echt zo...'

Hij schudde zijn hoofd en glimlachte – zijn geamuseerde, ironische lachje, zijn iets samengeknepen mond. 'Nee-ee,' zei hij.

Hij legde zijn vlakke hand tegen zijn borst en sloeg erop. 'Me-a culpa!' zei hij duidelijk, en hij glimlachte nog steeds naar haar.

'Ha! Zie je dat?' zei Len tegen Meri. 'Je krijgt de man wel de kerk uit, maar de kerk niet uit de man.' Hij hielp Tom de auto in.

Meri stond op de oprijlaan en keek toe hoe de chique zwarte wagen achteruit de oprijlaan af reed en keerde. Ze keek hem na totdat hij uit het gezicht was verdwenen.

Volgens Toms overlijdensbericht was hij na een langdurig ziekbed in een hospice in Washington overleden. Het stuk ging vooral in op zijn politieke carrière, op zijn indertijd impopulaire verzet tegen de koers die de beweging voor de bestrijding van de armoede onder Sargent Shriver was ingeslagen. Er werd vermeld dat Delia hem had overleefd; ze werd aangeduid als de echtgenote van wie hij lange tijd gescheiden had gewoond.

Meri heeft de krant neergelegd en zit in het niets te staren. Ze denkt weer aan Delia's gezicht op het vreselijke moment van haar ontdekking, en aan alles wat er na haar vertrek gebeurde. Ze herinnert zich hoe Nancy dat weekend arriveerde, bars en voldaan, en de bezittingen van haar vader en een deel van haar moeders spullen inpakte. Ze herinnert zich hoe het huis in de daaropvolgende maanden langzaam werd leeggehaald en vervolgens te koop werd gezet. Ze herinnert zich de verschillende bezoekjes van Brad en Evan, het door Brad bestuurde gehuurde busje en de verhuiswagens die spullen voor Evan en Nancy op kwamen halen.

Ze herinnert zich hoe ze dat najaar, op een avond dat Nathan een vergadering had, alleen het huis in is gegaan. Ze herinnert zich hoe ze in de ontruimde kamers heeft staan huilen. Ze herinnert zich hoe haar gesnik in het donker weergalmde.

Henry komt de keuken uit. 'Zingen, mama,' zegt hij terwijl hij bij haar op schoot klimt.

'Moet dat echt?' zegt ze. Ze merkt dat hij haar terughaalt, dat ze nog heel ver weg is.

'Ja.'

'Wat moet ik zingen?'

'"Pay My Money."'

Dat is een nummer van een cd van Bruce Springsteen die Nathan kortgeleden heeft meegenomen. Henry is er helemaal gek van.

Meri begint, haar stem klinkt eerst nog zacht en schor: 'Well I thought I heard the captain say,/ "Pay me my money down./ Pay me or go to jail..."'

Na een paar coupletten wordt ze ontzet door Asa, die door de voordeur binnenkomt en zijn rugzak op de vloer laat vallen. 'Hallo,' zegt hij. Zijn gezicht is rood en zit vol kloofjes. Zijn ogen zijn roodomrand en betraand van de kou. Hij zet zijn muts af en trekt zijn wanten en zijn jas uit.

Henry is rechtop gaan zitten. 'We hebben je zien winnen, Ace,' zegt hij. 'We hebben gejuicht en geschreeuwd.'

'Ja, ik kon je daar boven horen.' Hij grijnst naar Henry.

Henry laat zich van Meri's schoot glijden en gaat naar Asa toe. Hij vouwt zich om een van Asa's benen heen – zoveel kleiner en jonger dan zijn broer is hij. 'Ace heeft gewonnen!' roept hij.

'Je was geweldig, schat,' zegt Meri.

'Ja, goed, maar ik ben uitgehongerd,' zegt Asa. Hij loopt naar de keuken en sleept Henry achter zich aan.

'Ik ben ook uitgehongerd!' roept Henry.

Met een verdoofd en afwezig gevoel loopt Meri achter hen aan. In de keuken haalt ze een tafelkleed tevoorschijn en spreidt het over de keukentafel uit. Ze pakt borden en bestek uit de la en is bij de tafel in de weer om ze op hun plaats te zetten.

De jongens gaan weg om hun handen te wassen. Meri overweegt Nathan nu over Delia te vertellen, maar doet het niet. Ze doet het niet, omdat ze weet dat hij met haar mee zal leven – hij zal zich herinneren wat hij destijds van haar verdriet heeft begrepen, van haar schuld, en hij zal denken dat het door Delia's dood is verergerd, is verdubbeld.

En dat is niet zo. Het is niet zo, zonder dat ze begrijpt waarom.

Ze kijkt naar hem. Hij staat kaas te raspen, zijn grote handen bewegen, zijn haar deint met elke raspbeweging mee. Nathan.

De jongens komen terug, vegen hun natte handen af aan hun spijkerbroek en gaan zitten. Nathan schept de spaghetti op en ze geven de pastaborden aan elkaar door. Nathan begint te zingen: 'O, Mussolini was een trotse heer, een trotse heer,/ Hij at spaghetti keer op keer, ja keer op keer./ Om zijn vork draaide hij hem heen en weer...'

Hij wordt overstemd door het geloei van de jongens. Ze hebben dit al eens eerder gehoord – al heel wat keren eerder. Bijna elke keer dat ze spaghetti eten.

'Sst, sst, sst,' zegt Meri. 'Nu zijn we stil. Nu gedragen we ons.'

Ze beginnen te eten. 'Wat is gedragen?' vraagt Henry even later.

'Als je je gedraagt ben je heel netjes. Beleefd. Dan zeg je alstublieft en dank u wel.'

'Altijd?' vraagt Henry.

'Als het zo hoort,' zegt Nathan.

Martin vraagt of hij Parmezaanse kaas mag.

'Alsjeblieft,' zegt Meri.

'Alsjeblieft, alsjeblieft, alsjeblieft,' zegt Martin op zeurderige toon.

'Wanneer hoort het zo?' vraagt Henry.

Meri legt het hem uit, terwijl Nathan Asa vraagt hoe de wedstrijd was. Ze praten erover, over Asa's kansen om volgend jaar in het schoolteam te worden opgenomen. Over Henry en zijn keel die zo'n pijn doet van het juichen.

Martin vraagt Meri of ze hem na het eten zijn tekst wil overhoren. Hij speelt op de universiteit in een toneelstuk mee – hij heeft de enige kinderrol – en hij heeft vannacht gedroomd dat hij op de planken stond en niets meer wist. Hij herkende zelfs zijn clausen niet meer. 'En in de droom probeerde iedereen me te helpen. Ze fluisterden zo hard dat ze zowat stonden te schreeuwen, maar het hielp niet. Ik wist mijn tekst nog steeds niet.'

'Zulke dromen heeft iedereen weleens, schat,' zegt Meri. 'Dat heeft niks te betekenen.'

Nathan vertelt dat hij eens heeft gedroomd dat hij college gaf en dat zijn aantekeningen onleesbare hiërogliefen waren.

'Wat zijn hiedoglieven?' vraagt Henry.

Asa legt het hem uit. Hij staat op, pakt een stuk papier en tekent een stel hiërogliefen die hij voor Henry verzint. Uiteindelijk maakt hij een zin met een oog, een hart en een voetbal – opgetogen leest Henry deze zin een paar keer voor.

Na het eten ruimen ze af. In de woonkamer overhoort Meri Martin zijn tekst. Nathan is naar boven gegaan, naar zijn studeerkamer, en Asa maakt zijn huiswerk aan de eetkamertafel. Henry zit aan de andere kant van de woonkamer met oortelefoontjes in te luisteren naar nummers die alleen hij op zijn draagbare cd-speler kan horen. Helemaal zelf – en daar is hij trots op – heeft hij zijn pyjama aangetrokken, een oude, bijna versleten pyjama die eerder van Martin is geweest en daarvoor van Asa. Meri ziet Asa nog voor zich in die pyjama; ze ziet voor zich hoe hij volkomen zichzelf was, zelfs toen hij zo oud was als Henry nu, totaal anders dan Henry nu is en dan Martin toen hij zo oud was; hij was serieus en wilde altijd fanatiek alles goed doen en het haar naar de zin maken. Henry, die helemaal niet zo is, zingt zo nu dan, en hard, een stukje mee, in afwachting van het moment dat Meri hem naar bed zal brengen.

Als Martin zich zeker voelt over zijn tekst, brengt Meri Henry naar boven en leest hem twee prentenboekjes voor. Hij ligt tegen haar aan, en ze voelt hem steeds zwaarder worden. Ze doet het licht uit en gaat naast hem liggen terwijl zijn ademhaling trager en dieper wordt. Ze denkt aan Delia, aan wie ze vanavond bij vlagen voortdurend heeft gedacht. Aan Delia en Tom, en aan zichzelf in die tijd. Aan díe Meri, de Meri die hen heeft gekend, die zich zo bekommerde om hun verhaal, om hun geschiedenis en om wat ze van haar vonden. Van de Meri die hun levens zo onbekommerd kapot heeft gemaakt – de persoon die ze toen was lijkt oneindig ver van haar af te staan, haar leven speelt zich volledig af in het hier en nu, en is helemaal met de jongens en Nathan vervlochten.

Ze herinnert zich dat ze destijds het idee had dat Nathan en zij geen verhaal van dezelfde orde als Delia en Tom zouden krijgen, dat er tussen hen geen vergelijkbare diepe liefde bestond. Ze had gedacht dat ze al wist wat hun huwelijk inhield en waar het op zijn grenzen stuitte. Ze had gedacht dat ze ermiddenin zaten. Ze wist nog niet dat ze er nog maar nauwelijks aan waren begonnen. Ze kon zich geen voorstelling maken van de lange, trage processen waardoor zij en hun gevoelens voor elkaar zouden veranderen. Evenmin had ze ooit kunnen vermoeden welke heilzame uitwerking de kinderen op hen en hun liefde zouden hebben.

Op een keer, niet zo lang geleden, toen Nathan en zij aan het eind van de dag in bed waren geploft en verlamd van vermoeidheid naast elkaar hadden gelegen, alleen nog in afwachting van de slaap, dat allerhoogste goed, had ze schertsend tegen hem gezegd: 'Denk je dat wij samen het hemelse geluk hebben gevonden, Natey?'

Zijn antwoord bleef even uit, zodat ze dacht dat hij was ingedommeld. Maar toen draaide hij zich om en aaide haar over haar gezicht. 'Ik denk dat we samen het aardse geluk hebben gevonden, hier, in dit huis.'

Zo voelt Meri het inderdaad ook: dat wat zij en Nathan hier met elkaar en de kinderen hebben beleefd hen heeft gemaakt tot wat ze zijn en hun relatie hechter heeft gemaakt.

Maar Tom en Delia hoorden daar voor haar ook bij, denkt ze nu. Zij hebben haar ook veranderd en bijgedragen aan haar vorming als werkende vrouw en moeder.

Ze beseft dat ze wilde dat Delia haar zou veranderen. Ze had zich tot Delia aangetrokken gevoeld, ze had gedacht dat ze van haar kon leren. Ze had zelfs gedacht dat ze iets kon leren van Delia's privégeschiedenis, van de brieven van Tom die ze heeft doorgelezen. Meri ziet Delia's gezicht voor zich toen ze zei dat het leven je leert dat je alles kunt verdragen en toen ze zei dat je jezelf moet kunnen vergeven. Meri had altijd de indruk dat ze op het punt stond van Delia een grote en belangrijke les te leren over hoe je in het leven moet staan.

Maar uiteindelijk denkt ze dat Tom haar sterker heeft veranderd en haar iets heeft gegeven waarvan ze niet besefte dat ze het nodig had. De herinneringen aan hem zijn haar het sterkst bijgebleven en komen het scherpst en het vaakst bij haar terug. Die paar middagen dat ze met hem samen is geweest leek hij haar steeds weer uit te nodigen om te lachen en met hem plezier te hebben. Ze ziet het allemaal nog voor zich: de humor in zijn ogen, de welwillende komedie in de gebaren die hij naar haar maakte. De dag dat hij haar bedankte met zijn hand op zijn borst, de dag dat hij zijn vinger op zijn lippen legde. Ze ziet het voor zich. Ze ziet voor zich hoe hij de gulzige Asa nadeed, zijn komische gesputter nadat haar melk over hem heen was gespoten. Ze herinnert zich hoe ze met Tom heeft gelachen en hoe ze om hem heeft gelachen. Hoe ze voor het eerst om Asa heeft gelachen. En zelfs – jazeker – hoe ze om zichzelf heeft gelachen. Ze herinnert zich dat Tom haar een prettig en gelukkig gevoel bezorgde. Dat hij haar het gevoel gaf dat ze mooi was.

'Mea culpa,' had hij na Delia's vertrek gezegd, en dat was een groots en grootmoedig gebaar naar haar geweest. Maar hij had het met een glimlach gezegd, en misschien was dat een nog grootser gebaar.

Naast haar in bed lijkt Henry even op te schrikken. 'Blauw,' zegt hij, of iets wat daarop lijkt. Ze kijkt naar zijn slapende gezicht; het is volledig ontspannen en weer bijna een babygezichtje. Ze laat zich voorzichtig van het bed af glijden en staat langzaam op. Ze loopt de kamer door, gaat de overloop op en trekt Henry's deur achter zich dicht. Op de overloop blijft ze staan luisteren. Martin neemt op zijn kamer opnieuw een van zijn tekstregels door. Hij herhaalt hem met steeds andere accentueringen. Beneden heeft Asa muziek op staan. Ze hoort de stoel in de eetkamer kraken wanneer hij gaat verzitten. Henry ligt in bed, Nathan zit in zijn studeerkamer. Ze heeft het gevoel dat het leven haar omgeeft, dat ze ermiddenin zit. Dat ze hier thuishoort.

Ze denkt weer aan de foto van Delia en herinnert zich hoe ze ten einde raad met haar probeerde te praten en haar probeerde uit te leggen wat er was gebeurd. Natuurlijk, waarschijnlijk had toen geen woord van haar iets aan de situatie kunnen veranderen. Het kwaad was geschied.

Maar als ze toen had kunnen verwoorden wat ze zich in de loop der jaren bewust is geworden, zou ze zeggen – en ze durft er een eed op te zweren dat het waar is – dat ze zich die dag met Tom zo heeft gedragen omwille van de liefde. Uit liefde.